LA MÉNOPAUSE EFFACÉE

Dr ANNE DENARD-TOULET

LA MÉNOPAUSE
EFFACÉE

ÉDITIONS ROBERT LAFFONT
PARIS

Les schémas et graphiques
sont de Marie-Thérèse Dubois

© Editions Robert Laffont, S.A., 1975

ISBN 2-221-00223-7

SOMMAIRE

POUR QUOI FAIRE?

SOMMAIRE

LA PESTE PUISQU'IL FAUT L'APPELER PAR SON NOM

LES TROUBLES CLIMATÉRIQUES

SOMMAIRE

SOMMAIRE

CECI N'EST PAS UNE AUTRE HISTOIRE

COMME UNE AUBERGE ESPAGNOLE

CE TRÈS GRAND TIERS

POUR QUOI FAIRE ?...

« MÉNOPAUSE : *fin de la fonction menstruelle. Elle signe la fin des sécrétions hormonales ovariennes et la stérilité définitive. Elle s'accompagne d'une régression des caractères sexuels, et de bouffées de chaleur. Parfois de perturbations psychiques et neuro-endocriniennes. A longue distance, il semble que la diminution des hormones soit responsable de certains troubles de la fabrication osseuse, comme l'ostéoporose. Tous ces signes peuvent apparaître précocement de la même façon après la castration qui réalise une ménopause artificielle.* »

(Dictionnaire médical.)

LES MYTHES

LES MYTHES

CES VINGT DERNIÈRES ANNÉES...

Ces vingt dernières années ont été exaltantes en gérontologie, et le domaine de la conservation hormonale féminine est peut-être celui des plus spectaculaires progrès.

Ce fut pourtant, longtemps, celui des pires amertumes et des plus grands moments de découragement.

L'information du patient n'est pas une des moindres activités du gérontologue, et passer de longs moments à expliquer, enseigner, est monnaie courante dans ses consultations.

Mais il s'agissait cette fois de bien autre chose : une lutte constante contre une information tendancieuse, délirante, fanatique. Démonter un par un les mythes innombrables, aberrants, et, bien sûr terrifiants, propagés à grand bruit dans l'opinion publique, calmer, expliquer, rassurer, pouvait, suivant les patientes, prendre plusieurs consultations, plusieurs mois, parfois plusieurs années.

Certains spécialistes, dont la collaboration en gérontologie féminine est toujours essentielle et généralement féconde, conditionnés par le climat de leurs études, les anathèmes scientifiques, les publications contradictoires — et sans doute une espèce de prédisposition archaïque insondable — perdaient sur ce sujet toute raison et tout contrôle... et le minimum de comportement déontologique. Loin de chercher à communiquer, à discuter, ils menaçaient les patientes (cela arrive encore !) des pires conséquences, traitant leurs confrères, plus modernes, de rien moins que charlatans ou assassins, quand ils ne mettaient pas les malheureuses devant un choix définitif « c'est lui (où elle) ou moi »... ou ne se répandaient en injures téléphoniques, ou épistolaires.

Pendant des années, il a fallu traiter contre l'opinion générale, en sachant que la moindre coïncidence défavorable serait interprétée comme une faute professionnelle grave.

Cette anomalie du comportement scientifique, cette espèce d' « hystérie déshonorante [1] » semblait vouer à l'impossibilité toute solution raisonnable, lorsque, brusquement, la « bataille des contraceptifs » a tourné court, et sauvé les thérapeutiques hormonales femelles de l'anathème qui pesait sur elles depuis leur découverte.

Mais il faut rendre hommage :
— aux chercheurs qui ont osé aborder positivement le problème, et dont les travaux ont enfin permis d'y voir clair, dans un domaine si profondément faussé ;
— aux praticiens qui ont pratiqué une collaboration ouverte, enrichissante, irremplaçable ;
— aux patientes, enfin, qui, bien qu'effrayées, conditionnées, critiquées de toutes parts, ont osé, sur des explications logiques, faire confiance à leur médecin et se prêter, malgré l'opposition et les prédictions funestes de tout leur environnement familial, amical et médical, à des examens méthodiques et des traitements disciplinés.

Sans les résultats qu'*ils* et *elles* ont permis d'*obtenir* et de *montrer,* sans leur collaboration intelligente et leur confiance courageuse, (et pour tous ceux et celles d'avant 1967, le mot n'est pas trop fort) les progrès n'auraient été ni si spectaculaires, ni si rapides.

Mais comment trente ans de faits inexacts, de contre-vérités véhémentes, et de prédictions terrifiantes, pourraient-ils ne pas laisser de traces, longues à effacer ?

Combien de femmes, malheureuses et angoissées, ne savent encore maintenant que croire et comment trouver une aide sans danger — puisque dans ce domaine il faudra, longtemps encore, faire la preuve que la thérapeutique, « accusée, reconnue coupable d'office », *est sans danger.*

C'est pourquoi le but de cet ouvrage n'est pas un panorama exhaustif de la ménopause, mais seulement, à une époque où les connaissances scientifiques, les conditions écologiques et sociales sont aussi totalement bouleversées, une tentative d'approche plus réaliste, plus moderne et plus rationnelle d'un phénomène de la physiologie féminine, de tous temps ressenti, défini ou traité, irrationnellement.

Toute la haute pathologie est depuis longtemps clairement exposée. Nous ne ferons qu'en reprendre un résumé sans lequel il

---

1. PÉQUIGNOT.

n'est pas possible de donner leur véritable importance aux conséquences de la ménopause et aux thérapeutiques préventives et curatives qui la concernent.

Il n'est pas non plus question de faire ici un exposé de thérapeutique qui donnerait aux patientes des notions dangereusement incomplètes, et, pour elles, inutilisables.

Par contre, l'acuité des problèmes d'atrophie génitale et des troubles sexuels, la réalité des troubles morphologiques, l'organicité de la plupart des désordres neuro-végétatifs et psychologiques ont été traités à fond parce qu'ils sont, d'habitude, minimisés, et que ce n'est plus défendable quand on a, enfin, les moyens de les traiter avec succès.

Les dégénérescences pathologiques tardives, les conséquences les plus lointaines sont assez longuement détaillées, parce que c'est à travers elles — et en tant que tournant capital dans la détermination de l'âge mûr et de la vieillesse — que la ménopause envahit (oh combien !) le domaine de la gérontologie.

Certains chapitres de cet ouvrage peuvent paraître plus étendus que le sujet ne le mérite, ou, développés d'une façon apparemment disproportionnée par rapport à l'ensemble. Mais nous avons voulu examiner à fond les problèmes qu'apportent quotidiennement les femmes en consultation, y compris ceux, habituellement ignorés ou négligés, qui se définissent pourtant de façon évidente, pour peu qu'on prenne la peine de les relever statistiquement et de les étudier sans idée préconçue. Aussi, en reprenant chacun des symptômes classiques, avons-nous tenté de leur redonner la place qu'ils méritent, évaluée d'après l'importance réelle de la gêne, de la souffrance ou de la désorganisation provoquées, mais aussi d'après les notions objectives apportées par les considérables progrès de la neurologie expérimentale.

Le désintérêt, la méconnaissance que rencontrent les femmes à ce sujet, la solitude où elles restent, ou sont rejetées, ne sont pas de bons moyens de les aider, ni d'effacer leurs problèmes.

Ce ne sera pas une lecture agréable, et elle n'est pas toujours facile.

Mais ce n'est pas en ignorant, en niant, ou en minimisant les faits déplaisants ou insupportables qu'on les supprime.

Seule une connaissance approfondie des troubles, dans leur variété, de leurs mécanismes et de leurs conséquences, permet de comprendre, aussi bien les possibilités considérables d'une prévention méthodique, que la justification, la nécessité, je dirais presque la

« moralité », d'un traitement, et la rigueur, la continuité, bref la discipline, indispensables à sa réussite.

J'espère que la crudité, et même la cruauté, de certains passages nous vaudront un préjugé de confiance quand nous parlerons d'espoir, de traitements, de réussites...

Car aussi déprimant que cet exposé puisse paraître par moment, et au premier abord, c'est pourtant un message d'enthousiasme.

On peut prévenir la ménopause, on peut la traiter et agir sur ses plus lointaines conséquences. Et de cette action s'est dégagé, au fur et à mesure qu'augmente le recul, un des plus spectaculaires résultats de la gérontologie moderne contre la sénescence générale.

Mais comment combattre un phénomène méconnu ? Ne vaut-il pas mieux prendre la peine de l'étudier rigoureusement, même dans ses aspects les plus ingrats ?

... Puisqu'on peut, dès maintenant, « effacer » la ménopause !...

2

MULTIPLES ASPECTS

ASPECT MÉDICAL

Ainsi définie, l'étude de la ménopause revêt trois aspects principaux :
— c'est un problème médical de première importance ;
— c'est un problème gynécologique, exclusivement féminin ;
— c'est un problème gérontologique : elle joue sur les pathologies de sénescence un rôle plus précoce et autant, sinon plus important, que le vieillissement proprement dit.

L'exercice de la médecine a, au fil des années, une influence considérable sur l'évolution de la pensée. La confrontation quotidienne avec des problèmes, bien plus multipliés que dans une expérience individuelle, fait rapidement un sort aux vues trop subjectives et, petit à petit, prend complètement le pas sur le modeste capital d'expériences personnelles.

Un contradicteur isolé peut ne pas convaincre par le mauvais choix, la pauvreté de ses arguments, le peu de crédit que sa personnalité leur confère, ou, tout simplement, une disposition instinctivement hostile à ses propos ou à sa personne. Mais quelles opinions, quelles convictions, même les plus profondes, peuvent résister à 5, 20, 50 cas d'observations contraires ?

Comme, sans doute, beaucoup de médecins, j'ai cru longtemps que les règles sans histoires, les grossesses joyeuses et sans malaises, les ménopauses calmes et sans perturbations étaient, en grande partie, affaire d'éducation, de volonté, d'équilibre, de simplicité et de domination de soi. Dans certains cas, un peu tangents, un petit effort de surpassement devait pouvoir régler le problème.

La pratique quotidienne nous apprend que c'est un peu vrai, que l'attitude psychologique joue un certain rôle... et que des troubles réels, objectifs, des accidents évidents, indéniables, se produisent constamment, échappant totalement à tout contrôle... et à l'optimisme le plus déterminé !

La ménopause ne devrait être qu'une étape chronologique, sans manifestations pathologiques particulières, dans le cours d'un vieillissement général progressif, dont les premiers phénomènes lui sont d'ailleurs antérieurs.

Or, très souvent, dans un nombre important de cas, qui varie suivant les auteurs, mais que l'on peut estimer entre 72 et 75 %, on assiste à un véritable syndrome pathologique.

Les trois quarts des femmes « en ménopause » vivent, de 5 à 10 ans ou davantage, dans un état second, plus ou moins gravement pathologique.

Or il y a environ, au même moment, dans le monde, 315 millions de femmes en ménopause.

Peut-on nier qu'il s'agisse d'un problème médical majeur ?

Il est bien évident que dans certains domaines, il y a des limites à ce qu'un sexe peut comprendre de l'autre.

De même qu'une femme ne pourra, jamais tout à fait, concevoir les impulsions, réactions et sensations d'un homme, bien plus encore, un homme ne peut, aussi attentif, aussi objectif soit-il, imaginer et admettre, entièrement, les problèmes liés à la physiologie féminine. Les sensations, les malaises et les modifications de l'humeur, cycliques, apparemment inexplicables, qui caractérisent cette physiologie, le déconcertent parce qu'il n'en éprouve de semblables que dans des circonstances clairement définies et logiquement motivées. Le fait que les femmes y soient soumises, sans raisons apparentes, lui apparaît toujours un peu comme une manifestation de ce qu'il appelle significativement la bizarrerie féminine.

Tout ce qui peut arriver à la ménopause, une fille de vingt ans est capable, par comparaison avec sa puberté, de s'en faire une idée valable car, en fin de compte, tous les phénomènes que peuvent provoquer les hormones féminines se ressemblent, du début à la fin de la vie.

Mais que peut savoir ou imaginer un homme, de l'ensemble des sensations et des problèmes que causent par exemple des règles hémorragiques ou irrégulières ? Que peut-il comprendre, et croire, des vapeurs, des lipothymies [1], du « vague à l'âme » ou de l'énervement, des faims, des gonflements, de la fatigue, l'apathie ou l'aboulie [2] cyclique, sans aucune cause extérieure objective ? Et que tout cela soit le plus souvent insurmontable et, de toute façon, déprimant ?

Les femmes en sont profondément conscientes et recherchent instinctivement dans ce domaine, un médecin femme « qui comprendra mieux... », parce que les problèmes soulevés sont comparables ou imaginables, même dans des catégories d'âge différentes.

La précision, la richesse de leur description — lorsqu'elles ne craignent plus d'être taxées de sensitives ou d'imaginatives (quand ce n'est pas d'hystériques) — permettent alors de vérifier la rigoureuse identité, la fréquence, la constance de certains phénomènes.

Aussi ne faut-il pas s'étonner du rôle qu'ont joué ces dernières années dans l'étude de la ménopause quelques grandes spécialistes qui ont fortement contribué à lui donner enfin ses vraies couleurs.

Mais la ménopause, c'est bien autre chose qu'une simple étape, facile ou difficile, de la vie gynécologique féminine. Comme la puberté, dont la réussite ou les imperfections vont déterminer l'équilibre morphologique et physiologique de la vie adulte et de la fonction maternelle, mais plus encore, par perte avec l'âge, des facultés d'adaptation ou de compensation de la jeunesse, la ménopause va peser lourdement, parfois irrémédiablement sur les trente ans suivants.

Dans ses conséquences directes ou indirectes, immédiates ou tardives, elle va être responsable d'un très grand nombre de dégénérescences ou de pathologies qui coïncident avec le vieillissement, le précipitent ou le compliquent de façon telle, qu'on les confond souvent.

Bien sûr, la dépendance de certains phénomènes était connue ou soupçonnée depuis longtemps. Mais les récents progrès de l'hormonothérapie, ses résultats inespérés, dans des domaines où la responsabilité des hormones n'apparaissait pas clairement, permettent chaque année davantage, de séparer les conséquences de l'appauvrissement hormonal et celles du vieillissement.

Au fur et à mesure que le recul augmente et que les premières femmes traitées depuis la pré-ménopause atteignent et dépassent soixante-dix ans, la responsabilité isolée de chacun, leurs intrications

---

1. Impression d'évanouissement imminent.
2. Absence de volonté et d'envie.

et leurs influences réciproques se dégagent plus nettement... et le rôle de la ménopause apparaît chaque fois plus important.

On réalise peu à peu que, plus encore que la gynécologie, c'est toute une partie de la gérontologie qui doit être révisée et recréée sous ce nouvel éclairage.

Car c'est dans ce dernier domaine que la ménopause et ses conséquences, trouve enfin le complément essentiel à son étude. Celui qui définira sa vraie dimension physiopathologique, celui aussi qui en permettant de mesurer l'effet des traitements modernes sur toute la fin de la vie, la dégénérescence ou la conservation, la salubrité ou la pathologie, donne sa vraie valeur et sa plus grande justification à la thérapeutique.

Mais l'approche médicale n'est pas le seul moyen de définir et d'étudier la ménopause et ses conséquences ou d'en comprendre tous les problèmes :

— ceux qu'elle crée dans des domaines non médicaux,

— ceux que des raisons, tout à fait étrangères à la physiologie ou à la pathologie, introduisent dans son déroulement,

— ceux qui en nuancent, et hélas trop souvent en faussent l'étude,

— ceux enfin et surtout qui ont si longtemps paralysé toute intervention et qui entravent encore déraisonnablement l'attitude thérapeutique.

TRADITIONS ET TABOUS

Plus les civilisations sont primitives et plus le flux menstruel apparaît comme un phénomène mystérieux, parfaitement inexplicable, et assez terrifiant.

— La vie d'un homme dépend du sang qu'il risque de perdre, dans un accident, au cours d'un combat avec un animal ou un autre homme. Le sang est un élément précieux, essentiel. En perdre brusquement beaucoup, ou peu, mais pendant longtemps, affaiblit et fait mourir. Aussi est-ce un mystère incompréhensible que les femmes perdent du sang sans raison tous les mois et pendant des années, sans sembler en être affaiblies, et en tout cas sans en mourir.

— Jusqu'à un certain âge, les filles sont à peu près les égales des garçons dans tous les jeux, sexuels ou autres. Puis, pour des raisons mystérieuses (attribuées selon les civilisations à la lune, aux esprits,

22

au mauvais sort, etc.) les filles se mettent à changer. A partir de l'époque où surviennent les pertes de sang périodiques, elles commencent à se comporter de façon différente, beaucoup plus capricieuse, souvent inexplicable.

— Troisième mystère : on sait que quand une femme commence à avoir des règles, elle sera bientôt fertile. Plus tard, lorsque les règles s'arrêtent, « elle fabrique avec le sang un enfant [1] » !...

Comment ne pas concevoir la rancœur de l'homme primitif devant cet aspect de la femme qui la rend, en quelque sorte, inégalable, au moment même où elle devient plus fragile. Dans le même temps, elle s'éloigne provisoirement de lui, devient étrangère et incompréhensible, commence à se comporter de façon différente avec les hommes, et malaises, règles, grossesses, allaitement ou leurs complications lui font refuser souvent les rapports sexuels. Elle devient nerveuse, ou irritable... ou laide.

De nombreux psychologues font remonter, non seulement à ce mystère, et à ces changements, mais aussi à ce « noli me tangere » des femmes, premier rejet, première exclusion de l'homme, l'origine de tous les problèmes entre sexes.

Ils pensent que c'est par réaction au refus des femmes que les menstruations furent considérées et déclarées comme répugnantes, puis impures, et que peu à peu, dépassé le stade de vexation ou de raillerie, les filles qui en étaient atteintes furent tenues à l'écart. Ce serait là, d'après eux, l'origine probable de cet état terrifiant de *tabou* où la femme était considérée comme « sainte » et simultanément « impure », et qu'on retrouve dans toutes les civilisations et dans toutes les religions (même les plus éloignées et sans rapport entre elles) [2].

---

1. Lederer.
2. Cette histoire de tabou menstruel, et la mise à l'écart des filles, à ces moments, va revêtir les aspects les plus insensés : éloignées, enfermées dans des huttes à part, dans des cages suspendues au-dessus du sol et sous lesquelles on allume une sorte de feu fumigatoire, elles ne doivent toucher à rien, surtout pas un objet appartenant à un homme, ou servant à un travail d'homme. Cela pourrait anéantir ses qualités de chasseur, de guerrier, ou tout autre caractéristique virile.
Le flux menstruel est accusé des maux les plus extravagants : gâter le lait, aigrir le vin, tuer les jeunes plantes, obscurcir les miroirs, tourner la mayonnaise... Il y eut des pays où l'on envoyait les jeunes filles menstruées se promener à travers bois et pâturages pour que leurs « miasmes » tuent les chenilles, sauterelles, et tout insecte nuisible aux plantes... et, en Islam, les démons mêmes. (On faisait porter aux possédés des sachets d'ossements et de chiffons tachés de sang menstruel.)
« Dans toutes les civilisations où le tabou existe officiellement, il

Au cours des siècles, dans le monde occidental, dit moderne, et sous l'influence de la civilisation chrétienne, les choses ne se sont guère arrangées. En englobant dans la notion de péché certaines fonctions et certains organes, la religion a fait la part belle aux femmes, en fait d'impureté.

L'anatomiste de Graaf, au début du XVIIIᵉ siècle dans son traité *Des parties des femmes qui servent à la génération* déclare :

> « La matrice est immédiatement attachée au fourreau, partie *abjecte* à la vérité, mais digne de tant d'admiration et si considérable, que les plus béaux génies avouent qu'ils se contentent de l'admirer sans la connaître, ne pouvant comprendre celle qui les a compris [1]. »

Cette notion est si profonde qu'il est naturel dans le langage courant de parler des « parties nobles » de l'homme et des « parties honteuses » de la femme [2].

Et toute la littérature porte des traces d'une même notion d'infirmité, de maladie de la femme : « objet impur »... « éternelle blessée » ... » enfant malade est treize fois impure »...

On pense que, au cours des siècles, l'extension du tabou sous des formes diverses, et quoique aussi intenses, s'est de plus en plus éloignée de la motivation d'origine pour aboutir à la notion contradictoire « femme impure », « mère sainte » et à différents complexes du type amour-haine : désir-répulsion, recherche-fuite, sublimation-avilissement, etc.

Serait-ce à l'origine de la généralisation à l'échelle humaine, sous formes de règles religieuses, de coutumes sociales, de types littéraires ou même, malheureusement, d'attitudes scientifiques, des tabous profonds, indéracinables, qui pèsent sur la femme depuis la nuit des temps ?

---

est universellement respecté. Les apparentes exceptions, que l'on croit parfois observer, sont des faits de dégradation culturelle et, en tout cas, des phénomènes d'origine récente. »

Parfois, c'est tout bonnement le même mot qui désigne la « menstruation » et le « tabou ».

Petit à petit, le « tabou » s'est étendu à la grossesse, puis à l'accouchement. Parfois il va même inclure le nouveau-né. Et tout cela nécessite des purifications interminables et compliquées, où la période impure est parfois significativement doublée, lorsqu'au lieu d'un enfant mâle, c'est une fille qui est née.

1. « Compris » doit être entendu ici dans le sens de « contenus ».

2. Sans s'encombrer de rigueur physiologique : les parties « nobles » en question servant aussi à uriner, les parties « honteuses » étant strictement réservées à recevoir les précédentes et à la procréation (fonction noble s'il en est !)

Faut-il y voir l'explication, à notre époque de rationalisme scientifique, de la cristallisation de ce « tabou » sur l'essence même de la féminité : les hormones ovariennes ?

Serait-ce enfin l'origine de l'indifférence générale, pour ne pas dire du rejet, qui dans toutes les sociétés s'abat sur les femmes après la ménopause lorsqu'elles cessent d'être considérées comme procréatrices ou partenaires sexuelles ?

Autant de questions qu'il est impossible d'ignorer si l'on veut aborder l'étude de la ménopause. Elles seules permettent de comprendre un peu ce qu'elle peut représenter d'illogique, de libérateur et de castrateur à la fois, la démesure de son symbolisme psychologique, sexuel et social, dans les deux sexes... et les étonnantes anomalies qui ont pu entacher son étude.

CIVILISATIONS ET CULTURES

Pour certains auteurs une grande partie des phénomènes psychiques de la ménopause sont dus à la civilisation et à des phénomènes culturels de majoration et de sensibilisation.

Il y a eu quelques enquêtes comparatives sur les manifestations de la ménopause suivant les régions, les époques et les races. Mais ces enquêtes sont relativement rares, le fait d'ethnologues plus que de médecins, et simple point de détail dans des études beaucoup plus vastes.

Les rapports sur les femmes noires de tribus primitives montrent à quel point il est difficile d'avoir des renseignements précis.

En effet la notion de troubles de ménopause semble ignorée, ou n'apparaître que dans la mesure d'un contact progressif avec la civilisation. Il en est de même d'ailleurs pour les troubles de règles.

Mais, d'une part, ces constatations portent surtout sur des symptômes neuro-végétatifs, les plus influençables. D'autre part, dans les sociétés noires primitives, le problème est déformé par plusieurs facteurs :

— Une moindre longévité fait coïncider (comme dans le passé des pays occidentaux) la ménopause (de 40 à 48 ans) avec les dernières années de la vie. Il est donc possible qu'il y ait confusion entre troubles climatériques et signes de vieillesse.

— De plus, dans certaines populations primitives, il est fréquent que la ménopause s'installe définitivement après une dernière grossesse, sans retour de couches. Or, dans ces cas, les troubles climatériques sont souvent beaucoup plus tardifs, et une fois de plus, rattachés sans doute à la vieillesse.

— Des pathologies gynécologiques particulièrement graves (infections compliquées et incroyablement étendues, délabrements inimaginables de post-partum, syphilis, etc.) passivement endurées, masquent des malaises en comparaison bien légers.

— Dans une société où les femmes sont ainsi reléguées précocement, il est bien évident que leurs malaises variés ne sont pas observés, et surtout peu explicités... ou écoutés. De plus, la femme noire est dure au mal et s'observe très peu. Sa résistance est d'ailleurs très grande : des fœtus macérés, qui conduiraient rapidement une occidentale à la septicémie, sont tolérés sans troubles apparents pendant des mois. Douleurs et difficultés d'accouchement sont également moins majorées que chez la femme occidentale. Il est donc difficile de trouver des définitions précises de troubles subjectifs. Cependant, malgré une acceptation fataliste de l'arrêt des règles et de leurs maux en général, on enregistre de nombreuses plaintes concernant une augmentation de la fatigabilité, une diminution de la résistance et, par conséquent, une moins grande capacité de travail (particulièrement aux champs, mais aussi dans les travaux domestiques).

— Parfois aussi, les règles sont considérées comme purificatrices et, de ce fait, les rapports sont interdits à partir de la ménopause sous menace de dangers mortels pour l'homme. Bien des phénomènes classiques de la ménopause, tels que les ballonnements, troubles circulatoires, l'embonpoint, la transformation cutanée, sont attribués « à des rapports sexuels dont le sperme n'aurait pas été évacué » ! (Curieusement le fait que ces phénomènes se produisent également chez des femmes n'ayant plus de rapports n'a pas modifié cette idée !)

Chez les Arabes, la ménopause semble acceptée avec le fatalisme habituel.

Mais la femme musulmane n'acquiert un peu de dignité et de vie autonome qu'à partir d'un certain vieillissement : à sa ménopause justement. Et en fin de compte, c'est souvent la période la plus agréable de sa vie, celle où elle est enfin un petit peu indépendante, non soumise aux caprices d'un homme, et investie d'autorité sur les autres femmes. C'est donc l'accession à une position honorable et appréciable. Il est possible qu'il y ait dans la non-spécification (toute relative) des troubles de cette époque, une minimisation inconsciente due à l'intérêt de la nouvelle promotion (comme cela se passe à la puberté). Encore qu'il soit souvent fait allusion à des « vieilles acariâtres » et aux « maux » des femmes âgées...

Il semble bien que le phénomène de sensibilisation et de majoration attribué aux sociétés civilisées ne soit que superficiellement exact et corresponde surtout à des différences de comportement et plus encore d'explicitations.

Des enquêtes, en Iran, montrent que les différences entre paysannes des régions éloignées et citadines sont les mêmes que celles révélées par des enquêtes menées en France. On imagine mal une paysanne faisant moins de travail, n'allant pas aux champs parce qu'elle est indisposée. L'idée de se mettre au lit pour des règles, comme peut le faire une citadine, est tout bonnement impensable, et beaucoup, il y a peu d'années encore, travaillaient aux champs pendant la première partie de l'accouchement et y retournaient aussitôt après.

Un travail considérable de rigueur et d'étendue a été fait pour définir vraiment le rôle de l'organicité ou au contraire de la culture et de la civilisation pour un problème bien moindre mais dans le même temps, par bien des côtés, similaire : le syndrome prémenstruel.

Ont été interrogées et testées :

— des étudiantes turques au Collège américain de Beyrouth ;
— un groupe d'étudiantes japonaises à Tokio ;
— un groupe d'étudiantes grecques ;
— des femmes d'une école missionnaire au Niger ;
— des indiennes apaches ;
— et enfin des américaines blanches.

Or, sur un échantillonnage aussi varié, quel que soit le système d'approche et la technique employée :

— les ressemblances ont toujours été plus grandes que les différences ;
— on a retrouvé la même hiérarchie de symptômes ;
— et la notion bien réelle et manifestement universelle d'un phénomène de tension pré-menstruelle.

Ceci laisse à penser qu'il y a peu de chance qu'il en soit différemment pour la ménopause.

En Occident, la ménopause a été définie et assumée diversement suivant les époques.

Si nous ne possédons pas de grands renseignements sur la période du Moyen Age et de la Renaissance, les xvii⁰ et xviii⁰ siècles sont déjà riches en descriptions d'une « *ménopause-maladie* » souvent mortelle.

Le xix⁰ siècle, lui, s'est beaucoup étendu sur les troubles neuro-végétatifs et psychologiques. Il est incontestable que de 1850 à 1950, tous les auteurs s'attachent à l'étude de la ménopause, bien moins comme un phénomène involutif que comme un dérèglement neuro-psychologique. Et il est vraisemblable qu'à cette époque où les moindres sensations, vapeurs, vertiges, maux de tête étaient si à la mode, il y eut certainement une forte majoration des effets ressentis par les intéressées, comme de ceux étudiés et décrits par les médecins.

LE MYTHE MODERNE

A l'heure actuelle, bien des choses se sont modifiées :

— L'allongement considérable de la moyenne de vie détache de plus en plus le concept de ménopause de celui de vieillesse.

— Les connaissances hormonales permettent des analyses impossibles autrefois [1].

— Les progrès de la neurologie expérimentale séparent peu à peu l'organique du psychologique pur et définissent leurs interrelations.

— Les femmes abordent cette époque critique dans des conditions organiques et fonctionnelles bien meilleures.

Cependant, comme pour tout ce qui touche à la sexualité masculine et féminine, irrationnels, incontrôlables, mythes, tabous, traditions et coutumes pèsent encore lourdement sur les connaissances objectives et créent tout un système compliqué qu'il faut essayer de débroussailler pour parvenir à une analyse relativement exacte.

Car il y a toujours un mythe de la ménopause, comparable, sinon plus redoutable encore que la « mythologie des règles » [2] *et si les femmes sont seules à en subir les conséquences, elles ne sont pas seules à l'avoir construit.*

---

1. Parfois il y a 10 ans à peine.
2. H. MICHEL-WOLFROM.

Le mythe de la ménopause est tout à la fois cause et conséquence du climat dans lequel elle se déroule.

Sur plusieurs plans différents, il contribue à nuancer abusivement la façon dont elle est considérée... et ressentie.

Climat social

Il est profondément défavorable.

Lorsque dans une civilisation primitive, une femme ménopausée a le droit de revenir chez son père au lieu de faire partie de l'héritage des fils ou des frères de son mari, c'est parfois parce que n'étant plus « impure », elle devient « respectable » (à condition d'avoir fait beaucoup d'enfants, sinon on la rejette comme un vieux chiffon), mais le plus souvent tout simplement parce qu'elle n'est plus « utilisable ».

Sous des formes à peine plus indirectes, il se passe la même chose dans nos sociétés.

La femme, lorsqu'elle n'est plus considérée comme partenaire sexuelle ou agent de reproduction, entre dans une période où la garde accessoire des petits-enfants (c'est-à-dire le rôle de « doublure de mère ») est la seule éventualité offerte. Car rien n'est prévu, pour elle, ou à cause d'elle.

C'est un phénomène beaucoup plus profond et général que la désocialisation d'un homme à la retraite, et le symbolisme sexuel qui accompagne cette relégation n'en est pas un des moindres effets.

Pour quelques femmes qui découvrent avec plaisir, ou acceptent avec soulagement, une position asexuelle qui rend les rapports avec les hommes plus familiers, plus nets et plus aisés, la plupart des autres, conditionnées depuis l'enfance à n'avoir d'autre existence et d'autres valeurs que par rapport à eux et à l'idée qu'ils se font d'elles, se sentent dépossédées de toute signification sociale, familiale ou sexuelle.

Dans ce domaine, curieusement le problème s'aggrave en montant l'échelle sociale. Une femme dont le travail à la maison est essentiel et indispensable, garde (en tout cas dans ce domaine) sa valeur et sa nécessité inchangées, jusqu'au plus grand âge, aussi longtemps qu'elle reste fonctionnelle et efficace. C'est sa seule supériorité de base sur l'homme, mais à partir d'un certain âge cette supériorité devient considérable et lui assure certainement une conservation et une survie meilleure que celle de son conjoint retraité.

Mais au fur et à mesure que l'on s'élève dans l'échelle sociale, lorsque les enfants sont partis, la femme de 50 ans devient moins nécessaire à la vie de l'homme qui n'en a plus le désir ou l'utilité, et peut la remplacer par d'autres femmes, un club, des employés, des domestiques...

A moins d'avoir une personnalité profondément rayonnante ou attachante, ou une position sociale, mondaine ou professionnelle importante, épouse ou non, la femme est reléguée dans une sorte d'inexistence.

De l'aspect implacable et général de ce désintérêt et de ce rejet est née une lutte acharnée chez les femmes pour en retarder l'échéance.

Boyveau-Laffecteur en 1798 est déjà frappé de ce fait :

« Quand un homme de l'art interroge une femme qui éprouve les premières atteintes de son temps critique, il est rare qu'elle réponde avec franchise ; toujours, elle dispute du terrain à l'âge qui s'approche, toujours, elle déguise les ravages de ses charmes, toujours elle parle avec inquiétude de la fin de son printemps, quand sa tête blanchissante lui annonce le commencement de son hiver. »

En 1865, Roger-Collard, après bien d'autres [1] renchérit :

« ... Il y a des femmes qui cherchent à prolonger artificiellement une évacuation dont elles regardent la fin comme le terme de leur existence... »

Plus près de nous, l'attitude (follement téméraire pour l'époque) des premières et très nombreuses femmes qui, en pleine période de « terreur hormonale », ont de leur propre chef continué à user de contraceptifs au-delà de toute vraisemblance de fécondité (car elles se « voyaient » et se « sentaient » conservées) montre à l'évidence la persistance du rejet et la crainte que les femmes en ont.

Climat professionnel

La ménopause est toujours psychologiquement mieux supportée par une femme qui travaille, et d'autant mieux que ses motivations sont fortes et sa qualification élevée.

Ne pas perdre toute identité sociale, toute justification d'existence dans une communauté, retrouver une liberté nécessaire (souvent limitée dans la jeunesse), sont autant de facteurs extrêmement favorables.

De plus, la femme est, à cet âge, et pour la première fois de sa vie :

— vraiment intéressée et motivée autrement qu'au deuxième ou troisième degré (après le mari, les enfants, la maison...) ;

---

1. Tels qu'Astruc, médecin de Louis XV.

— disponible sentimentalement, physiquement, intellectuellement, et surtout matériellement.

Tous les travaux sur ce sujet montrent *une amélioration de la capacité de travail par rapport à la jeunesse et une amélioration durable jusqu'à plus de 65 ans.*

Malheureusement le contexte professionnel au lieu de tenir ses promesses les trahit gravement. Les hommes, et la société en général, opposent à la femme, sur ce plan où elle est justement à son plus grand avantage, un rejet précoce, généralisé, de nature bien plus sexuelle que technique, et d'autant plus injuste qu'il est particulièrement injustifié.

La recherche d'un travail au delà de la quarantaine est un problème presque insoluble, et seules quelques exceptions remarquables, ou forcées par les circonstances (divorce ou veuvage), ou encore les professions indépendantes ou libérales, en prenant, à partir de cet âge, un essor particulier, témoignent des capacités, absolument négligées, des femmes dans la troisième partie de leur vie [1].

Climat familial

La ménopause coïncide fâcheusement avec toute une série d'événements et de remaniements familiaux désagréables ou profondément bouleversants.

Les parents, malades, sans moyens, ou trop isolés sont souvent à charge. Et cela veut toujours dire *presque exclusivement à charge de la femme* (aussi bien beaux-parents que parents). Ils sont souvent la source de surmenage, de conflits, ou de difficultés financières considérables.

C'est aussi l'époque des *premiers décès.* Généralement le père en premier, plus âgé, dont la perte est souvent le plus profondément traumatisante pour la femme.

L'isolement à deux après 15 ou 25 ans de vie familiale communautaire, demande une adaptation difficile, voire impossible. D'autant plus qu'il n'est pas rare qu'une mésentente ou une indifférence sexuelle récente ou ancienne ne sous-tende toute la relation conjugale.

— Un détachement de l'époux, antérieur ou contemporain, se révèle alors dans toute sa crudité. Ou bien la disparition du noyau familial

---

1. *Cf.* Aspect sociologique, p. 388.

en favorise la maturation, en atténuant, ou en supprimant les raisons du mari de rester auprès d'une femme qui ne lui est plus essentielle.

— Parfois, c'est seulement un rythme, une organisation de vie professionnelle qui absorbent davantage un mari en fin de carrière, à cette époque de la vie du couple où, justement, l'épouse se retrouve seule et inoccupée. Ou bien, une différence d'âge fait fâcheusement coïncider la ménopause ou l'immédiate post-ménopause de la femme et la période critique de passage à la retraite d'un mari sexagénaire. La situation peut se détériorer gravement, soit parce que les enfants ne sont plus là pour dissimuler ou compenser la solitude ou les frustrations de la femme, soit que devienne peu à peu insupportable la seule compagnie d'un homme, qui a perdu bien des charmes, dont les défauts ou la médiocrité ressortent de façon criarde 24 heures sur 24, et que l'inactivité dégrade rapidement.

L'âge et le départ des enfants causent souvent chez la femme des bouleversements importants et un profond désarroi.

— Problèmes blessants et usants de fin d'adolescence, conflits pour les études, les mariages, l'orientation professionnelle. On constate souvent que des enfants sont capables de traumatiser leur mère, à cette époque, comme aucune attitude du conjoint n'aurait pu le faire. Peut-être parce que l'hostilité ou l'agressivité de ses enfants lui sont plus intolérables que toute autre.

— Mais le départ des enfants, insupportables ou adorables, pose aussi des problèmes graves. La frustration affective est souvent intense, parfois inguérissable, si la femme a fait une fixation exagérée qui n'a pas évolué parallèlement à leur dégagement. C'est aussi la fin de quelque chose qui était plus qu'un rôle ou une profession ; une motivation extrême, une dévotion de tous les instants, de toutes les activités, la source du maximum de surpassement (... et de culpabilisation), la fin d'une fonction plus exigeante et plus engagée que n'importe quelle profession et chargée en outre d'un symbolisme sexuel et social quasi mythique.

En somme pour toutes les femmes, et particulièrement pour celles qui ont exercé à plein temps leur fonction de mère (sans domestiques ou sans profession extérieure), c'est tout bonnement, comme pour l'homme à la retraite, mais avec des répercussions peut-être encore plus profondes, la disparition privative de la « justification » ou des « raisons » de vivre.

C'est alors que des « étrangers », brus ou gendres, vont prendre en main leur « ouvrage », en accaparer l'attention et l'amour, l'asservir, le négliger ou le transformer sous leurs yeux, remuant au-delà des agacements, irritations ou indignations, des sentiments souterrains bien plus profonds de frustrations, de transferts ou de jalousie plus ou moins indéfinissables ou contrôlables.

Il est bien évident que cela fait beaucoup, et que subir au même moment une profonde révolution biologique pénible dans ses manifestations, défavorable quant à son issue, ne peut guère arranger les choses.

Mais des circonstances semblables, parfois plus dramatiques, se rencontrent parfois en début de mariage, ou à l'occasion des naissances ou des maladies !... Toutes les périodes aiguës d'une vie gynécologique de femme coïncident un jour ou l'autre avec des drames familiaux, financiers ou sociaux (pour ne parler que de divorce, d'abandon, au moment d'une naissance, ou de guerre avec exode-sous-les-bombardements-en-état-de-grossesse-avancée-avec-des-enfants-en-bas-âge-et-mari-prisonnier... !). Et généralement les femmes s'en sortent plutôt bien. On admet d'ailleurs couramment que souvent dans ces circonstances elles se « dépassent » ou font preuve de « ressources insoupçonnées [1] ».

Ce qui est certain, c'est que les troubles climatériques, s'ils peuvent en être influencés, ne sont pas, obligatoirement, rigoureusement proportionnés au contexte environnant.

Certaines femmes gardent toutes leurs facultés morales à cette époque même si elles se trouvent alors dans une situation traumatisante.

D'autres sont très touchées, alors que pour des raisons multiples (facilité de vie, bonheur familial, échelonnement des enfants sur plusieurs années) il n'y a ni solitude, ni abandon, ni révolution familiale.

Enfin, toutes celles qui n'ont jamais eu ou voulu d'enfants, toutes les solitaires, les célibataires, veuves ou divorcées, dont l'environnement familial est différent et parfois nul, n'échappent pas davantage à cette crise, ou n'en connaissent pas de pires.

---

1. On peut d'ailleurs se demander pourquoi elles demeurent toujours « insoupçonnées » depuis si longtemps et contre toute évidence ?... Mais cela est une autre histoire !

3

ATTITUDE DES FEMMES

Quelle est l'image que se font les femmes modernes de la ménopause ?

Incontestablement celle d'un terme inévitable et fatal qui, au prix de troubles variés, les changera de façon plus ou moins totale, mais de toute façon péjorative.

« ... Ce qui est certain, c'est qu'elles se considèrent comme menacées, et comme déjà blessées par cette nouvelle image d'elles-mêmes à 50 ans, telles que les voit la société. Triste image du retour d'âge qui épargne les hommes et détruit les femmes [1]... »

Mais ce qu'elles imaginent, ce qu'elles craignent ou ce qu'elles souhaitent, est trop clairement défini et dans le même temps trop différent de ce qu'on pense en général, et, malheureusement, de ce que bien des médecins croient en savoir, pour ne pas mériter une étude particulière.

LA MÉNOPAUSE ELLE-MÊME

Avant

Les personnes qui ont des malaises, ayant plus à dire que celles qui se portent bien, les premiers troubles de ménopause bénéficient d'une publicité qui manque fâcheusement à leur absence, comme aux succès thérapeutiques.

C'est parfois l'origine d'une véritable hantise, et nous voyons,

---

1. H. MICHEL-WOLFROM.

plus souvent qu'on ne pourrait imaginer, des femmes de 33 à 38 ans venir consulter avec inquiétude pour le moindre petit trouble de règles et demander avec angoisse « si ce ne serait pas, par hasard, déjà la ménopause ?... » qu'elles ont l'air de considérer comme une vaste maladie complexe, aux possibilités illimitées. Pêle-mêle et ensemble : la perte de la féminité, le rejet par l'ensemble des hommes, une déchéance plus ou moins honteuse, le début de la vieillesse et de toutes les maladies, bref le commencement de la fin... Mais, à une époque où la ménopause sonne *la moitié* de la vie adulte, cela paraît aussi extravagant que la « grande peur » de fin du monde en l'an 1000. La réalité est tout de même plus simplette.

A l'opposé, on se heurte à une ignorance, un refus des réalités désagréables, ou une sorte de fatalisme trop étonnants pour n'être pas suspects.

Mais, l'idée qu'une femme se fait de la ménopause est soumise à tant de facteurs !

— La façon dont elle a assumé et assume les menstruations, les épisodes gynécologiques qu'elle a vécus, le fait d'avoir ou non des cycles irréguliers et des malaises menstruels, déterminent déjà un type d'attitude.

— Les souvenirs de la ménopause de sa mère, à laquelle elle s'identifie inconsciemment, à la rigueur de parents proches, l'influencent suivant les cas de façon positive ou négative.

— Enfin, l'éducation formelle reçue à ce sujet, le degré du niveau scolaire, le fait de vivre à la campagne ou non, d'avoir ou pas une profession, certains facteurs écologiques, économiques, culturels et sociaux, les traditions de pays à pays (ou même de région à région), tout cela contribue à varier de nuances souvent très différentes, la façon dont une femme aborde et assume l'idée, puis la réalité de sa ménopause.

Il est intéressant de relever les résultats de sondages faits à ce sujet, auprès des femmes jeunes, pour distinguer les mythes, de l'information, leurs proportions et leurs rapports.

Dans toutes les enquêtes, on est frappé par la méconnaissance (à l'exception des quelques signes majeurs) de la variété, de l'étendue des troubles dont la ménopause peut être responsable. Certains lui sont classiquement associés. De façon compréhensible, on trouve au premier rang les plus visibles et ceux d'entre eux qui concernent les rapports avec l'entourage des femmes ménopausées qu'elles ont eu l'occasion de connaître (mère, belle-mère, tante...). « Coup de vieux », bouffées de chaleur, irritabilité, nervosité sont toujours les mieux décrits. A l'opposé, dépression, angoisse, fatigue, paresthésies [1] sont très inégalement soupçonnées ou rattachées à d'autres causes.

Disons tout de suite qu'il est aussi rare de voir rattacher à la ménopause des troubles indépendants de son influence, que fréquent d'en voir séparer d'autres, indéniables, dépendants, et dont la relation avec elle est pourtant méconnue.

70 à 90 % des jeunes femmes placent au premier rang les dégradations physiques :

— soit parce qu'elles impliquent pour elles une déchéance, la perte de leur intégrité esthétique, peut-être de leur intégrité fonctionnelle ;

— soit à cause de la relégation sexuelle qui semble en découler, et qui est toujours majorée par les femmes jeunes [2] ;

— soit parce qu'elles leur attribuent un caractère inévitable et inguérissable.

Au deuxième rang, la peur de dégradations psychologiques est significative de leur évidence et de la sous-estimation technique dont ils sont l'objet. Mais, si presque deux femmes sur trois sont convaincues de leur existence, seules 50 à 60 % des femmes jeunes les craignent véritablement, moins en tout cas que les troubles physiques. Peut-être imaginent-elles qu'ils seront plus faciles à dominer ? Peut-être aussi ne savent-elles pas toujours leur vraie définition et ont-elles attribué à des causes nerveuses ou caractérielles indépendantes, une grande partie des modifications qu'elles ont pu observer chez des femmes ménopausées ?

Près d'un quart de jeunes femmes pensent que leur vie n'aura plus de sens et perdra tout intérêt à partir de la ménopause. C'est assez triste lorsqu'on pense qu'elles font cette déclaration à propos de la *moitié* de leur vie d'adulte. Et on classerait sans plus cette opinion parmi toutes celles (toujours définitives) de la jeunesse sur « plus tard », si, malheureusement, tant de femmes ménopausées ne parlaient trop souvent de même.

Bien sûr, ces diverses opinions varient suivant la profession, et à l'intérieur de la profession, suivant le degré de qualification :

---

1. Crampes, fourmillements, douleurs que l'on croit toujours cardio-vasculaires.

2. Elles semblent d'ailleurs la considérer comme un fait social plutôt que personnel, car seules 20 à 30 % pensent que sensibilité et désir sexuels diminuent.

plus une femme est professionnelle, moins la valeur et l'intérêt de son existence lui paraissent susceptibles d'être remis en cause par une transformation biologique. De la même façon, le degré d'instruction et la situation économique jouent également en faveur de la confiance en une continuité d'intérêt.

Enfin, en contradiction formelle avec l'opinion générale, il n'y a que de très rares craintes vis-à-vis de la perte de fécondité. Bien au contraire. 70 à 80 % des femmes espèrent vivement la disparition de la fécondité, et de la peur de grossesse involontaire qui l'accompagne. Presque toutes imaginent avoir alors, enfin, une vie sexuelle libérée de soucis, donc plus heureuse.

Souhaiter aussi ardemment une évolution, dans le même temps si profondément redoutée, mesure bien le niveau de hantise de grossesse et à quel point il peut avoir gâché la moitié de la vie des femmes.

Et si l'on peut trouver injuste qu'une moitié de la vie sexuelle soit gâchée par la peur, l'autre par la relégation, il n'en reste pas moins dans le monde moderne qu'avec la disparition progressive des grossesses non désirées, dans les années à venir, l'un des derniers facteurs « acceptables [1] » de la ménopause aura disparu.

Après

Lorsqu'on aborde avec des femmes post-ménopausées les grands sujets de crainte vis-à-vis du vieillissement, on voit apparaître des différences de position notables par rapport à la classification des jeunes femmes.

Pour 60 %, les aspects psychiques prennent le premier rang des préoccupations : état dépressif, perte de la mémoire. C'est la première fois que la chute de mémoire est signalée. Nous verrons qu'elle revient de façon constante et prend une importance rarement attribuée aux méfaits de la ménopause.

Le vieillissement physique et ses aspects esthétiques sont très nettement passés au deuxième rang. Ils ne semblent préoccuper encore qu'un quart ou un tiers des femmes.

---

1. L'autre étant la disparition des règles qu'un nombre égal de femmes accueillerait avec plaisir. Mais cela c'est une autre histoire... qui commence à la puberté. Cf. Approche futurologique, p. 382.

Seule, *l'obésité* est signalée dans plus de 60 % des cas. Les transformations de silhouette, de peau, de cheveux, ou bien ont été moins importantes que prévues, ou après un premier moment de révolte ne sont plus aussi nettement perçues.

Par contre, les femmes commencent à parler beaucoup plus sérieusement de leurs *ennuis osseux*, bien qu'elles en sous-estiment encore l'importance et les conséquences à longue échéance.

Curieusement, *l'atrophie des seins* n'est invoquée que par moins de 20 % des femmes. Nous avons cherché à plusieurs reprises l'origine de cette apparente désinvolture. En fait, il semble que les 3/4 d'entre elles aient commencé à s'abîmer de façon notable bien auparavant, dès leurs grossesses, vers 35-40 ans, ou en pré-ménopause et en aient souffert surtout à ce moment-là. Par la suite [1], elles semblent plus ou moins habituées, ou plus ou moins indifférentes : 1/3 environ parce que cela ne semble pas gêner des rapports coutumiers, les deux autres tiers parce que, pour la plupart, le port habituel de soutien-gorge élimine le problème dans la journée, et que, de toute façon, il s'est considérablement réduit la nuit, au cours d'habitudes conjugales plus automatiques que vraiment intéressées, parce que le mari ne les regarde plus comme avant, ou ne les sollicite plus.

Ce fait semble confirmé par les considérations sur les *aspects sexuels* de la ménopause. Ils ne viennent en effet qu'au *troisième rang* et semblent expliquer le désintéressement relatif des femmes vis-à-vis de leurs transformations mammaires :
— 30 % signalent l'incapacité progressive ou totale du mari ;
— presque autant ne supportent plus des relations sexuelles devenues douloureuses ;
— et pour environ 20 %, l'intérêt ou le plaisir sont notablement diminués.

Il semble donc bien que les rapports sexuels, de leur fait ou de celui du mari, soient passés au second plan, et que lorsqu'ils persistent, ils aient pris un caractère plus habituel et automatique que dans la jeunesse. Le pourcentage de celles qui se soucient vraiment de la transformation de détails importants sur le plan des relations amoureuses : seins, menstruations, disparition des poils pubiens, est faible, en dessous de 10 %.

---

1. Il s'agit ici de femmes au-dessus de 55 ans.

LA STÉRILITÉ

La notion de stérilité définitive, irréversible, provoque des réactions ambiguës, parfois contradictoires.

Bien des femmes éprouvent un moment d'angoisse à l'idée de perdre à tout jamais une capacité exceptionnelle, un pouvoir un peu miraculeux. Pour certaines, la nostalgie des tout-petits est parfois très profonde.

Mais les pulsions, motivations ou nostalgies deviennent peu à peu moins violentes, la raison est plus forte, qui remplace l'adaptabilité ou l'insouciance de la jeunesse et refrène et retient. Le passage se fait plus ou moins aisément mais presque toujours sans drames.

Mais il y a des exceptions.

Etrangement, ce n'est pas une catégorie de femmes particulière.

— La plupart n'ont voulu qu'un ou deux enfants, et un regret tardif les assaille à l'idée de « jamais plus ».

— Certaines ont de véritables nichées, en succession plus ou moins régulière. Mais elles ne s'imaginent pas autrement qu'enceintes ou pouponnant. Dès qu'un enfant grandit un peu, elles ont besoin d'un autre. Le mythe de la femme, pour elles, n'a qu'une seule image, et elles peinent, et ne réussissent pas toujours à se voir autrement.

— Enfin, il y a parfois des raisons objectives précises : union tardive où l'enfant est d'autant plus ardemment espéré, que longtemps attendu, remariage après divorce ou veuvage. Cependant, il est rare d'assister à cet âge à ces quêtes désespérées qui poussent si longtemps, de spécialistes en spécialistes, tant de jeunes femmes défavorisées. Après quelques tentatives sans grande conviction, la résignation s'installe sans trop de heurts et avec une facilité caractéristique, et la nostalgie des tout-petits se reporte aisément sur les petits enfants proches à venir.

Seule exception à cette adaptation raisonnable, certaines fixations névrotiques, soit qu'elles aient toujours existé, soit qu'elles cristallisent brusquement sur un sujet qui touche aux raisons mêmes de la personnalité.

Mais ceci représente au total un très petit nombre.

L'opinion masculine croit volontiers à un sentiment de frustration et de déchéance chez la femme à l'idée de perdre sa fécondité bien avant l'homme, et, pour beaucoup d'auteurs, c'est le fondement même de la dépression psychologique de cet âge : la femme, déjà « privée de pénis » et des attributs de la virilité, se sentirait, en devenant irrémédiablement stérile, définitivement dévaluée vis-à-vis de l'homme qui conserve intact et très tardivement son pouvoir fécondateur.

Mais, ce point de vue semble très exclusivement masculin.

Dans ce domaine particulier, les femmes ont de bonnes raisons d'avoir, de la fécondité, une idée autrement vaste et pesante que les hommes. Pour quelques instants auxquels ils participent à deux, elle doit ajouter 9 mois de grossesse, 12 heures d'accouchement, 3 à 6 mois d'allaitement, 5 ans de nursing, 10 ans d'éducation ; ces 15 années assaisonnées du double ou triple travail ménager. Et elles ne sont pas près de confondre gloriole et symbolisme avec fonction à plein temps.

Dans la réalité, 70 à 75 %, plus des 2/3 des femmes, accueilleraient, au contraire, avec joie une stérilité bien plus précoce.

La plupart ont « leur compte d'enfants » (quand elles ne l'ont pas dépassé de beaucoup !).

La fin de la crainte de grossesse est un soulagement pour toutes, mais tout particulièrement pour :

— toutes celles dont les grossesses et accouchements ont été pénibles, ou pathologiques et qui se seraient bien passées de recommencer ;

— celles dont le nombre d'enfants a dépassé de beaucoup leurs désirs ou leurs possibilités ;

— celles dont l'angoisse et les précautions contraceptives ont empoisonné la vie conjugale et la vie tout court ;

— et enfin, même celles qui ont réussi sans accident une contraception (ancienne ou moderne), mais peuvent enfin relâcher avec soulagement une discipline astreignante, et oublier des angoisses coutumières.

D'ailleurs, la réalité de cette prétendue frustration quinquagénaire se trouve singulièrement amoindrie par le fait que la stérilité est apparue, et *reconnue* entre 36 ans et 43 ans chez plus de 40 % des femmes. Or, cette forme de stérilité survient toujours sans troubles physiques, et généralement, sans perturbations psychologiques. Elle est même, au contraire, fort bien accueillie. La plupart en sont ravies et « reposées » et ne se précipitent ni chez un obstétricien, ni chez un psychothérapeute.

LA CESSATION DES RÈGLES

L'attitude des femmes devant les troubles et la disparition des règles est très variée.

En principe, *la cessation est bienvenue dans 70 à 80 % des cas.*
Cependant, de nombreuses nuances et contradictions viennent modifier cette position.

Beaucoup de femmes trouvent tout bonnement agréable d'être débarrassées d'une servitude incommode.

D'autres plus franchement hostiles, ont eu toute leur vie des « règles à histoires » : hémorragiques, douloureuses, irrégulières, accompagnées de malaises, maux de tête, fatigue ou gonflements.

Certaines, beaucoup plus rares, sont véhémentes, d'une agressivité qui en dit long sur leur refus de la féminité, ou tout au moins de ses aspects physiologiques. On retrouve d'ailleurs souvent parmi elles, une attitude « anti-hormone » véritablement viscérale. Mais ce comportement est non seulement antérieur à la ménopause, mais presque toujours présent depuis le début de leur vie gynécologique.

A l'opposé, *environ 25 % des femmes refusent la cessation de leurs règles,* qu'elles ressentent comme une perte de la féminité et de la jeunesse. Et, plus de 40 % des femmes qui n'en n'ont plus, s'en cachent et les simulent, parfois des années, pour le conjoint ou le partenaire sexuel. Alors que les femmes seules, ou vivant de façon indépendante, sont beaucoup plus indifférentes.

Ces faits en disent long sur le symbolisme sexuel accordé par le sexe mâle à leur existence, et la confusion habituelle entre sexualité et fécondité.

Les règles sont vécues de multiples façons, suivant les époques de la vie : le dégoût et l'agacement de l'adolescence évoluent vers une notion de corvée plus ou moins paisiblement tolérée. Mais, symbole universellement méprisé de la féminité, incommodité indéniable (et fréquente !), limitation humiliante et frustrante de bien des activités, presque toutes les femmes s'en passeraient volontiers, sans se sentir le moins du monde diminuées !

Parfois, les règles sont ressenties comme une malédiction [1].

---

1. Le terme anglais qui les désigne, « curse », en est un synonyme. Il est d'ailleurs curieux que, mis à part le terme anglais, presque toutes les autres

Mais, dans le même temps, signe rassurant de non-grossesse, elles créent un sentiment contradictoire plus ou moins obsessif : « ennui » de les avoir, « peur » de ne pas les avoir.

Avec l'âge, peu à peu, la réduction du flot diminue le désagrément et facilite l'accoutumance. Puis, passé 40-45 ans, des règles franches et régulières deviennent synonyme d'équilibre, symptôme fragile et menacé de la jeunesse, symbole dérisoire et démesuré de la féminité.

Aussi, les premiers dérèglements provoquent-ils toujours un sentiment d'angoisse. Mais après ce premier mouvement, la commodité de cette libération s'accompagne presque toujours d'une satisfaction générale, non dissimulée.

Il est certain que les femmes sont conditionnées dans leur attitude par un symbolisme sexuel profond... Elles le sont aussi tout bonnement (et il ne faudrait pas qu'un excès de supputations psychologiques le fasse oublier) par des sensations platement terre à terre de confort ou d'inconfort.

La pré-ménopause est exemplaire à ce sujet.

Lorsque les cycles s'allongent, il est étrange de voir à quel point la peur des grossesses renaît (même contre toute vraisemblance ou probabilité chronologique) avec la même intensité d'angoisse et la même nervosité. Parfois, cette angoisse n'est pas immédiatement consciente, chez les femmes bien habituées aux règles relativement calmes de la troisième et quatrième décennies. Puis la réapparition de malaises, de gonflements de tout le corps (particulièrement seins et jambes), une prise de poids, l'asthénie, l'état dépressif caractéristique des retards de règles... ou des débuts de grossesses, déclenchent comme autrefois une irritation intolérante, et l'ancien réflexe conditionné de peur.

Les règles rapprochées provoquent toujours l'indignation. Je crois qu'il n'y a pas de femmes qui acceptent allégrement, même en l'absence de tout malaise, de voir les règles envahir la période tranquille entre les menstruations. La réduction de l'espacement de l'une à l'autre est toujours ressentie comme un abus. De plus, ce rapprochement s'accompagne souvent d'augmentation du flux menstruel, qui peut redevenir encombrant comme dans la première jeunesse.

L'importance du flot est mal supportée dans la mesure où elle cause une gêne et de réels problèmes d'inconfort, de netteté vestimentaire, d'odeur. Le sang a un pouvoir de diffusion extrême et il est

---

expressions aient un sens pathologique : « je suis indisposée », « je suis fatiguée » ou « j'ai mal au ventre » en tant qu'expressions usuelles sont les plus fréquentes, images éternelles de la femme « blessée » ou « malade ».

humiliant et insupportable d'avoir des vêtements tachés, d'être terriblement inconfortable, assise ou debout, et d'être gênée même à la marche. C'est là souvent un véritable cauchemar pour celles qui travaillent au-dehors ou qui doivent se déplacer et ne peuvent se changer comme elles voudraient. Les femmes le supportent très mal, et le ressentent avec un sentiment d'injuste servitude. Elles sont aussi convaincues que des règles fortes ou longues sont épuisantes et, au-delà d'une certaine importance, les vivent toujours comme une « hémorragie ».

Il est donc à peu près impossible de trouver une femme atteinte de métrorragie ou de ménorragie qui ne présente un état d'anxiété, d'énervement, de fatigue ou d'irritation très caractéristique. C'est vrai toute la vie mais particulièrement à la ménopause.

Une certaine catégorie de femmes a tendance à considérer (toujours sous l'angle de l'hémorragie) que la consistance des règles a une très grande importance. La réapparition, à l'approche de la ménopause, de *caillots* qui ne témoignent que d'une certaine stagnation du sang dans l'utérus (soit parce que de petites hémorragies légères ont précédé la menstruation de quelques jours, ou signent son retard, ou que le col subisse un début de rétrécissement atrophique) sont toujours considérés comme pathologiques et décrits avec un certain lyrisme dramatique.

A l'opposé, nombreuses sont les femmes qui rattachent à l'écoulement l'allègement qui suit l'appesantissement physique et moral plus ou moins accusé de la phase lutéale et du gonflement qui l'accompagne. Dans la tradition de la médecine des XVIIIᵉ et XIXᵉ siècles (qui voyait des transports de sang utérin dans chaque saignement [1], congestion, ou gonflement), elles croient voir un lien direct, de congestion par rétention sanguine, entre le gonflement et les malaises pré-menstruels, que les retards augmentent, et le dégonflement qui accompagne la menstruation. On a du mal à les convaincre que c'est un certain déséquilibre hormonal qui provoque ce gonflement. Que ce n'est pas la perte sanguine, mais la variation physiologique hormonale qui provoque le dégonflement (lequel précède et ne suit pas l'hémorragie comme cela se produirait si leur raisonnement était juste). Et qu'il ne s'agit pas d'une relation de cause à effet, mais de la coexistence de deux symptômes d'une même cause. Significativement, ce sont souvent des femmes à puberté tardive, et dont les règles irrégulières, plutôt faibles, ont tendance à diminuer assez précocement dès la quarantaine ou même avant (signe évident d'in-

---

1. Nasal, par exemple.

suffisance progestative chronique) qui sont, le plus souvent, affligées de fréquents gonflements pré-menstruels. En général, ces femmes-là tiennent particulièrement, non seulement à la conservation de leurs règles, mais aussi à une certaine importance de flot [1] qu'elles croient libérateur du gonflement et des malaises.

Ce sujet est donc extrêmement complexe et rattaché à des motivations conscientes ou inconscientes qu'il faut évaluer avant d'instituer une thérapeutique.

Mais nous verrons, dans l'étude des problèmes thérapeutiques, que l'attitude d'une femme peut être totalement modifiée par la qualité et la raison d'être des règles.

Assurées de menstruations régulières, légères et utiles à leur équilibre et leur salubrité, plus de 90 % des femmes traitées acceptent, à n'importe quel âge, même après 70 ans, de les conserver ou de les retrouver sans angoisse, et sans exaspération, et même au bout de quelques mois avec une pointe guillerette de satisfaction.

LA DÉGRADATION PHYSIQUE

> « L'enfer de la femme est la vieillesse. »
>
> LA ROCHEFOUCAULD

Cette transformation est le fait dramatique de la ménopause. On ne peut ni le nier, ni en négliger les conséquences. Ce n'est pas un sujet léger : il est directement à la base de la relégation sexuelle, indirectement et profondément responsable quoi qu'on en dise, de la relégation sociale et professionnelle.

Cette dramatisation d'une dégradation physique, somme toute limitée, n'est donc pas imputable à une futilité féminine, mais à la réalité des conséquences « immorales » que la société en tire.

Mais, pour comprendre l'attitude féminine, il faut la replacer dans le contexte de toute la vie gynécologique.

Bien qu'un silence prudent règne sur ce sujet, la « féminité »

---

1. On rencontre aussi parfois de véritables maniaques de l'élimination. Persuadées que si elles ne perdent pas assez au moment des règles, elles seront intoxiquées ou engorgées et ne dégonfleront pas, anxieuses au même titre d'uriner suffisamment, ce sont souvent en même temps des obsédées de l'évacuation intestinale. Elles abusent de laxatifs et ne se sentent jamais assez « vidées ».

s'assortit d'incidents successifs qui altèrent fréquemment l'intégrité physique et fonctionnelle, pour des raisons indépendantes du type de vie ou de l'involution naturelle, mais directement dépendantes de causes gynécologiques. De ce fait, elles sont souvent ressenties comme une succession d'injustices, de malédictions propres au sexe.

Chaque étape des métamorphoses a eu son cortège de malaises, mais aussi de dégâts irréversibles :
— la puberté avec les premières déformations physiques, acné, obésité (seins, jambes), varicosités ;
— les grossesses avec leur cortège de séquelles [1], vergetures, ventre, poitrine à jamais gâchés, déformations posturales et leur avenir arthrosique, varices, dents perdues, etc. ;
— les accouchements lorsqu'il y a eu délabrement du vagin et du périné et toutes leurs conséquences sexuelles, urinaires ou rectales.

Bien sûr, presque tous peuvent être traités ou mieux encore prévenus à l'heure actuelle, mais combien sont les femmes ou les médecins qui le savent ?

Bien sûr — on les compte sur les doigts, mais elles existent, pourraient et *devraient* être la règle — il y a des pubertés et des grossesses qui, au lieu d'abîmer, donnent leur épanouissement et leur vraie beauté à certaines femmes.

Mais la plupart, presque toutes, dès que leurs ovaires commencent leur miraculeux et méticuleux travail d'horloge, commencent à subir des modifications défavorables. On leur demande de plaire et des dégâts surviennent quoi qu'elles fassent. Tout, autour d'elles : famille, société, littérature, et autres, les conditionnent à l'importance d'une esthétique sans défauts... Et elles s'abîment !... ou plutôt elles sont abîmées. Inexorablement, progressivement, ou par à-coups, quelque chose qui n'est pas du vieillissement, mais une espèce d'injustice, d'agression, liée à une condition procréatrice qui ne devrait être que joie et fierté, et la procréation elle-même, plus que tout, les délabrent peu à peu en dehors de toute maladie et à l'âge de toutes les fraîcheurs.

Que les femmes ne puissent y survivre, à l'évidence, non ! Qu'elles s'habituent ? C'est beaucoup dire ! Elles se résignent peu à peu parce que c'est dans la nature humaine, et particulièrement dans la nature féminine, d'absorber l'inévitable et que trop protester les fait juger sévèrement : « Tu n'es pas la première ! »

Mais, quelque part, au fond, quelque chose s'est fêlé qui ne

---

1. Techniquement, presque toujours évitables... mais rarement évitées.

guérira pas. Le sentiment d'une sécurité fragile que la ménopause, un jour, émiette définitivement.

A chaque métamorphose, puberté, maternité ou ménopause, la femme doit s'adapter à un nouveau schéma corporel.

Mais, à la puberté, tout aide à l'acceptation de la nouvelle image de soi : la promotion au stade de jeune fille fêtée, tous les moyens d'expression (littérature, cinéma, presse) qui divinisent jeunes filles et jeunes femmes, l'intérêt précoce et croissant des hommes... Malgré cela pourtant, l'adolescente est longue à se voir et à s'accepter, et tout dans sa conduite trahit son malaise et l'incertitude de sa beauté.

Après une grossesse, bien des choses s'arrangent ou sont compensées par d'autres : un ventre, des jambes ou des seins abîmés peuvent être oubliés, sauvés par la fraîcheur, l'éclat ou la beauté du visage.

La femme âgée a appris à se connaître et à connaître les autres, comme on juge la coupe d'un vêtement, la qualité d'un tissu, d'un cuir, d'un meuble... Et la nouvelle image qu'il lui faut accepter d'elle-même n'a, par rapport à l'image ancienne, *que des défauts* proprement inacceptables.

« Je déteste mon visage : au-dessus des yeux la casquette, les poches en dessous, la face trop pleine et cet air de tristesse autour de la bouche que donnent les rides... Une vérole s'est mise, dont je ne guérirai pas[1]. »

Tout s'abîme en même temps irrémédiablement et sans recours : les yeux et le regard, le visage et l'expression, la bouche et le sourire, le corps, la posture, et les mouvements. Charme et beauté échappent, ensemble, à tout contrôle.

Pour la première fois, la femme perd sur tous les fronts à la fois, et il n'y a plus de compensation possible. Rien, aucune fonction, aucun rôle ne lui permet d'en tirer avantage. Personne autour d'elle, jamais, ne l'aidera à croire à une amélioration. Toute la construction ou l'habitude d'une esthétique se délabre sans recours et avec elle les énormes investissements narcissiques que la femme, les hommes, les modes, la société tout entière avaient créés.

Ce n'est pas une aventure isolée, morceau par morceau. Ça arrive en vrac, tout ensemble, et à toutes les femmes en même temps : cette nouvelle image de soi insupportable qu'il lui faut admettre, le regard des autres qui l'obligent à se voir plus vieille qu'elle ne se sent... et, plus que tout, l'absence de regard ! Et ce refus significatif de ce qui reste de mieux chez certaines et qui fait dire, au même âge, d'un homme « comme il est bien ! » et d'une femme « qu'elle a dû être bien[2] ! ».

---

1. Simone de BEAUVOIR, *La force des choses.*
2. H. MICHEL-WOLFROM.

L'acquisition d'aisance, d'expérience, et d'autorité, en tant qu'amélioration subjective, peut distraire une femme active de son involution physique, puisqu'elle continue de plaire, ou même parfois plaît davantage, pour d'autres raisons.

Mais pour les femmes dont toute la vie a été axée uniquement sur la capacité physique de plaire, il est évident que c'est un désastre terrible, et que le cortège phobique du vieillissement n'est pas du tout imaginaire et donne un sentiment de dévalorisation sexuelle et sociale aussi grave que la retraite pour l'homme.

Certaines se livrent à des batailles désespérées qui paraissent ridicules à une société qui en est pourtant la cause.

D'autres découvrent combien il peut être reposant et facile d'abandonner cette lutte épuisante. Et combien de fois, le terrible changement qui signe l'abandon n'a-t-il démontré, après coup, l'incroyable lutte menée jusque-là. La différence physique et la différence de comportement, entre une femme qui veut plaire et une autre qui a renoncé, est considérable. Elle peut se traduire par 15 ans de différence apparente. Rester stimulante et séduisante demande à la femme, même jeune, une application extrême [1].

Au fil des ans, cela représente une somme considérable de discipline physique, cosmétique, vestimentaire. Cela prend du temps, beaucoup d'efforts, une énergie sans faille. Et il est concevable que, petit à petit, déçue par le désintéressement mâle, les femmes ne trouvent plus de raisons à continuer un tel effort. On dit d'une femme qu'elle « se laisse aller ». Qui sait, en dehors d'elle, ce que veut dire « se surveiller » ?

Ce narcissisme, incrusté depuis le plus jeune âge, qui, si elle l'oubliait, lui serait rappelé par les autres, la phobie qu'elle a du vieillissement, ce conditionnement à son apparence, toute la société en est responsable avant la femme elle-même.

Aussi ne faut-il pas mépriser ou négliger les possibilités considérables de conservation esthétique, des traitements modernes de la ménopause [2]. Leur pratique montre chaque jour qu'ils évitent bien des problèmes psychologiques, conjugaux et socio-professionnels.

Elle démontre aussi, qu'apparemment, personne à 65 ans ne demande à avoir 20 ans, et qu'une femme de cet âge qui ne s'est pas abîmée plus rapidement à la ménopause que dans les années précédentes garde sur ce point un équilibre et une sérénité enviables.

---

1. Notion de grand effort à fournir, de culpabilisation d'y avoir manqué, d'injustice d'y être obligée.
2. Comme d'ailleurs des traitements modernes en cours de puberté ou de grossesse pour maintenir l'intégrité réelle que l'on est en droit de souhaiter.

LA RÉALITÉ

Ce chapitre, technique et aride,
est cependant indispensable
à la compréhension du phénomène décrit
et des termes employés.

1

LA FONCTION OVARIENNE : CETTE INCROYABLE ET MINUTIEUSE HORLOGERIE

CONSTITUTION : LA DIFFÉRENCIATION SEXUELLE

Génétique

Chez l'embryon, le sexe est déterminé au moment même de la rencontre des deux cellules fécondatrices : l'ovule de la femelle et le spermatozoïde du mâle.

Les chromosomes déterminent :

— s'ils sont semblables, XX : un sexe génétique féminin ;

— s'ils sont dissemblables, XY : un sexe génétique masculin.

Cette marque sexuelle génétique se retrouvera dans chaque cellule de l'organisme où elle détermine la présence de molécules-cibles spécialisées dès le départ pour *capter* et *métaboliser* préférentiellement les hormones femelles dans le premier cas, mâles dans le second.

Glandulaire

Identique au début, les *gonades,* glandes sexuelles : masculines (*testicules*) ou féminines (*ovaires*) se forment à partir des mêmes tissus embryonnaires et sont déjà bien reconnaissables chez un fœtus de 2 mois.

Le sexe glandulaire est donc réalisé.

A peine formées, les glandes sexuelles commencent à sécréter leurs hormones spécifiques :

— les testicules : des *androgènes* ;
— les ovaires : des *œstrogènes* ;
Leur rôle est immédiatement essentiel.

Supérieure

Pour le comprendre, il faut ouvrir ici une parenthèse sur **un** sujet qui concernera directement la ménopause.

Tout au long de la vie, les sécrétions hormonales sont dirigées par un véritable ordinateur de régulation supérieure : l'**hypothalamus,** situé stratégiquement au centre du cerveau. (Fig. 2, p. 422.)

Au moyen de messagers chimiques neuro-transmetteurs : les *neuro-hormones,* l'hypothalamus dirige l'**hypophyse,** minuscule glande centrale, qui commande toutes les autres et siège juste au-dessous de lui, à la base du cerveau.

Suivant les ordres des neuro-transmetteurs hypothalamiques, l'hypophyse fabrique différentes *stimulines* qui règlent à leur tour la sécrétion des glandes endocrines.

Ces stimulines sont spécialisées chacune pour une glande donnée [1]. Celles qui sont consacrées à la régulation des glandes sexuelles (ou gonades) sont appelées gonadotrophines.

Il y en a deux :
— la *gonadotrophine sérique* ou **FSH,**
— la *gonadotrophine chorionique* ou **LH**
qui toutes deux agissent sur *l'un et l'autre sexe* [2].

Du début à la fin de la formation embryonnaire, à la puberté, pendant les cycles ovariens, les grossesses, jusqu'à la ménopause, ces deux gonadotrophines joueront un rôle absolument essentiel dans la stimulation et la régulation ovarienne.

Mais, phénomène curieux, à l'origine, *tout le système est asexué.*

L'hypothalamus a, pour les gonadotrophines, deux centres de contrôle différents :
— l'un, central, commande la sécrétion de base, *continue* ;
— l'autre, antérieur, commande des décharges exceptionnelles, *périodiques, cycliques.*

---

1. Par exemple : ACTH qui règle les glandes surrénales, TSH qui règle la glande thyroïde, (p. 423, fig. 3).

2. C'est une confusion courante de croire FSH féminine et LH masculine. Elles ne sont pas sexuellement différenciées et agissent toutes deux tant sur les testicules que sur l'ovaire. C'est le rythme d'émission (cyclique ou continu) d'une part, et les particularités cellulaires du récepteur (ovaire ou testicule) d'autre part, qui font la différence.

Sans influence extérieure, le système fonctionne toujours, spontanément, sur un mode cyclique, donc féminin.

Il faut une importante sécrétion d'androgènes testiculaires[1] pour modifier cette situation. Aussi, lorsque l'embryon est mâle, la sécrétion d'androgènes est-elle très puissante et très précoce. Elle a un rôle essentiel à jouer, et peu de temps pour réaliser cet énorme travail.

— Inhiber dans l'hypothalamus le centre antérieur de commande cyclique qui va dégénérer. Ainsi, la sécrétion hypophysaire sera seulement régulière, continue, caractéristique du mode masculin.

— Stopper immédiatement le développement (qui sinon serait automatique) des organes sexuels internes féminins et stimuler au contraire le développement des organes génitaux internes masculins.

C'est alors seulement que sera tout à fait réalisée la différenciation sexuelle fonctionnelle hypothalamo-hypophysaire indispensable à un développement et un fonctionnement sexuel harmonieux.

Dès le 5ᵉ mois de vie embryonnaire, la différenciation et le développement anatomique sexuels sont assurés et pour l'essentiel terminés.

Sécrétion glandulaire et développement cellulaire s'arrêtent. Et tout rentre en sommeil jusqu'à la puberté.

Dans les testicules, les futurs *spermatozoïdes* ont cessé de se développer, juste avant le début de la phase de multiplication.

Chez la femelle, le développement embryonnaire va plus loin et dépasse le stade de multiplication. Aussi, après la naissance, les cellules germinales franchiront tous les stades de maturation successifs afin de devenir *ovules,* mais il n'y aura plus jamais de multiplication. Le nombre est fixé définitivement avant même la fin de la grossesse. Jusqu'à la puberté, il n'y a donc, dans l'ovaire, que des *follicules primordiaux* renfermant chacun un futur ovule. Cette réserve est destinée à la vie entière. On les estime à 1 ou 2 millions à la naissance, *provision démesurée mais non renouvelable !*

A la puberté, après un sommeil de 12 ans, l'hypothalamus reprend son activité sexuelle. Les neuro-hormones hypothalamiques relancent les sécrétions de gonadotrophines hypophysaires :

---

1. **Hormones mâles.**

— de façon continue chez l'homme ;
— cyclique chez la femme.

Sous leur action, les sécrétions des glandes sexuelles reprennent, elles aussi, sur le mode correspondant :
— continu pour les hormones mâles ;
— cyclique pour les hormones femelles œstrogènes et progestérone.

Les caractères sexuels secondaires se dessinent et se différencient (seins, système pileux, voix, répartition des graisses...).

La fonction de reproduction se réveille. Et voici que s'établit à nouveau une différence essentielle entre fabrication mâle et fabrication femelle.

— Chez les garçons, les cellules germinales ébauchent leur première multiplication. Plus tardive que chez la femelle, elle n'est pas limitée d'avance. Sur le mode masculin, constant et régulier, elle se renouvellera sans cesse, tout au long de la vie, assurant ainsi un nombre de spermatozoïdes difficilement calculable [1].

— Chez les filles, tout est différent. Cette multiplication a été réalisée une fois pour toutes chez l'embryon. Il y aura seulement *maturation* des cellules existantes, tandis que les follicules primordiaux qui les entourent se développent et accroissent leur capacité sécrétoire œstrogénique. Mais là encore, en opposition avec le mode mâle, continu et infiniment multiple, les maturations se font une par une, et une fois par mois seulement (28 jours environ). Ainsi seuls quelques follicules parviendront à maturation et à ovulation, au maximum 300 ou 400 dans une vie gynécologique normale et bien remplie.

Ainsi, dès la vie embryonnaire, se trouvent posés plusieurs mystères de la future ménopause :

— sa probabilité en valeur absolue, puisqu'il y a limitation du nombre d'ovules ;

— son invraisemblance dans une vie de longueur normale, étant doné la démesure de la provision de départ, capable en théorie de fournir, plus que largement, 500 vies.

---

1. On en compte environ 350 millions par éjaculation.

FONCTIONNEMENT : LE CYCLE OVARIEN

Toute l'activité génitale de la femme est déterminée par la fonction ovarienne.

Celle-ci s'exerce sur le mode suivant (fig. 2, p. 422) :

a) l'hypothalamus excite et rythme les sécrétions hypophysaires au moyen de *neuro-transmetteurs* ou *neuro-hormones* ;

b) sous l'effet de cette commande supérieure, l'hypophyse à son tour, par le jeu des *gonadotrophines* qu'elle émet stimule et module le fonctionnement et les sécrétions ovariennes ;

c) suivant les ordres de l'hypophyse, les ovaires sécrètent les hormones ovariennes : *œstrogènes* [1] et *progestérone*. Leur taux dans le sang agit à son tour sur l'hypophyse et l'hypothalamus réglant l'intensité et le rythme de leur action.

Neuro-hormones, gonadotrophines, hormones ovariennes sont expédiées comme *messagers chimiques* dans le sang qui les véhicule à travers l'organisme.

Des *cellules-cibles* spécialisées, dont le nombre détermine une sensibilité plus ou moins grande, les captent au passage dans l'organe « destinataire ».

A première vue, ce cycle à trois étages paraît simple et ingénieux. Ingénieux, il l'est certes, mais simple ?... Dans la réalité, son déroulement met en jeu des mécanismes d'une folle complexité.

L'hypothalamus est programmé pour « ressentir » de façon précise la quantité d'hormones circulant dans le sang et pour en assurer, par l'intermédiaire de l'hypophyse, le freinage ou la stimulation nécessaire à l'équilibre de l'organisme, et à l'harmonie fonctionnelle de la glande concernée.

C'est un système relativement simple :

— atténué, et freinateur quand il y a excès d'œstrogènes circulants ;

— renforcé, excitant, quand il y a insuffisance.

C'est le phénomène classique de *rétroaction négative* des hormones sur l'hypothalamus et l'hypophyse.

Mais, avec la fonction ovarienne, rien ne se passe simplement : la maturation de l'ovule, son éclosion ont des exigences particulières

---

1. La *folliculine* principalement.

qui changent à chaque instant les données du problème et les impératifs d'action. L'hypothalamus doit donc assumer des analyses et des décisions infiniment plus complexes.

Par exemple : un taux élevé d'œstrogènes provoquera bien un freinage compensateur, ou *rétroaction négative.* Mais dans certaines conditions et pour un excès particulier d'œstrogènes, c'est l'inverse qui se produit : une *rétroaction positive,* excitante, phénomène unique en physiologie, qui provoque dans l'hypophyse une décharge exceptionnelle de gonadotrophine (fig. 1, p. 421) qui déclenche l'ovulation.

L'hypothalamus n'est pas « sensible » aux seules hormones. Il reçoit des informations :
— du milieu extérieur par les centres supérieurs de perception et de conscience de l'écore cérébrale (le *cortex*) auquel il est directement relié ;
— du milieu intérieur par toutes sortes de systèmes biochimiques :
  • les hormones,
  • les principaux centres de régulation supérieure et leurs médiateurs chimiques [1].
Il en est influencé, et, à son tour, les influence.

Ainsi, carrefour de toutes les informations psychiques, sensorielles et organiques, l'hypothalamus joue le rôle d'un ordinateur hautement perfectionné, dont cette description abusivement simplifiée ne peut donner qu'une faible idée (p. 422 et 423).

Pendant la première partie du cycle, la zone centrale de l'hypothalamus, zone de commande basale, continue, travaille seule. Elle excite l'hypophyse de façon douce, régulière.

Celle-ci fabrique les deux gonadotrophines FSH et LH.

Une partie de ces deux gonadotrophines (surtout LH) est « stockée » sur place en vue de l'ovulation.

L'autre partie (surtout FSH) passe dans le sang et agit sur l'ovaire pour préparer l'ovulation.

Sous son influence, un ou plusieurs follicules ovariens grossissent considérablement tandis que leurs parois sécrètent des doses croissantes d'œstrogènes (p. 421 A, B, C).

Cette augmentation d'œstrogènes dans le sang immobilise provisoirement l'hypothalamus, permettant à l'hypophyse de stocker les gonadotrophines ainsi bloquées.

---

1. Contracteurs ou dilatateurs, hypo ou hypertenseurs, régulateurs du sucre, de l'humeur, de la soif, de la faim, du sel, du débit sanguin..., p. 423.

Par contre, cette sécrétion excite considérablement la muqueuse utérine. Des tubes glandulaires se multiplient, la tapissent entièrement, s'allongent. Toute la paroi prolifère et épaissit. (F. p. 421, E.)

Lorsqu'un des follicules arrive au maximum de son développement, sa sécrétion d'œstrogènes augmente terriblement en quelques heures. Alors, le centre de commande-cyclique : la zone antérieure de l'hypothalamus, jusque-là passive, se réveille, « alertée » par cette augmentation subite pour laquelle elle est programmée. Elle entre soudain en action et accélère brusquement la zone centrale de commande-basale, jusque-là paisible. Et sous cet effet, brutalement, d'un seul coup, celle-ci lance dans la circulation la « *décharge ovulante* » : en quelques heures toutes les gonadotrophines accumulées, FSH et surtout LH, quintuplent dans le sang. Le follicule le plus mûr éclate et libère son ovule, aussitôt capté par la trompe qui le conduit vers l'utérus. La température s'élève d'un degré. *C'est l'ovulation.* (F. p. 421.)

Aussitôt, toute la paroi du follicule éclaté, déshabité, est envahie de nombreux vaisseaux, et ses cellules se transforment. Elles sécrètent une nouvelle hormone : *la progestérone.*

Durant les quelques jours nécessaires à son assèchement, et à sa cicatrisation, l'enveloppe folliculaire qui prend à cause de sa couleur particulière le nom de *corps jaune* va fonctionner comme une petite glande indépendante, et plus rien ne pourra l'influencer, la prolonger ou l'arrêter. (P. 421, A.)

Pendant cette courte période la progestérone :

a) freine l'hypothalamus et l'hypophyse, qui rentrent en repos ; dans l'hypophyse le stockage des gonadotrophines reprend en vue de la prochaine ovulation, tandis que le (ou les) follicules en voie de maturation, gagnés de vitesse par l'éclosion du premier, régressent et involuent [1] ;

b) remanie profondément la muqueuse hypertrophiée, développe tellement la richesse des cellules de soutien, l'activité des tubes glandulaires et les artérioles qui les entourent, que cela finit par donner un inextricable fouillis glandulo-vasculaire, milieu exceptionnellement riche destiné à assurer, en cas de fécondation, *la nidation de l'œuf.* (P. 421, E.)

De la richesse de cette transformation dépendent deux choses contradictoires :

---

1. Cf. « Involution atrésique », page 58.

— la qualité et la solidité du milieu destiné à entourer et à nourrir l'œuf s'il y a fécondation et fixation à l'utérus,

— mais, s'il n'y a pas fécondation, une nécrose brutale, généralisée (à cause de la richesse même du milieu et de ses besoins), seule capable de provoquer des règles franches et parfaitement décapantes.

Durant toute l'activité progestative du corps jaune, la température marque un plateau surélevé à 37°. (P. 421, D.)

S'il n'y a pas fécondation, la sécrétion de progestérone s'épuise au fur et à mesure que s'assèche le follicule, puis elle cesse définitivement, au plus tard 14 jours après l'ovulation. La température s'abaisse brusquement. Les milliers de petites artérioles de la muqueuse utérine se contractent brutalement. Des micro-thromboses se produisent un peu partout. Les tubes glandulaires asphyxiés dégénèrent. Tout le tissu prolifératif meurt, victime de sa propre richesse et de ses besoins nutritifs exigeants.

Dès la disparition de la progestérone et du frein qu'elle exerce, hypothalamus, hypophyse et ovaires libérés entament un nouveau cycle. Au fur et à mesure que la folliculine réapparaît, les vaisseaux se dilatent à nouveau. Cette vaso-dilatation provoque une petite hémorragie générale à la surface de la muqueuse utérine qu'elle décolle largement. Tout le tissu de prolifération nécrosé desquame en masse : *ce sont les règles* [1].

Mais, sous l'influence de l'hypothalamus antérieur central, l'hypophyse a repris les sécrétions de FSH et LH :
— une part passe dans le sang de façon continue et légère pour mûrir un nouveau follicule ovarien ;
— l'autre s'accumule dans l'hypophyse, en vue de la prochaine décharge ovulante.

La muqueuse utérine, entièrement exfolliée, comme par un curetage ou un peeling, reprend sa prolifération cyclique.
Un nouveau cycle est commencé.

Cette explication, très simpliste, du fonctionnement ovarien est indispensable à la compréhension de la manière dont se passe l'extinction ovarienne, des phénomènes qui l'accompagnent et des problèmes qu'elle pose.

---

1. Véritable curetage naturel périodique qui débarrasse la muqueuse utérine de toute prolifération inutile, s'il n'y a pas à nicher et nourrir un œuf fécondé.

Mais, un autre élément n'est pas moins essentiel : l'ovulation n'est pas le seul aboutissement du follicule ovarien. Il en existe un autre infiniment plus fréquent qu'on appelle : *atrésie folliculaire :* involution, régression dégénérative qui se produit *avant* rupture du follicule, donc *sans* ovulation.

Les follicules atrésiés se rencontrent en très grand nombre. Il semble même que ce mode d'évolution soit absolument dominant par rapport à l'évolution ovulatoire. Il peut d'ailleurs se produire à tous les stades de développement folliculaire. Ce n'est pas non plus un phénomène de vieillissement. L'involution atrésique existe déjà dans la vie fœtale, s'accentue après la naissance, accélère à la puberté, continue durant toute la vie gynécologique [1]. A la ménopause l'atrésie devient générale et remplace définitivement la maturation folliculaire.

Mais on ne connaît ni la cause ni le mécanisme exact de ce phénomène qui s'ajoute ainsi aux mystères non élucidés de la ménopause.

EXTINCTION : LA MÉNOPAUSE

Après 40 ans, la maturation des follicules ralentit, s'appauvrit, devient incomplète. Certains bientôt n'arrivent plus à éclosion. Les ovulations s'espacent, et cessent peu à peu. Les follicules s'atrésient puis retournent à l'indifférenciation, perdant leurs caractéristiques cellulaires.

Ceci entraîne plusieurs conséquences successives :
— une stérilité irréversible ;
— la disparition des règles ;
— un hyper-fonctionnement réactionnel de l'hypothalamus et de l'hypophyse qui tentent de pallier l'insuffisance ovarienne.

1. Le début du ralentissement est caractérisé par des maturations folliculaires imparfaites. Les couches cellulaires sécrétrices de la paroi folliculaire, moins développées, sécrètent moins d'œstrogènes. Après ovulation, le remaniement progestatif ne donne qu'un corps

---

1. On estime très approximativement le nombre des follicules non atrésiées à 5 à 7 millions au départ, 1 ou 2 à la naissance, 4 à 500 000 au début de la puberté, 150 à 200 000 à 20 ans et seulement (mais encore) autour de 10 000 vers 45 ans.

jaune [1] pauvre, mal irrigué, qui sécrète moins, et s'assèche plus rapidement qu'auparavant.

Le taux de progestérone s'abaisse donc sensiblement, beaucoup plus vite que celui d'œstrogène.

$$O \rightarrow Pg \searrow$$
$$\rightarrow \quad \searrow$$

Un premier déséquilibre ovarien, le plus caractéristique de la pré-ménopause et de la ménopause débutante, s'est établi : *persistance d'une sécrétion œstrogénique variable avec une progestérone insuffisante ou disparue.*

La muqueuse prolifère mal, ou insuffisamment remaniée ne favorise guère la fixation d'un ovule fécondé, et les premiers troubles climatériques apparaissent, accompagnant ou précédant les premières anomalies menstruelles.

2. Puis, l'involution atrésique des follicules se généralise tout à fait. Les parois folliculaires sécrètent encore des œstrogènes dont la quantité diminue progressivement, *mais il n'y a plus d'ovulation.* Il n'y aura donc plus désormais de corps jaune, et *la progestérone disparaît définitivement.*

$$O \rightarrow Pg$$
$$\searrow \quad \downarrow$$

La stérilité est devenue absolue, irréversible.

La prolifération utérine diminue plus ou moins régulièrement. La muqueuse mal préparée, en l'absence de progestérone, desquame mal, puis plus du tout, et les règles disparaissent définitivement.

Mais l'effet prolifératif de la sécrétion œstrogénique peut se prolonger encore, plus ou moins fort, plus ou moins longtemps. Or, en l'absence de progestérone, il n'y a plus rien pour stopper et modifier cette prolifération que l'absence de règles ne vient plus comme auparavant nettoyer périodiquement. C'est la cause de la plupart des proliférations anatomiques anarchiques (fibrome, polype, hyperplasie...). C'est sans doute aussi un climat favorable aux proliférations cancéreuses [2].

L'hypothalamus « ressent « l'insuffisance d'œstrogènes dans le sang. Il s'énerve, excite vigoureusement l'hypophyse pour tenter d'y remédier. D'abord épisodique, conservant un rythme cyclique plus

_____

1. Cicatrices du follicule qui après avoir sécrété des œstrogènes ou folliculine, se transforment pour sécréter la progestérone. Cf. p. 57.
2. Cf. « Complications », p. 202-213.

ou moins régulier, la sécrétion de gonadotrophines hypophysaires augmente et s'exaspère.

Cette agitation hypothalamo-hypophysaire influence (excite ou inhibe) à peu près toutes les fonctions anatomiquement proches ou physiologiquement dépendantes :

— · le cortex, centre de la conscience et de la pensée ;

— · les autres stimulines hypophysaires, donc les sécrétions hormonales qui en dépendent (thyroïde, surrénales...) ;

— · et tous les médiateurs chimiques qui les relient (régulateurs tensifs, thermiques, glucidiques, etc.). (P. 423.)

C'est l'époque des plus grands désordres neuro-végétatifs ou fonctionnels (bouffées de chaleur, malaises ou dérèglements divers...).

3. Mais après insuffisances ou excès désordonnés, irrégularités variées, les décharges ovulantes disparaissent et le mode cyclique est peu à peu abandonné pour un mode plus ou moins régulier (mais encore excessif) semblable au fonctionnement mâle.

L'involution ovarienne se poursuit. Et la régression des follicules devient telle que les parois sont de moins en moins capables d'assurer la sécrétion d'œstrogène qui s'éteint à son tour lentement. Les cellules folliculaires perdent peu à peu leurs caractères distinctifs et se fondent dans le tissu environnant. Des travées scléro-fibreuses les envahissent, détruisant puis remplaçant les tissus actifs, *et l'ovaire — parfois très lentement, parfois très brutalement — devient fonctionnellement inerte, muet.*

Cependant, le tissu conjonctif qui entoure, soutient et nourrit les follicules : le *stroma ovarien,* résiste beaucoup plus longtemps à la sclérose. Sous l'influence de l'hypophyse, ses cellules sont capables d'assurer une certaine sécrétion œstrogénique (ou androgénique) plus ou moins continue, capable, même à faibles doses, d'exercer un rôle favorable qui atténue les phénomènes de dégénérescence atrophique [1].

4. Enfin, peu à peu, toutes les sécrétions tarissent. L'hypothalamus, l'hypophyse entrent en repos. Les malaises semblent, pour la plupart, disparaître.

Mais des involutions dégénératives se sont ébauchées. Plus ou

---

1. Certaines femmes font même de véritables foyers sécrétoires fonctionnant comme des glandes interstitielles, enchâssées dans la masse scléro-fibreuse de l'ovaire. Ces foyers sont capables de survivre et de fonctionner jusqu'à un âge très avancé. Malheureusement, ce tissu sans follicule, donc sans corps jaune, est incapable d'assurer la sécrétion de progestérone correspondante, nécessaire à l'équilibre tissulaire de la muqueuse utérine. Il peut donc être cause d'hyperplasie hémorragique. Cf. « Complications », p. 204.

moins rapides, elles se précisent, au fur et à mesure de l'appauvrissement ovarien :

— particulièrement accusées au niveau des tissus hormono-dépendants de l'appareil génital, les plus sensibles et les plus profondément altérés ;

— encore considérables, quoique à un degré moindre, sur les tissus hormono-sensibles (téguments, œil, os...) ;

— enfin, plus ou moins décelables sur l'ensemble de l'organisme, dont les échanges ont été perturbés, altérés ou souffrent seulement de la disparition de l'impulsion métabolique cellulaire générale, que les hormones génitales donnent à tout l'organisme.

Certains dérèglements passagers sont devenus chroniques.

Des pathologies s'installent ou vont s'installer.

Comparable à la puberté dont elle est un peu le phénomène inverse, la ménopause ne devrait être qu'un état de passage, une époque de transition entre deux types différents d'équilibre hormonal.

En fait, le plus souvent, elle se déroule comme une maladie ou un désordre d'importance variable, mais dont les séquelles inéluctables portent atteinte à l'intégrité de l'organisme et pèsent plus ou moins lourdement sur la deuxième partie de la vie qu'elles modifient, toutes, défavorablement.

2

MÉNOPAUSES NORMALES ?

On voudrait considérer la ménopause comme un phénomène physiologique : l'interruption d'une fonction provisoire, constituée à la puberté dans un but unique : la procréation, et qui cesse lorsque cette fonction est raisonnablement remplie.

Et de fait, la fonction ovarienne (et, dans les deux sexes, la fonction reproductrice en général) est une fonction transitoire.

Elle est indispensable à l'espèce.

Elle n'est pas indispensable à la vie de l'individu mais lui est seulement surajoutée.

Les ennuques vivent aussi longtemps que les hommes virils [1]. Les femmes dont la fonction ovarienne a été interrompue précocement par une intervention chirurgicale, ou celles qu'une malfaçon prive d'un développement ou d'un fonctionnement ovarien adulte, ne présentent pas de modifications particulières de la longévité.

On pourrait donc concevoir un équilibre féminin avec installation — sans problèmes — à la puberté de la fertilité, puis disparition — toujours sans problèmes — de cette fonction à l'âge où la maternité n'est plus souhaitable, ni pour la mère, ni pour l'enfant.

Or, dans la réalité, les choses ne se passent pas si simplement, ni à la puberté, ni à l'âge adulte et en cours de grossesse, ni surtout à la ménopause [2].

---

1. Parfois, plus ! Car certaines maladies : athérosclérose, hypertrophie prostatique, etc., leur sont inconnues. Cf. *Les longs chemins de la vieillesse*, tome I, LA DIFFÉRENCE.

2. Cf. *Les longs chemins de la vieillesse*. Tome I, LA DIFFÉRENCE. Tome II, LE CHOIX. Tome III, L'EBAUCHE.

Il est vrai que dans certains cas, il existe des ménopauses sans troubles apparents. On a voulu les qualifier de « normales », mais il semble que le terme de « bien tolérées » soit plus que suffisant. En effet, elles sont extraordinairement rares, et il semble que la « règle » soit plutôt un certain ensemble de troubles classiques, présents à toutes les époques, et dans toutes les populations, beaucoup plus que l'absence de troubles.

Tous les travaux concordent à l'heure actuelle pour confirmer qu'il n'existe environ que 15 à 25 % au maximum de ménopauses dites sans troubles.

Dans tous les autres cas, les bouffées de chaleur, sueurs, maux de tête, malaises variés, fourmillements, douleurs articulaires et musculaires, troubles psychologiques, irritabilité, dépression, modifications physiologiques, embonpoint, hémorragies, etc., sont présents à des fréquences et des degrés d'intensité divers.

Et ceci ne représente que les troubles subjectifs, immédiats.

Pourtant, à les écouter, on pourrait croire que les femmes ayant eu des ménopauses sans trop d'histoires sont plus nombreuses que ne le prouvent les statistiques. Ce n'est pas vrai, bien sûr, mais cet optimisme rétrospectif tient à plusieurs phénomènes :

1. On dit qu'une ménopause est « normale » lorsqu'il y a peu de troubles neuro-végétatifs. Or les troubles neuro-végétatifs ne sont que des *symptômes* de variations hormonales ou neuro-humorales.

Ils sont plus spectaculaires ou gênants que vraiment pathologiques et leur absence n'exclut pas ces syndromes d'atrophie dégénérative longtemps silencieux, qui ne se révéleront que bien après, lorsqu'il est trop tard pour agir, souvent même sans que le sujet ait conscience d'une relation avec l'appauvrissement hormonal.

Ils sont aussi, à l'exception des grandes bouffées de chaleur paroxystiques, ceux que l'on oublie le plus aisément, d'autant que nombre d'entre eux ne sont pas reconnus par les femmes comme troubles de ménopause (fourmillements, douleurs articulaires ou musculaires, etc.) [1].

2. Les ménopauses « sans troubles des règles » sont, elles aussi, bien accueillies.

Les femmes parlent avec reconnaissance d'un arrêt définitif

_____

1. Cf. « Pseudo-pathologies », p. 132.

« d'un mois à l'autre » et cela leur fait souvent oublier tous les autres ennuis concomitants. Ce fait prouve surtout la crainte profonde des troubles hémorragiques, le soulagement d'y avoir échappé, et à quel point ce genre de troubles pèse sur la vie des femmes [1], au point de leur en faire négliger, ou même ignorer d'autres, ainsi que des pathologies simultanées ou consécutives, autrement importantes.

3. Souvent certains signes, parmi les plus évidents, ne sont tout simplement pas évoqués car la patiente, traditionnellement, les croit « normaux », dans la règle. (De la même façon qu'une jeune fille ou une jeune femme croit fréquemment à la normalité des maux de ventre menstruels [2].)

4. D'autres sont oubliés car peu marqués ou inférieurs à l'idée terrible que la femme se faisait de la ménopause. Les seuls symptômes décrits sans hésitation sont les bouffées de chaleur, les hémorragies (et parfois les états dépressifs... et encore !). Par contre, les troubles de la vue, ou de la mémoire, la fatigue, les douleurs articulaires, congestions, fourmillements, crampes, maux de tête et toutes les pseudo-pathologies sont toujours rattachés à d'autres causes circonstancielles pathologiques.

5. Il semble que les femmes n'attribuent à la ménopause que les perturbations qui accompagnent de très près les premiers dérèglements menstruels ou leur interruption. Dans les troubles tardifs autrement importants : appauvrissement tissulaire, atrophie génitale, manifestations d'ostéoporose, c'est le vieillissement qui est accusé, pas la ménopause.

6. Enfin, il y a de magnifiques spécialistes du faux-souvenir-optimiste : « jamais-de-problèmes », « santé-de-fer »... Il y a des attitudes de bravade : « je n'ai pas l'habitude de m'écouter... », « je n'ai jamais fait attention à ces choses... ».

Cette attitude, bien caractérisée, se retrouve à tout propos. On oublie, de la plus invraisemblable façon, des maladies, des opérations, des accidents même, qui ne sont rappelés... ou extorqués qu'en plusieurs consultations, par recoupements dignes d'un interrogatoire policier, grâce au dossier médical (qu'elles ont elles-mêmes apporté !) ou à la présence d'un membre de la famille.

---

1. « Attitudes devant les règles », p. 41.
2. ...Et pourtant, c'est peut-être fréquent, mais pas normal. Cela se traite, cela se prévient. La norme c'est de ne rien sentir.

3

Ces patientes tout à leur personnage sont inconscientes des problèmes qu'elles posent. Certains, tel que l'ignorance d'antécédents essentiels au jugement et à la prescription médicale, pourraient avoir des conséquences graves. D'autres, plus terre à terre, sont inutilement exaspérants : observations toujours incomplètes, qu'il faut sans cesse corriger, raturer, surcharger quand il ne faut pas les réécrire de bout en bout deux ou trois fois pour obtenir le résultat, chronologiquement exact, clair et bien structuré, indispensable en gérontologie, pour retrouver en un clin d'œil les points essentiels d'une vie entière.

7. Enfin, il est tout à fait significatif lorsqu'on cherche à approfondir les résultats statistiques, que les ménopauses sans histoires n'existent guère que dans le souvenir de femmes déjà âgées... et très peu dans la catégorie directement concernée !

Les jeunes filles déjà, ou de très jeunes femmes, n'ont souvent que peu de souvenirs précis de leur puberté, hésitent, à deux ou trois ans près, pour la date de leurs premières règles ou confondent le souvenir exact et ce qu'elles ont pris l'habitude d'en dire.

Il faut bien avouer que la vie des femmes, en dehors des avatars communs aux deux sexes, est si exceptionnellement surchargée d'événements variés, mille fois répétés, oubliés, renouvelés, qu'il n'est pas vraiment surprenant que ces oublis, distractions, bravades ou feintes soient si fréquents.

Mais, en dehors de cette étonnante amnésie gynécologique [1], même une ménopause *sans aucun trouble immédiat* n'est pas pour autant indemne de conséquences secondaires ou lointaines.

Les troubles de la vue, de la trophicité génitale, du système osseux représentent plus de 50 % des modifications tardives franchement pathologiques. Et d'avoir échappé aux malaises neuro-végétatifs ne préserve en rien de leur constitution.

A longue échéance, les conséquences dégénératives atrophiques graves : de la vue (glaucome, cataracte...), du système cardio-vasculaire (athérosclérose), l'apparition d'hypertension (44 %), de diabète (deux fois plus fréquent que chez l'homme au même âge), nombre d'ostéopathies douloureuses, limitantes ou invalidantes : rhumatisme, arthrose, ostéoporose (une femme sur 4 après 60 ans, une sur 2 après 70 ans), substrats majeurs de la pathologie de la femme âgée, ne sont, même à long terme, que la conséquence directe de la privation hormonale.

---

1. A laquelle n'échappent que les accouchements.

3

POUR QUOI FAIRE ? ...

LÉNINE

La ménopause est donc l'ensemble des phénomènes qui entourent la cessation de fonction ovarienne.

Mais le mécanisme de cette extinction commence à se constituer silencieusement, parfois longtemps avant l'arrêt des règles. Les symptômes qui l'accompagnent se dispersent sur un éventail de 5 années au moins, souvent de 10, parfois de 15. Certaines de ces conséquences directes — souvent les plus graves et les plus franchement pathologiques — ne se manifestent que bien plus tard, dans la vieillesse.

Dans la pratique, on a pris l'habitude de diviser la ménopause en trois périodes :

Une **pré-ménopause**, avant l'interruption des règles avec sécrétion persistante plus ou moins forte d'œstrogènes (folliculine), mais diminution franche de la progestérone.

Elle est caractérisée par :
• des perturbations de règles,
• des phénomènes tissulaires et vaso-moteurs simulant une hyper-œstrogénie (hyperfolliculinie) ;
• les premières atteintes de l'équilibre général.

La ménopause proprement dite avec :
• disparition des ovulations, donc de la progestérone,
• chute réelle des œstrogènes,

· augmentation plus ou moins accusée du taux des gonadotrophines hypophysaires.

C'est l'époque de la disparition des règles, et des grands troubles, de privation hormonale.

Enfin, une **post-ménopause** où toutes les sécrétions : hormones et gonadotrophines, tendent vers l'extinction. Les troubles neuro-végétatifs s'apaisent, tandis que l'atrophie gagne et se généralise.

Cette division un peu arbitraire et aux limites incertaines permet tout de même de séparer les différents types de troubles correspondant aux caractères de chaque étape du déséquilibre hormonal.

Mais du début des symptômes à la fin, de la stérilité et l'aménorrhée aux dernières bouffées de chaleur, il peut courir jusqu'à 20 ans de différence. Des conséquences métaboliques ou dégénératives directes peuvent n'apparaître que bien plus tard encore dans la vieillesse.

Voilà donc un phénomène aussi compliqué que vaste :

— chronologiquement, ses causes, ses manifestations et ses conséquences couvrent *plusieurs* années avant l'arrêt des menstruations et pratiquement *toutes* les années d'après,

— physiologiquement, il est constitué d'un ensemble de mécanismes « causes » et de mécanismes « conséquences » d'une extravagante complexité, et dont certains sont parfois si éloignés de l'extinction ovarienne proprement dite qu'on a mis très longtemps à les y rattacher.

Si l'on veut parvenir à cadrer la ménopause, dans le contexte d'une vie entière, la définir assez clairement pour en tirer des explications et des conclusions thérapeutiques valables, il faut la prendre dans son ensemble, depuis le début de la perturbation fonctionnelle ovarienne, à travers ses manifestations et ses troubles, et aussi loin que nécessaire, dans ses conséquences dégénératives ou pathologiques.

On pourrait objecter qu'à notre époque où presque tous les troubles de la ménopause sont curables, où la ménopause elle-même peut être compensée, *comme effacée*, cette étude devient sans objet.

Mais c'est justement pour cela qu'elle paraît nécessaire.

La préparation et la rédaction d'un rapport médical se font toujours dans un climat ambigu : le sentiment pénible et contradictoire d'être toujours incomplet, et dans le même temps, très vite dépassé.

Les publications techniques les plus à jour sont toujours en retard d'au moins deux ou trois ans sur le niveau réel des travaux en cours. Aussi le temps de mettre en ordre et de rédiger, de nombreuses questions posées sont résolues ou devenues sans objet, les hypothèses envisagées, balayées par une nouvelle orientation des recherches, les impossibilités techniques dominées ou contournées grâce à des méthodes imprévisibles peu avant.

On est sans cesse ballotté entre la sensation de n'être pas assez rapide pour que l'exposé garde sa justification, et celle désolante de n'être pas assez complet. La sensation de provisoire est constante. « En l'état actuel des connaissances », petite phrase significative de la progressivité... et des limites du savoir, revient comme un leit-motiv à chaque détour de phrase dans la littérature médicale. Et la tentation est grande de s'interrompre, pour, à partir d'une notion, d'une association d'idées ou d'une interrogation nouvelle, tenter de déchiffrer beaucoup plus loin avant d'oser conclure.

Nous sommes loin de savoir ce qu'est vraiment la ménopause et encore loin d'accéder aux possibilités qu'on peut déjà imaginer. A chaque instant se pose à son sujet un problème, une question nouvelle aux conséquences indiscernables.

Mais il faut attirer l'attention des femmes sur ce qui a changé, ce qui « en l'état actuel des connaissances » peut déjà être fait, pourquoi, quand, et comment le faire.

Pour cela, il fallait bien expliquer une bonne fois, sans tricherie et sans euphémisme ce qu'est vraiment la ménopause, ses inconvénients véritables et l'étendue de ses complications :

Pour les hommes qui l'ignorent, la sous-estiment et s'en agacent, et dans le même temps lui accordent une valeur symbolique démesurée.

Pour les femmes qui la craignent abusivement dans son ensemble, en ignorent complètement les éléments essentiels, tout en donnant une importance exagérée à ceux qui n'en ont pas, et ne savent, ni qu'on peut s'y préparer, ni comment s'en défendre et que, même tardivement, on peut encore agir contre des complications lointaines :

— pour que les jeunes femmes prennent conscience de l'extrême importance de corrections, contrôles et préventions précoces, sûrement à partir de 40 ans, mais bien plus souvent dès les maternités, parfois la puberté ;

— pour que celles qui sont déjà concernées puissent, en reconnaissant clairement un, ou plusieurs de leurs problèmes, comprendre ce qui se passe et savoir que presque tout ce qu'il leur arrive, peut être évité, que presque tout ce qu'elles risquent, peut être empêché ;

— pour que les femmes plus âgées ne se résignent pas à ce qu'elles croient n'être que vieillesse et fatalité, mais sachent qu'il est possible d'être plus fortes, plus dynamiques, moins souffrantes... et plus jeunes.

Car pour pouvoir être utile et efficace il nous faut leur vigilance et, partant, leur compréhension.

Parce qu'aussi les progrès seront d'autant plus rapides que leur démarche sera plus active. Un praticien s'attache d'autant plus à certaines recherches que le problème lui est posé de façon plus fréquente et plus pressante. Ce qu'elles ont fait pour la contraception, les femmes peuvent le faire pour la ménopause, et il faut souhaiter qu'elles le fassent.

Aussi incomplets soient-ils, les progrès actuels, les avantages acquis sont déjà assez grands pour qu'il soit déraisonnable de ne pas en user dans toute la mesure du possible.

Les moyens changeront, deviendront plus précis, plus puissants, et — cela va parfois ensemble — peut-être encore plus simple.

Et si la ménopause telle qu'elle est décrite ici (déjà irréelle et difficilement concevable pour certaines privilégiées) apparaît dans 15 ans tout à fait démodée et même extravagante, et que nos filles sans comprendre en disent comme de l'accouchement « Oh ! nos mères en faisaient tout un cirque !... » que peut-il arriver de mieux ?

LA PESTE, PUISQU'IL FAUT L'APPELER PAR SON NOM...

(H. Michel Wolfrom, citant La Fontaine)

LES TROUBLES CLIMATÉRIQUES

> « Une excrétion aussi importante que l'est celle des règles ne se supprime pas après trente ans de durée sans provoquer quelques perturbations dans l'équilibre des fonctions ! »

RACIBORSKY 1844

1

L'INVOLUTION

LOIS D'INVOLUTION ORGANIQUE

Il y a dans l'organisme deux types de cellules :
— les unes se renouvellent constamment ;
— les autres ne se renouvellent jamais.

Or, ces dernières constituent précisément ce qu'on appelle les
« tissus nobles » (alvéoles pulmonaires, cellules du filtre rénal, tissu
osseux, tissu germinatif du testicule ou de l'ovaire). Le capital en
est constitué à la naissance et ne s'accroît ou ne se reconstitue plus
jamais.

La provision de départ est toutefois considérable, plusieurs centaines de milliers de fois supérieure aux besoins réels. Ceci donne
à l'organisme un maximum de chances de survie, quelles que soient
les agressions traumatiques ou infectieuses qu'il lui arrive de subir.

Mais il est évident que au-delà d'un certain degré de destruction,
un organe à cellules non renouvelables n'est plus fonctionnel, donc
plus viable.

Par ailleurs, renouvelable ou non, la matière vivante porte en
elle-même sa propre limitation.

Les organes et les tissus vieillissent, perdent leur poids, leur
volume et leurs capacités fonctionnelles.

La cellule vieillit. Ses capacités d'absorption et d'élimination
se détraquent et diminuent. Lorsqu'elle est renouvelable, au bout
d'un certain nombre de fois, des erreurs apparaissent qui peu à peu
dégradent, puis paralysent ses capacités de reproduction.

La molécule elle-même vieillit. Des liquides épaississent ou
cristallisent, des fibres deviennent rigides.

Il y a donc, à tous les niveaux, et en dehors de toute pathologie, un élément de régression dégénérative auquel n'échappe aucun élément d'organisme vivant, et dont les causes à l'heure actuelle sont encore inconnues : c'est « l'involution biologique », l'essence même du vieillissement.

Dans le cadre de cette involution lente, très progressive qui règle les processus de vieillissement, l'ovaire de la femme, et la sphère génitale qu'il régit, ont un comportement bizarre.

Le système génital appartient à l'un et l'autre système.

Le tissu germinatif [1] n'est pas renouvelable. Mais la proportion de cellules est, au départ, démesurée, suffisante pour 500 ans.

Tous les autres tissus génitaux sont parfaitement vivaces et renouvelables.

L'ovaire lui-même en tant que glande endocrine devrait, comme elles, vieillir plus lentement que la plupart des organes.

Or, c'est le contraire qui se produit : *en pleine maturité, presque subitement, la fonction ovarienne s'arrête comme une lampe qui s'éteint* [2].

Mais tout au long de la vie, qu'il s'agisse de la période silencieuse de l'enfance, de l'éclosion pubertaire, du fonctionnement cyclique et rythmé, absolument unique en son genre, jusqu'à cette extinction incompréhensible, antérieure de plusieurs dizaines d'années à celle des autres organes, tout dans la fonction ovarienne est exceptionnel... et cette fin plus que le reste !

Depuis la construction embryologique, tout au long de la vie gynécologique, au cours d'événements considérables comme les grossesses, et jusqu'à l'arrêt définitif, inexplicable, c'est une extraordinaire machinerie, et chacun de ses éléments joue un rôle plus ou moins bien connu, donne ou enlève incompréhensiblement une explication à la ménopause, dernier et grand mystère de l'orageuse et déconcertante physiologie féminine.

L'INVOLUTION OVARIENNE

La diminution fonctionnelle de l'ovaire s'accompagne d'une involution organique qui peut aller jusqu'aux stades d'atrophie les plus extrêmes.

L'ovaire prend un aspect scléreux, flétri, comme ratatiné. Plus

---

1. Ovaire de la femme, testicule de l'homme.
2. Cf. L'extinction, p. 59.

grise que blanche, la surface en est souvent marquée de rides, creusée de sillons.

Les variations de forme, de volume, d'aspect des ovaires ménopausés sont considérables et il n'est même pas possible de définir une date approximative pour cette involution.

Dans la majorité des cas, elle se réalise très rapidement après la ménopause.

Mais elle est parfois constituée bien plus tôt et il arrive de trouver, dans certains cas de ménopause précoce, des ovaires déjà réduits à moins de la moitié de leur taille normale.

Du fait de cette atrophie, l'ovaire n'est plus cliniquement palpable. Il devient même parfois difficile à identifier en cours d'intervention chirurgicale.

A l'examen histologique, sauf quelques rares exceptions, on ne trouve plus traces de follicules en voie de maturation, et bien que les cicatrices anciennes soient encore visibles, il n'y a plus de corps jaunes. Tous les follicules restants sont en involution atrésique, aux différents stades de développement atteints. Puis les cellules des follicules perdent leurs caractères distinctifs et se confondent avec le milieu environnant [1].

La vascularisation est réduite, des travées de scléro-fibroses envahissent et remplacent peu à peu, le tissu fonctionnel.

Cependant, des cellules du hile et du stroma (tissu conjonctif de soutien des follicules) sont moins sensibles que ceux-ci à la sclérose. Certaines d'entre elles montrent même des signes d'activité sécrétoire et il arrive ainsi que, enclavés dans le tissu scléro-fibreux, persistent encore et parfois très longtemps, des foyers actifs capables de sécrétion œstrogénique ou androgénique.

L'installation dans l'organisme du mécanisme délicat des hormones génitales ne se fait pas sans heurts et sans à-coups, de même que sa disparition. On assiste à ce moment-là à de véritables *orages hormonaux* qui rappellent, en plus grave, les perturbations de la vie génitale. Et il y a de grandes ressemblances dans les troubles de la ménopause et ceux de la puberté.

Mais la puberté est un enrichissement, la ménopause, un appauvrissement, une carence.

Elle se produit sur un organisme affaibli et fragilisé : des dégénérescences séniles, des déficiences fonctionnelles, sont déjà établies et des intoxications, des pathologies, sont acquises, la capacité de

---

1. Cf. p. 59.

défense et d'adaptabilité sont amoindries. Aussi, les désordres vont-ils prendre une importance particulière.

La fonction ovarienne est juxtaposée à la vie. Elle ne lui est pas indispensable.

Mais si elle est la seule de toutes les fonctions endocrines dont la privation n'entraîne pas la mort [1], la carence ovarienne a de nombreux effets pathologiques.

Il y a après 30 ans ou plus d'interactions, de dépendance et d'équilibre, une véritable assuétude de l'organisme.

L'involution ovarienne et le tarissement hormonal déclenchent de multiples phénomènes organiques plus ou moins accentués, suivant le degré de dépendance de la fonction, de l'organe ou du tissu considéré.

— Les organes ou tissus *hormonaux-dépendants* ont une activité proliférative et sécrétoire directement stimulée et réglée par les hormones génitales : organes génitaux, seins, leur involution suit rapidement la cessation ovarienne.

— Les organes ou tissus *hormonaux-sensibles* ayant une activité indépendante, mais particulièrement sensible aux taux, comme aux variations, des hormones génitales (la peau, l'œil, les os, la graisse, les muscles, etc.), sont eux aussi franchement concernés quoique plus lentement.

— Enfin, tous les métabolismes dont l'équilibre propre est, avant la puberté, tout à fait indépendant des hormones sexuelles, mais qui établissent ensuite avec elles des rapports d'influence, d'échanges, d'équilibre, se perturbent à leur tour au moment de la privation et d'autant plus profondément que l'association a duré longtemps.

Pour les premiers, la dépendance est étroitement attachée à la baisse œstrogénique quel que soit l'âge.

Pour les derniers, elle est étroitement dépendante de la durée de la fonction ovarienne plutôt que de la fonction elle-même.

---

1. Ce qui est le cas de l'insuffisance pancréatique (diabète) surrénalienne, etc., en l'absence de compensation thérapeutique : on en mourait encore avant guerre.

MODIFICATIONS PHYSIQUES

Les modifications physiques que provoque la ménopause prennent des valeurs très diverses.

D'abord, comme toujours, les manifestations varient suivant les sujets : à peine perceptibles chez certaines femmes, elles sont chez d'autres rapidement constituées et atteignent parfois, précocement, un état franchement pathologique. Et cela peut dépendre aussi bien de la variété des modifications hormonales que, pour des taux hormonaux semblables, de la variété de sensibilité aux hormones, non seulement d'un organisme par rapport à un autre, mais aussi de certains tissus par rapport à d'autres chez une seule et même personne.

Par ailleurs, précocité d'apparition, intensité, aggravation diffèrent sensiblement suivant qu'il s'agit :

— *de zones (organes ou tissus) hormono-dépendantes,* donc immédiatement et étroitement concernées par les variations hormonales (c'est le cas de toute la sphère génitale) ;

— *d'organes ou tissus hormono-sensibles* concernés, mais à un degré moindre et moins rapide (métabolisme cellulaire, peau, œil, os, tissu conjonctif, etc.).

Certains d'entre eux seront touchés aux deux titres, directement à cause de leur hormono-dépendance, secondairement à cause de l'association de modifications cutanées, conjonctives ou musculaires.

Dans ce domaine, le sein tient un rôle à part. Influencé au premier chef en tant que glande par toutes les modifications ovariennes, à cause de sa constitution particulière, il est plus que toute autre région du corps directement influencé par les modifications tégumentaires (épidermiques, dermiques), conjonctives, graisseuses, fibreuses et musculaires. Il mérite donc à ce titre une place à part.

Malgré ces différences de base, les modifications physiques ont des caractères communs. Franchement pathologiques ou à peine esquissées, précoces ou tardives, elles sont, de tous les troubles de la ménopause, les seules à posséder le fâcheux privilège d'un triple caractère particulièrement défavorable. Alors que tous les autres troubles peuvent être inconstants, parfois un peu compensateurs [1], plus ou moins aisés à dominer ou dissimuler, les modifications physiques de la ménopause sont *toutes et toujours* :

— évidentes.
— inéluctables
— défavorables.

Elles ont un autre trait particulier, qu'il importe de souligner d'avance : *elles sont toutes favorablement influencées par une thérapeutique hormonée bien conduite. Et c'est dans ce domaine peut-être que les résultats sont les plus spectaculaires et, au-delà de la seule ménopause, semblent agir favorablement sur le vieillissement lui-même.*

Mais, contrairement aux troubles physiologiques, par exemple, qui peuvent, dans bien des cas, et quelle que soit leur importance, être complètement effacés, certaines transformations physiques ne sont que partiellement réversibles une fois installées. Aussi cette lecture qui peut paraître inutilement pénible — et pour des jeunes intolérable — paraît-elle essentielle, dans toute sa crudité, pour souligner avec assez d'emphase la nécessité d'une vigilance, d'une prévention, d'une discipline *seules capables, mais vraiment capables,* d'assurer les résultats encourageants auxquels nous assistons depuis quinze ou vingt ans.

---

1. Elargissement du champ visuel chez les myopes, léger embonpoint chez les maigres ou vice versa, etc.

> « C'est une grave incommodité que
> celle qui attaque le sexe des femmes à
> un certain âge. »
> LES 7 LIVRES DE L'ARCHIDOXE
> MAGIQUE. PARACELSE (an : 1510).

INVOLUTION GÉNITALE

Les organes ou tissus hormono-dépendants : organes génitaux
et glandes mammaires, dont l'activité proliférative et sécrétoire est
directement stimulée et réglée par les hormones génitales, involuent
rapidement parallèlement aux hormones et cela quel que soit l'âge :
C'est l'involution génitale.

Trompe

Tube musculaire de 12 cm de long, c'est le conduit qu'emprunte
l'ovule pour gagner l'utérus où il rencontre les spermatozoïdes et
où se réalise la fécondation. Dans ce but elle est tapissée d'une
muqueuse secrétoire, couverte de cils vibratiles, qui ne laissent
guère que 1 à 2 mm de diamètre intérieur. (Fig. 4, p. 424.)

Victime précoce de l'involution hormonale : elle s'atrophie,
s'assèche, perd toute élasticité, puis subit une véritable rétraction
fibreuse.

Ce phénomène, ajouté aux rétractions cicatricielles, séquelles
de fréquentes infections (plus ou moins reconnues et traitées), créent
à partir d'un certain âge, des adhérences multiples cause de biens
des stérilités, mais aussi de la plus grande fréquence, avec l'âge, de
grossesses extra-utérines.

L'atrophie tubaire éteint généralement toute pathologie infectieuse. Aussi, toute masse tumorale doit, dès lors, être considérée
comme suspecte et conduire à une consultation immédiate.

Utérus

L'utérus est un organe central, unique, en forme de poire
s'évasant vers le haut en deux cornes latérales, qui conduisent jusqu'à
l'ovaire par les trompes. Il se termine vers le bas par le col qui
fait saillie dans le vagin (fig. 4, p. 424). Destiné à loger l'œuf fécondé,
à protéger son développement durant la grossesse jusqu'à l'accouchement, à en assurer l'expulsion lorsque la grossesse est à terme,
il est doté à cet effet de qualités assez extraordinaires.

Il comprend une **couche musculeuse**, tout à fait exceptionnelle, dotée dans la jeunesse d'une puissance et d'une élasticité
phénoménales [1]. L'involution de cette couche musculeuse est spectaculaire. Très progressivement d'abord, puis vite à partir de la
ménopause, elle subit une sclérose fibreuse, assez importante pour
réduire considérablement son volume et l'épaisseur de ses parois.
La tonicité et l'élasticité diminuent, puis disparaissent complètement.

Mais la contractilité interne, elle, persiste souvent. Sous l'influence de la chute hormonale, et de l'involution circulatoire et
trophique, elle peut prendre deux types différents :

— le plus souvent, les contractions orgasmiques de l'utérus conservent
un caractère rythmique et expulsif, partant du fond de l'utérus pour
se terminer vers le bas, mais en l'absence de traitement hormonal,
diminuent peu à peu en nombre et en intensité ;

— cependant, parfois, lorsque l'utérus est très fortement sclérosé,
il se produit une sorte de contraction « tétanique » continue, tout à
fait particulière et caractéristique de la ménopause. Capable d'atteindre un degré de douleur aussi intense que les coliques d'accouchement, ou les « tranchées » d'allaitement, ce spasme peut durer
une minute entière, ou davantage, irradiant parfois dans le vagin,
les grandes lèvres et même les jambes. Cette réponse orgasmique,
spasmodique et douloureuse apparaît aussi bien en plein sommeil,
en cours de rêve, que pendant les rapports sexuels. Elle est donc
bien organique et ne peut être éliminée par la seule abstinence.
Heureusement, elle disparaît en quelques jours sous hormonothérapie.

La muqueuse qui tapisse la paroi interne de l'utérus, prend
souvent, au début de la ménopause, des aspects complexes, parfois
contradictoires (fig. 1, p. 421).

La muqueuse utérine est le tissu génital le plus étroitement et
intensément « *hormono-dépendant* ». Hypersensible aux hormones
ovariennes, elle est soumise, de la puberté à la ménopause, à des
variations constantes. A l'examen histologique, la muqueuse apparaît
donc très caractéristiquement différente suivant la période du cycle.

A l'approche de la ménopause, elle commence à présenter des
perturbations très diverses d'une femme à l'autre (et, pour une même
femme, d'un moment à l'autre), suivant le type de désordre hormonal [2] :

1. Ces fibres musculaires sont capables (en fin de grossesse) de s'étirer
jusqu'à *plus de 20 fois* leur longueur.
2. Cf. « Extinction », p. 59.

a) *Un aspect prolifératif* (de type pré-ovulatoire), parfois même hyper-prolifératif (glandulo-kystique) au stade où :

$$O \rightarrow \searrow \qquad Pg \downarrow \searrow$$

Proliférations d'autant plus accusées que le contraste entre la progestérone défaillante et l'œstrogène persistant est lui-même accusé.

Cet effet, apparemment paradoxal, trompe facilement. Il a fait croire longtemps à une « hyperœstrogénie pré-ménopausique », sorte de chant du cygne de l'ovaire près de s'éteindre.

Seule, la comparaison entre frottis et dosages hormonaux permet de remettre les choses à leur juste place et de ne pas faire d'erreurs diagnostiques, et par suite, thérapeutiques.

b) *Un aspect pauvre, atrophique,* avec diminution et raréfaction des tubes glandulaires, amincissement des couches cellulaires, érosion des cellules superficielles.

Tous les degrés entre ces deux états sont possibles et le passage du premier au deuxième est une évolution classique.

c) Plus tard, en post-ménopause, en principe *tout tend vers l'atrophie.* La prolifération devient insuffisante pour desquamer. Il n'y a plus de règles. Mais il se produit toujours, suivant le degré et le caractère, rythmé ou non, de la sécrétion œstrogénique persistante, des petites poussées prolifératives qui, de temps en temps, nécrosent plus ou moins par endroits, sans parvenir à la desquamation totale nette et franche des règles.

Ce milieu, mi-prolifératif, mi-nécrosé, n'est pas très sain. Susceptible de favoriser des complications prolifératives bénignes ou malignes, il peut aussi être le siège d'hémorragies considérables.

d) Mais parfois, pour une raison quelconque : sécrétion anormale ou thérapeutique maladroite (œstrogénothérapie isolée, continue, sans progestérone et sans règles par exemple), la muqueuse est soumise à un effet prolifératif prolongé continu. On peut alors arriver à une véritable maladie fonctionnelle hyper-proliférative : *l'hyperplasie glandulo-kystique,* génératrice d'hémorragies cataclysmiques (cf. p. 204).

La diversité des modes et des effets de l'involution interne montre la nécessité absolue d'un diagnostic méthodique où la comparaison entre les chiffres hormonaux et l'examen histologique de frottis peuvent, seuls, permettre d'analyser chaque cas, chaque tendance et chaque stade.

Elle montre aussi combien en présence d'anomalie, il ne faut pas se contenter de frottis, mais faire examiner des lambeaux de la muqueuse utérine elle-même, ramenée soit par ponction biopsique, ou mieux encore par curetage biopsique. Un petit placard prolifératif accroché à un bouquet d'artérioles, et incapable de desquamer, peut, sur un fond de muqueuse atrophique, échapper à la ponction et prolonger des hémorragies inexplicables.

Tardivement dans la post-ménopause, la biopsie de la muqueuse utérine ramène, à grand-peine, quelques débris cellulaires, où la couche basale persiste seule, et dont tous les éléments glandulaires ont disparu. Mais parfois la surface sclérosée se fissure, provoquant de petites craquelures hémorragiques. Les fibromyomes ne subissent plus de poussées évolutives, mais au contraire, le plus souvent, se réduisent.

Ainsi donc :
— hyperproliférative ;
— mi-proliférative, mi-nécrotique ;
— ou tout à fait atrophique ;
quels que soient son aspect et son degré, l'involution utérine est *toujours* défavorable et *toujours* susceptible de conduire à des complications tumorales, hémorragiques ou atrophiques.

Col

Le col est un conduit étroit qui ouvre la base de l'utérus dans le vagin, où il se termine en saillie, comme un museau de poisson (fig. 4, p. 424).

Il est composé de deux parties tapissées de muqueuses différentes :
— *l'endocol,* partie haute, la plus importante, très sécrétrice, subit en moins prononcées les mêmes modifications que la muqueuse utérine dont elle a le même type histologique ;
— *l'exocol* est constitué comme le vagin et involue comme lui ;
— *une zone de jonction* unit sans aucune transition la muqueuse de l'endocol avec celle de l'exocol. Cette zone est très importante, car c'est le point de départ privilégié des lésions malignes du col. Or, parfois, à la ménopause, aspirée vers le haut par l'atrophie utérine, elle cesse d'être visible à l'entrée du col. C'est un risque sérieux d'évolution silencieuse et de diagnostic trop tardif [1].

---

1. C'est pour cela qu'il faut toujours pratiquer périodiquement un frottis « par aspiration » de l'endocol.

Soumis, tout au long de la vie gynécologique, à de multiples traumatismes obstétricaux (qui ne sont pas toujours évidents sur le moment), à de multiples agressions infectieuses et aux séquelles d'électro-coagulations trop fréquentes, ou trop généreusement étendues, le col (particulièrement l'endocol) est parfois très cicatriciel, au point d'être fermé par une intense rétraction fibreuse et même par de véritables adhérences qui empêchent toute exploration, et rendent impossibles biopsies et hystérographies de l'utérus et de ses annexes : trompes et ovaires.

Cette atrophie, l'ascension de la zone jonctionnelle, les traumatismes répétés que causent les investigations difficiles, ou les tentatives de réouverture du col, autant de dangers réels qui doivent déterminer :

a) des précautions et des « délicatesses » gynécologiques et obstétricales beaucoup trop négligées dans la jeunesse génitale ;

b) une hormonothérapie substitutive suffisamment précoce et prolongée à la ménopause.

Il ne faut pas prendre des risques réels et graves par crainte de risques imaginaires.

Vagin

Le vagin relie l'utérus à la vulve.

Sur le plan anatomique, il a des rapports très étroits, au contact direct : à l'avant avec la vessie, à l'arrière avec le rectum, qui expliquent bien des perturbations de voisinages (cystite, constipation...) (Fig. 4, p. 424).

Sa longueur varie énormément, autour de 8 cm. Son diamètre ne peut être défini que de la façon la plus approximative, car c'est une cavité « virtuelle » dont les parois s'accolent au repos.

Il est enveloppé d'une *tunique musculaire*.

Sa largeur, comme sa tonicité, dépendent de nombreux facteurs : l'âge, les détails de la vie gynécologique et sexuelle, mais aussi le « tonus musculaire de base », et « l'élasticité musculaire de base », qui sont des caractéristiques congénitales variables d'un sujet à l'autre et non modifiables. Elles dépendent enfin étroitement du développement musculaire actif.

Cependant, organe du coït et voie naturelle de l'accouchement, il est, à l'état normal, extraordinairement extensif.

Sa fonction explique une constitution histologique et une physiologie « *hormono-dépendante* » parallèles (quoique à un degré moindre) à celles de l'utérus.

La sensibilité de cette hormono-dépendance, la facilité de son accès, en font un moyen remarquable, facile et précis de contrôle hormonal et tissulaire.

La muqueuse qui recouvre les parois de la cavité est particulièrement riche. Quoique à un degré moindre que l'utérus, elle est soumise à des proliférations cycliques de même type, rythmées de même façon et par les mêmes causes.

Dans la jeunesse, cette muqueuse est constituée d'une très mince couche (une ou deux assises) de cellules basales profondes à gros noyaux, puis d'une couche intermédiaire épaisse de 10 à 12 assises de cellules sécrétrices, et enfin de 5 à 6 assises superficielles, soit *environ 16 à 20 assises superposées.*

Il est très important de comprendre cette disposition, car c'est à ce niveau que vont se produire, à la ménopause, des involutions progressives qui réduisent le nombre des assises, la qualité des cellules, font disparaître petit à petit la couche superficielle, puis la couche intermédiaire sécrétrice, jusqu'à l'atrophie profonde où la paroi vaginale *est réduite à 2 ou 3 assises de cellules basales.*

De la superficie vers la profondeur, ces cellules changent nettement de caractère. Certains très évidents permettent d'obtenir des renseignements histologiques considérables. Il suffit de prélever des mucosités vaginales, produit de l'exfoliation muqueuse, les étaler sur une lame, et après les avoir colorées, de les observer au microscope : on a *un frottis vaginal.*

— Les noyaux cellulaires très gros dans les couches profondes deviennent de plus en plus minuscules dans les cellules superficielles.

— La sensibilité aux colorants cellulaires s'inverse et passe du bleu basique des cellules profondes au rouge acide des cellules superficielles.

Suivant les périodes de prolifération ou d'exfoliation [1], le rapport entre ces deux types de cellules varie tout le long du cycle et

---

1. Au niveau du vagin l'exfoliation n'est jamais assez forte pour parvenir à une desquamation brutale comme celle de l'utérus traduite par les règles. Lorsqu'après hystérectomie il semble subsister un semblant de menstruation, c'est parce qu'on a laissé une partie de l'endocol.

permet d'évaluer avec une assez grande précision l'état de prolifération, l'époque du cycle, le niveau et l'équilibre de la stimulation hormonale.

La disparition progressive de la couche superficielle et l'apparition progressive de cellules profondes normalement invisibles, signalent le début de l'atrophie involutoire de ménopause.

Mais parfois, on peut, comme pour l'utérus et pour les mêmes raisons, être induit en erreur par la conservation ou même l'exagération de l'effet prolifératif.

Parfois, au contraire, incompréhensiblement, un frottis atrophique accompagne une hémorragie violente sans causes apparentes. Dans les deux cas, les dosages en donnant les taux réels d'œstrogène et de progestérone permettent d'orienter le diagnostic.

On voit que pour un effet semblable, les causes peuvent être non seulement différentes, mais même contradictoires. Tout ceci explique *qu'aucune évaluation sérieuse ne peut, à cette époque, se faire sans le recoupement de plusieurs examens. Or une juste estimation de ce fait est toujours nécessaire, avec le plus de précision possible, avant, pendant et après la ménopause, pour l'établissement d'un traitement adéquat.* C'est d'ailleurs le meilleur moyen d'en distinguer ces trois phases.

Vulve

Le mont de Vénus s'affaisse et son renflement bombé disparaît. Les poils pubiens se détendent, perdent leur bouclage serré, se raréfient, commencent à blanchir. Tout cela de façon, et dans des délais extrêmement variables d'une femme à l'autre.

La fonte des fibres musculaires et du tissu adipeux dégonfle les grandes lèvres, tandis que les petites lèvres, sensiblement pâlies, s'affaissent et tendent à s'effacer.

Le clitoris est le seul à subir peu de modifications anatomiques ou sensorielles. Mais l'atrophie des organes environnants, en diminuant ses protections naturelles (système pileux, grandes et petites lèvres), le laisse à découvert. Ainsi exposé, et privé de lubrification vaginale, il peut devenir irritable et douloureux.

Le rétrécissement et le dessèchement de l'orifice vulvaire trahissent l'atrophie du vagin tout entier. La muqueuse particulièrement exposée est un terrain de choix pour des infections surajoutées. Et elles sont en effet très fréquentes, même lorsque la sécheresse du milieu intérieur est telle qu'aucune perte n'attire l'attention (contrairement à ce qui se passe chez la femme jeune).

L'atrophie vulvaire est beaucoup plus fréquente et souvent bien plus grave qu'on ne l'imagine généralement.

Phénomène constant de la ménopause ou de la post-ménopause, à plus ou moins courte échéance inéluctable, il est pourtant un des plus sous-estimés, pour ne pas dire dissimulé.

L'absence de pertes, même en présence d'infections, le fait que nombre de femmes abandonnent toute toilette ou investigation intime à la cessation de leur vie sexuelle permettent souvent d'importantes dégradations à l'insu de l'intéressée elle-même. Et c'est bien souvent une découverte de l'examen systématique ou occasionnel.

Les femmes, même entre elles, hésitent à parler d'une persistance de vie sexuelle à cet âge, et répugnent tout à fait à avouer une déchéance génitale, d'autant plus qu'elle est aisément dissimulable. Très rares sont celles qui osent évoquer ce sujet devant des amies ou devant leur fille. (C'est même un des domaines qu'elles abordent le moins volontiers avec un médecin.)

Les plus âgées ignorent ainsi que cela peut devenir grave et que rien n'est plus facile à soigner et surtout à prévenir.

Les plus jeunes ne soupçonnent même pas l'existence et la certitude de ce problème.

Comment sauraient-elles alors qu'il faut s'en soucier avant cinquante ans et que traitées à temps, et régulièrement, il est facile de garder indéfiniment des muqueuses de jeune femme.

Car ce phénomène si pénible, facteur d'impuissance sexuelle et d'un pénible sentiment de déchéance, plus tardivement responsable de complications sérieuses, n'existe pas sous hormonothérapie substitutive.

La muqueuse répond avec une facilité et une perfection extraordinaire au moindre traitement, faisant de cette involution la plus facile à empêcher ou à guérir spectaculairement, à condition que les choses ne soient pas allées trop loin, jusqu'à une dégénérescence maligne par exemple [1].

---

1. Cf. Complications de l'atrophie, p. 193-199.

INVOLUTION MORPHOLOGIQUE

Les organes ou tissus *hormono-sensibles* ont une activité indépendante mais particulièrement sensible aux taux et aux variations des hormones génitales (la peau, l'œil, les os, la graisse, les muscles, etc.). Ils sont donc, quoique plus lentement, concernés eux aussi par l'extinction ovarienne.

Ainsi s'établissent des modifications morphologiques caractéristiques.

La ménopause entraîne de nombreux changements morphologiques : altération du visage et des phanères [1], déformation de la silhouette et des mouvements.

Lents ou très brutaux, ils peuvent se traduire par une atténuation des caractéristiques féminines et une évolution vers un aspect sans moelleux, sans souplesse, un peu fruste, plus ou moins asexué ou masculin.

Moins francs, moins accusés que les signes d'involution génitale, et, à l'exception de quelques-uns, grevés d'un avenir moins lourdement pathologique, leurs profondes conséquences psychologiques et sociales ne permettent cependant pas de les négliger.

Visage

La disparition des modifications métaboliques que les messagers hormonaux transmettaient jusqu'aux plus lointaines cellules, les variations de l'équilibre des liquides tissulaires, les alternances de rétention et de déshydratation [2], de congestion et de cyanose, de tissus qui ont perdu avec l'âge leur adaptabilité aux variations, organisent, en peu de temps, un ensemble de dégâts que l'involution atrophique rend, pour la plupart, peu ou pas réversibles.

Sous ces multiples influences, **la peau** se transforme profondément. (Fig. 6 et 7, p. 426-427.)

La couche germinative — la plus profonde des assises de la peau — mal irriguée, perd ses qualités prolifératives.

Les couches successives de hautes cellules cylindriques, riches

---

1. Phanères : ongles, cheveux.
2. Cf. Troubles neuro-végétatifs, p. 118.

en liquides et en éléments nutritifs qu'elle poussait vers la surface, s'aplatissent, s'appauvrissent. Les liquides intra-cellulaires, puis les noyaux, se réduisent, disparaissent et les cellules meurent précocement.

En contraste avec la réduction et l'appauvrissement des couches profondes, seules capables de prolifération ou d'échanges, les cellules mortes s'accumulent à l'extérieur, en pellicules raides, sèches, cornées, qu'une poussée germinative insuffisante n'élimine plus assez vite. Cette couche externe, un peu squameuse, semblable à un papier froissé, grise, jaunâtre ou plombée, sans transparence, de texture grossière et irrégulière, signe la disparition de la fraîcheur du teint et de la souplesse élastique de l'épiderme. Bientôt, elle « cassera » en multiples ridules même en dehors des plis d'expression.

Des pigmentations apparaissent sans raison ou à la moindre exposition solaire, autrefois bien tolérée. Variées, sans caractère, de forme ou de localisation particulières, ou au contraire, marquant électivement d'une teinte sombre le fond des cernes, du creux des joues ou du menton, elles tachent et ombrent le visage, accusent parfois des contrastes entre pleins et creux, qui « marquent » encore plus que des rides [1], ou inégalisent d'ombres, des zones encore tout à fait lisses.

Enfin, témoin de l'association de désordres germinatifs, et métaboliques, la peau tout entière se met à faire des « bêtises » : grains pigmentés ou non, taches, clochettes de peau, toutes les petites excroissances possibles et imaginables qui achèvent d'altérer le satiné perdu.

Et voilà que cet épiderme, aminci, desséché et rugueux, sans élasticité, fortement appauvri par la réduction de circulation, des sécrétions et des échanges cellulaires, va perdre dans le même temps l'appui du tissu de soutien cellulaire sous-cutané.

Le tissu conjonctif *qui soutient la peau est, en effet, à cette époque et dans tout le corps, le siège de transformations considérables.*

Toute la masse graisseuse s'appauvrit brusquement, ou s'accumule inégalement suivant les modifications irrégulières de la vascularisation locale.

Les fibres musculaires élastiques qui le sous-tendent (et qui finiront par disparaître complètement dans la vieillesse) se relâchent

---

1. Le rajeunissement d'un visage après peeling, par nivellement non des formes mais de la teinte, est significatif à cet égard.

sous l'effet du désordre hormonal, tandis qu'apparaissent des travées fibreuses irrégulières qui vont, au milieu de ce relâchement, créer des zones irrégulières de tensions ou d'adhérences.

Des troubles vasculaires variés souvent opposés : vaso-constriction et vaso-dilatation, rétention et déshydratation, perméabilité et imperméabilité, successives et désordonnées, se succèdent sous l'effet du dérèglement de la sécrétion hormonale, de la commande neurovégétative supérieure et des mécanismes bio-chimiques qui en dépendent.

Par ailleurs, *un ensemble complexe de contractures de certains groupes musculaires et d'atonie de la plupart des autres, accusé par les « plissés » de l'épiderme, transforme les traits et détermine un véritable changement de physionomie.*

Cet état « *d'atonie-contracture* » est à l'origine de presque toutes les déformations du visage, rides ou affaissements, et particulièrement au pourtour des yeux ou de la bouche.

Les sourcils, toujours à moitié levés, à moitié froncés, ou un peu les deux en même temps, marquent définitivement d'un air soucieux, inquiet, ou contrarié, un front que les grimaces et la mobilité d'expression avaient épargné.

Les muscles temporaux fondent, rétrécissant les tempes et détendant l'extrémité externe du sourcil et de l'œil qui s'affaissent.

L'orbite, pour sa part, peut évoluer de deux façons opposées suivant que la graisse qui le meuble disparaît ou s'accumule.

Dans le premier cas, il se creuse, au fur et à mesure de la déshabitation graisseuse péri-orbitaire, accusant le relief osseux, et excavant d'un cerne permanent, circulaire, parfois un peu circonflexe à la partie supéro-interne, le pourtour de l'œil qui paraît rétréci.

Dans le cas inverse d'invasion graisseuse, un œdème envahit souvent cette graisse, particulièrement avide d'eau, et les paupières bouffies s'alourdissent sur l'œil, voilant le regard, tandis que des poches s'affaissent en étages sous les yeux, aggravant péniblement le cerne, et empiétant peu à peu sur les joues.

La diminution d'acuité visuelle [1], l'atonie progressive des muscles oculomoteurs, sont inconsciemment compensés par un effort inutile

---

1. Cf. « Troubles physiologiques », p. 142.

des paupières qui, en crispant continuellement le muscle circulaire qui les borde, ferme et rétrécit l'œil qui bientôt ne parviendra plus, même volontairement, à s'ouvrir tout à fait. De ce fait, l'éclat, parfois même la couleur, s'atténuent et disparaissent [1]. La réouverture notable de l'œil en cours de rééducation montre bien la prépondérance de la contracture musculaire sur l'atrophie cutanée dans ce phénomène de rétrécissement palpébral.

Le nez perd son tissu cellulaire graisseux, « maigrit » nettement des narines, tandis que son arête s'effile et que s'aiguise une longueur plus ou moins croissante. Il arrive que des nez, autrefois courts et un peu gras, acquièrent ainsi une beauté tardive particulière. Mais, dans le cas inverse, ou quand le visage est mince et étroit, cela donne un air trop « pointu » ou sévère au visage. Dans certains cas de ce genre, la chirurgie, en raccourcissant très légèrement un nez, anatomiquement parfait, peut obtenir parfois un effet adoucissant plus rajeunissant qu'un lift.

La bouche est, avec l'œil, la zone la plus fragile, parce que la plus mobile et la plus expressive. Et aussi parce que certaines dispositions anatomiques, tégumentaires et musculaires y sont semblables.

Les lèvres, par exemple, subissent la même involution graisseuse et contracturante que les paupières et deviennent beaucoup plus minces, plus sèches et plus plissées.

Entourée, comme l'œil, d'un muscle circulaire, soumise aux tractions latérales (ascendantes ou descendantes) des muscles des joues et aux puissantes contractions ou crispations des mâchoires, la bouche est constamment soumise à leur influence. Celle-ci peut être assez forte pour marquer un visage même très jeune. Petit à petit, les commissures s'abaissent vers le bas au lieu de s'élever vers la pommette, et durcissent l'expression ou la rendent amère. Le rictus naso-génien s'accuse, puis se prolonge jusqu'au menton et se double, peu à peu, d'une ou plusieurs parenthèses tristes, progressivement ineffaçables même au repos et qui se multiplient exagérément dans le rire.

Il est bien évident qu'une nervosité, une tension, l'amertume ou l'aggressivité accusent péniblement ces contractures. Mais des crénaux, un mauvais articulé, ou un appareil dentaire, mal adaptés, peuvent jouer injustement le même rôle.

---

1. Le phénomène est particulièrement frappant pour les yeux clairs dont il arrive, ce qui paraît inconcevable, qu'on ne découvre la couleur qu'après 15 jours de rééducation oculo-motrice et palpébrale.

Les joues sont moins vulnérables, du fait de leur immobilité relative. Elles subissent un peu, cependant, les conséquences des contractures des coins de la bouche et des mâchoires, mais, surtout, sont sensibles au relâchement tissulaire qui les affaisse et fait perdre leur netteté au modelé de la pommette et au contour de la mâchoire inférieure.

Mais, comme dans toutes les régions graisseuses, la transformation peut se faire de manière diamétralement opposée :

— *La déshabitation* graisseuse

• Sur un visage rond, lorsque le squelette est bien lisse et bombé, et que la distension est légère, peut dessiner une nouvelle beauté plus épurée dont les caractères ne dépendront plus que de l'expression.

• Dans les deux cas inverses, ossature insuffisante ou distension accusée, le visage peut s'effondrer au point de devenir presque méconnaissable.

• Sur un visage déjà maigre, l'amincissement de la couche dermo-épidermique, l'atrophie du tissu cellulaire sous-cutané et la fonte graisseuse associées, révèlent et sculptent un masque osseux tiré, parfois même excavé où toute douceur de modelé a disparu. Là encore, la beauté et l'équilibre du masque osseux, la sérénité ou la gaieté d'expression peuvent sauver bien des choses. L'inverse conduit à une sécheresse et une sévérité austère, parfois presque masculine. Les femmes disent qu'en passant les mains sur leur visage, elles ont l'impression de « ne toucher que des os », et « que les enfants n'aiment pas ça » !

— *L'invasion* graisseuse empâte et alourdit les traits au point de faire perdre toute finesse au visage le mieux ciselé. D'autres, ronds et gais, deviennent épais, parfois vulgaires, déformés de bajoues. Et rien n'est plus frappant que la différence entre la « joliesse » d'un embonpoint d'avant 40 ans qui retrousse les traits et donne un bombé de jeunesse, et cet alourdissement flasque qui les affaisse, les distend, et en trouble la précision et l'expression.

Avec l'âge, les traits se crispent davantage, et marquent de fins plissés ou de rides profondes le tour des yeux et de la bouche. La peau, de plus en plus mince, devient aussi de plus en plus sèche, et rugueuse.

La ménopause doit à son action involutive, tégumentaire, graisseuse, liquidienne ou musculaire le fâcheux apanage d'un changement de physionomie caractéristique. Bien que difficilement définissable anatomiquement, car chaque détail en soi n'est pas très marqué, il est brusque, évident, et d'autant plus frappant qu'il touche à la fois la texture, le teint, la consistance, les formes et les expressions du visage, bref, *la physionomie plus encore que les traits* : c'est le « masque de ménopause ».

Indépendant de l'apparition des rides qui peut être plus précoce, contemporaine ou beaucoup plus tardive, suivant les peaux et le trophisme général, ce phénomène est assez profond pour qu'on soit saisi, à un an ou deux ans de distance de l'ampleur de la transformation.

« Elle s'est changée en grand-mère », disait un enfant à propos d'une parente qu'il n'avait pas vue depuis trois ans. L'expression est dure, mais traduit assez bien l'impression, à la fois confuse et certaine, d'un changement de catégorie d'âge (parfois plus de dix ans) en quelques mois.

En trois ou six mois quelque chose de « suspendu » dans le visage s'est affaissé. L'élasticité au contact ou au pincement a disparu. La souplesse s'est figée, remplacée par des crispations plissées. L'aspect tendu, pulpeux s'est effacé. Le teint a perdu son éclat, sa transparence... et la femme n'est plus la même personne.

Mais, le plus frappant est le changement de physionomie, d'expression. C'est d'ailleurs le plus mal supporté.

On dit que tout homme est responsable de son visage après quarante ans !... Ce n'est pas toujours vrai pour les femmes. La ménopause intervient souvent précocement et pour des raisons purement métaboliques.

La fonte ou la contracture musculaire, l'involution graisseuse sculptent un air triste, soupçonneux, amer ou fatigué, sévère ou vulgaire, qui ne s'efface plus jamais tout à fait ; même chez des femmes en pleine forme, gaies et sereines.

Une fausse amertume marque la bouche, les sourcils prennent un air anxieux, contrarié ou sévère, la gaieté donne un air fatigué, et le rire peut devenir une grimace de tristesse.

Cette trahison du visage par rapport au caractère ou à l'humeur est toujours mal tolérée. « Je ne peux pas supporter » — m'a dit une femme — « si je m'entrevois, par hasard, dans une glace en train de rire, de découvrir un visage qui a l'air de pleurer ! »

Une femme n'est pas toujours consciente de déformations corporelles beaucoup plus importantes pour son avenir pathologique et pour son apparence. Mais elle ignore l'avenir et ne voit pas toujours l'apparence. Par rapport au visage, les occasions d'examen corporel, surtout en posture et en mouvement, sont bien plus rares. Combien possèdent une glace en pied dans leur salle de bains ? Pour certaines femmes, seules les vacances, les cabines d'essayage en sont l'occasion. Et puis, un corps peut se dissimuler de multiples manières !

Mais le visage, lui, ne peut être caché et ne se laisse jamais oublier.

La femme le voit à chaque instant, à sa toilette, et de fort près. Partout, dans la maison, les magasins, les lieux publics, des surfaces reflétantes lui renvoient son image... et l'ancienne sensation, neutre ou agréable, est remplacée, 20 fois par jour, par un recul léger et atterré.

C'est la première chose que d'autres voient chez elle, qu'ils ne cessent de voir, une carte d'identité chronologique et caractérielle, souvent inexacte, sur laquelle elle est, à chaque instant, jugée. Et elle finit pour avoir peur de ces regards qui la relèguent ou au contraire de l'absence même de regard.

A l'époque où, jeune médecin, je faisais de fort morales différences entre les degrés d'importance du physique ou du psychisme, j'ai peu à peu été impressionnée par le nombre élevé de femmes de plus de 60 ans, et parmi les moins suspectes de frivolité, qui demandaient des traitements de peau « parce qu'elles avaient peur de déplaire » à leurs petits-enfants, parfois même de les « dégoûter » ou parce qu'elles avaient été plusieurs fois repoussées, accusées d'être « dures » ou « râpeuses », et n'osaient plus les embrasser !

Il n'est pas normal que quelqu'un en arrive à se voir et se sentir ainsi... et à le supporter sans troubles !

L'expression « d'âge critique », on ne le remarque pas assez, cache une réalité profonde, l'existence d'une « rupture », d'une « discontinuité [1] »... C'est vrai aussi pour le visage.

Et rien ne peut mieux démontrer le rôle réel et presque absolu de la ménopause sur ces phénomènes que la conservation d'éclat et de « joyeuse mine » des femmes traitées précocement.

Corps

La peau du corps commence à présenter, elle aussi, de nombreuses irrégularités de teint et de grain. Rougeurs, granulés et plissés, taches brunes révélatrices, mini-excroissances variées, verrues, pendeloques brunes, points rubis... Le cou, le décolleté, les bras, les mains, sont les premiers touchés.

---

1. DUGLINEAU.

Amincie, finement ou grossièrement squameuse, et irrégulière, la peau se laisse facilement décoller du plan profond. Elle devient trop mobile, beaucoup moins élastique et résistante, et plisse finement « comme un papier froissé » au lieu de glisser sans céder, sous le doigt.

Comme les bras et les jambes, certaines zones pauvres en glandes sébacées se recouvrent de squames rugueux qui semblent, sans cesse, s'exfolier ou deviennent parfois franchement kératosiques. Une corne se forme aux coudes, mais surtout aux pieds et particulièrement aux talons, où elle peut devenir particulièrement épaisse et crevassée.

Ayant perdu son épaisseur et sa souplesse, la peau perd aussi la régularité de ses adhérences, et de ses vascularisations, la continuité de son soubassement. Comme au visage en effet, la couche cellulaire sous-cutanée perd sa consistance, la régularité et la souple fermeté qui la sous-tendait. Des ébauches de plis, de creux, de bosses et de « grippages » s'esquissent, sans modification de poids.

Au cou, en avant des oreilles, entre les seins, aux emmanchures des bras, aux genoux, à l'intérieur des cuisses, apparaissent de fines fripures. Les bras, les jambes, le dos même, perdent leur modelé uniforme et prennent un aspect irrégulier, même en l'absence de toute modification de poids.

Des mensurations systématiques montrent, à poids constant, un épaississement net du cou, de la taille et des hanches qui signe éloquemment un relâchement musculaire et un tassement vertébral que confirme une perte de taille, beaucoup plus sensible et précoce que chez l'homme. De 50 à 70 ans, une femme perd fréquemment de 5 à 10 cm.

Cette réduction, ce tassement relèvent d'une déformation de posture où les hormones féminines ont joué dès la puberté un rôle significatif à peine indirect.

Chaque bouleversement hormonal féminin : puberté, grossesse, pré-menstruation, ménopause, s'accompagne d'une nette diminution du tonus musculaire et d'une augmentation de laxité correspondante (mesurable en laboratoire)[1]. Favorable à l'élasticité et aux distensions nécessaires, à la maternité et à l'accouchement, cet effet est responsable d'une grande partie de la différence de force, de rapidité, de réponse musculaire à la commande nerveuse entre les deux sexes.

_____

1. Cet effet est également sensible (et mesurable) sur les performances sportives.

Il est malheureusement responsable aussi d'une beaucoup plus grande faiblesse de tonicité posturale chez la femme.

Les conséquences défavorables de cette faiblesse posturale se manifestent souvent dès la puberté [1].

Ainsi se trouve réalisée une ondulation antéro-postérieure accusée de la posture verticale, et cet ensemble « cambrure-voussure » caractéristique de la plupart des femmes.

Apparu parfois dès la puberté ou pendant les grossesses (ou sinon sérieusement aggravé par elles) ce type de posture est particulièrement vulnérable aux diminutions de musculation, comme à l'apparition de contractures [2] de compensation.

Or, à la ménopause, les grands bouleversements hormonaux provoquent à nouveau un relâchement musculaire sensible.

Mais cette fois, la sédentarité croissante, presque absolue, le vieillissement progressif y ajoutent de sévères facteurs aggravants.

Et la posture, de plus en plus difficile à maintenir, se déforme davantage. Debout, et encore plus assise, la femme se tasse, « s'enfonce dans ses hanches » et ne prend plus aucun appui sur la contraction fessière, ni pour se dresser, ni à la marche, pour lancer le corps en avant par poussée de la pointe du pied arrière. Même mince, elle a de plus en plus de mal à contenir son ventre.

— De là, cette démarche en appui sur les talons, genoux légèrement fléchis et tournés vers l'extérieur comme pour monter un escalier imaginaire. Raccourcie, saccadée, à chaque pas elle secoue le corps d'un petit sursaut vers l'avant qui remplace désavantageusement la poussée élastique du pied et de la fesse.

— Les fesses deviennent complètement atones et s'effacent peu à peu. Mais, ce n'est pas un avantage. Chez les femmes fortes, le désastre s'est simplement établi un peu plus bas. Chez les minces,

---

1. L'adolescente a du mal à se tenir debout, la contraction fessière, point d'appui physiologique de la colonne vertébrale et des muscles qui l'érigent, demande un effort exagéré à ses muscles alanguis par les hormones ovariennes. Cette contraction est donc peu à peu remplacée par une poussée du bassin en avant vers un point fixe qui ne demande aucun effort : la buttée osseuse des articulations coxo-fémorales. Après cette bascule du bassin vers l'avant, pour retrouver la verticale, la colonne dorsale doit se redresser fortement vers l'arrière, courbant la colonne lombaire en cette cambrure caractéristique qui n'est donc que la conséquence du défaut sous-jacent. Il lui faut ensuite compenser en sens inverse par une ébauche de voussure.

2. Ne pas confondre contraction, activité, mobile et tonique, et contracture, demi-contracture permanente, attitude de crispation et de fatigue qui coexiste avec l'atonie, alors que la bonne tonicité musculaire coexiste avec la relaxation.

4

et même les plus belles, ce peut être un des premiers signes d'affaissement révélateur [1].

— L'ancien redressement compensateur de la colonne dorsale se transforme en une voussure de plus en plus accusée. A l'intérieur de cette courbe les bords internes des corps vertébraux viennent au contact et favorisent l'échauche fréquente d'arthrose, de la zone dorsale. Les épaules perdant toute horizontalité semblent rétrécir et s'effacent de plus en plus en bas et en avant, arrondissant le dos et particulièrement les omoplates d'une voussure latérale qui vient s'ajouter à la voussure verticale et contribue à l'affaissement de la posture tout en dessinant un dos rond qui affiche son âge (p. 428).

L'effort devient de plus en plus grand pour redresser la tête, en sens inverse de la courbure dorsale. Constamment sollicité, fatigué, le trapèze (muscle postérieur qui assure ce redressement) se contracture de plus en plus. La nuque ne parvient à se cambrer qu'en s'écrasant vers l'arrière. Les gestes se déforment. Des tics de fatigue et de contracture apparaissent puis deviennent rapidement constants. Pour tourner la tête de côté ou en arrière on soulève les épaules, geste antagoniste qui soulage le trapèze, mais limite justement cette rotation. Bientôt, les épaules font bloc avec la tête, le cou semble raccourci de plusieurs centimètres et nettement élargi. La bosse de bison caractéristique se dessine, par fixation cellulitique sur la contracture du trapèze.

C'est l'époque reine des arthroses cervico-brachiales, et les radios montrent d'éloquentes images de colonne cervicale hyper-redressée en crochet, ou, au contraire, raidie ou même voûtée, en inversion de la courbure physiologique.

Dans tous les cas, le tassement vertébral est notable et les signes d'arthrose rapidement envahissants.

Tout cet ensemble vertébral de « tassement-relâchement » et de « contracture-redressement » raccourcit et épaissit nettement la silhouette et limite la liberté des mouvements, surtout dans les rotations.

Comme on pouvait s'y attendre, les zones d'atonie musculaire deviennent le siège privilégié de localisation graisseuse [2] paraphant la silhouette caractéristique.

Cet aspect de « paquet » le manque d'autonomie de la tête,

---

1. Le port de gaine sur cette atonie donne peu à peu un « derrière de coléoptère » aussi caractéristique que disgracieux.
2. Et de cellulite lorsqu'il y a contracture associée, comme à la nuque par exemple.

du buste et des hanches les uns par rapport aux autres, l'allure à la fois raide, saccadée, trottinante et peu efficace de la démarche trahissent, avec acuïté pour un professionnel, de façon inexplicable mais certaine pour un profane, la différence entre une jeune femme et une femme âgée.

Or, c'est là un des domaines où la lutte est la plus facile. Aucune de ces déformations ne résiste à la *rééducation de posture,* et celle-ci permet la conservation d'un corps élastique et délié, d'une démarche jeune jusqu'au plus vieil âge, *à condition de n'être jamais interrompue.*

La déformation de posture, la perte de tonus musculaire ne sont pas des conséquences directes de la ménopause en tant que telles, mais seulement, comme à la puberté, ou lors de grossesses, les victimes du bouleversement hormonal.

Elles ne viennent que par vagues d'assez courte durée et peuvent être contrées aisément par une remusculation active.

C'est une chose qu'il faut savoir : puberté, ménopause sont deux époques de la vie des femmes [1] où une activité physique ordonnée joue un rôle essentiel, irremplaçable et parfaitement efficace pour peu qu'elle soit prise au sérieux et techniquement bien faite.

Une thérapeutique d'équilibration hormonale empêche l'apparition ou stoppe l'involution altérante en diminuant les fluctuations de tonus, mais elle ne peut en aucun cas égaler ou remplacer l'entraînement musculaire.

Or, les altérations de posture, si négligées, jouent un rôle majeur sur les arthroses successives et grèvent sérieusement une ostéoporose tardive.

Glande mammaire

Aussi hormono-sensible que l'ovaire ou l'utérus, bien qu'à sa manière qui lui est propre, la glande mammaire suit de très près le fonctionnement génital, et, depuis la puberté, chaque épisode et chaque variation de l'équilibre hormonal.

Mais l'involution mammaire a des caractéristiques qui lui sont très particulières :

— certaines se rapprochent du mode d'involution ovarienne et sont déjà ébauchées à la puberté.

— d'autres, parallèles à l'involution utérine, s'accusent brutalement à la ménopause.

Le sein, comme l'ovaire et l'utérus, se trouve soumis à des

---

1. Les grossesses aussi, mais avec des caractères particuliers surajoutés.

remaniements si considérables et si fréquents que son intégrité semble à chaque fois remise en cause (Willemin).

Certains de ces remaniements sont réversibles : le cycle menstruel, par exemple, où la glande passe par trois stades successifs :

* de régression, dans la première moitié du cycle ;
* de réactivation, autour de l'ovulation ;
* de prolifération, à la période lutéale.

D'autres épisodiques : grossesse et allaitement, correspondant à une activité intense et de longue durée avec, en principe, retour rapide au stade antérieur (parfois moins de deux ou trois mois après la fin de l'allaitement). Mais en fait, chaque fois, le sein s'est appauvri, car une partie des lobules glandulaires ont disparu, remplacés, presque toujours par des amas graisseux, beaucoup plus rarement par un tissu conjonctif fibreux.

Les remaniements irréversibles de la glande mammaire, eux, sont ébauchés *dès la puberté*. Ils se continuent de façon ininterrompue jusqu'à la ménopause et montrent bien la précocité de remaniement involutif, caractéristique du vieillissement tissulaire en général, et des glandes ovariennes et mammaires tout particulièrement.

Cette involution peut se faire de deux façons totalement opposées :

— dans la règle (90 % des cas) c'est une *transformation graisseuse*. Elle remplace peu à peu les tissus glandulaires et conjonctifs qui se raréfient. Le sein passe par les différents stades involutifs assez rapidement et devient radio-transparent ;

— dans *l'involution scléreuse* au contraire, le tissu conjonctif prédomine, transformant progressivement la masse glandulaire en masse fibreuse. (Mais cette forme involutive est très rare et ne représente guère que 10 % des cas.)

L'involution définitive peut demander 10 à 15 ans, mais elle commence, nous l'avons vu, très précocement, et il est rare qu'elle ne soit pratiquement achevée bien avant la ménopause. *On peut considérer qu'à partir de 35 ans, du point de vue glandulaire, la plupart des seins sont déjà complètement déshabités.*

Il faut enfin signaler quelques involutions désastreusement précoces, réalisées parfois en quelques mois après la première grossesse [1], et qui réalisent en pleine jeunesse des seins littéralement pré-ménopausiques.

---

1. C'est souvent le cas après interruption maladroite de la lactation.

A partir de la ménopause, le sein subit des modifications plus typiquement morphologiques que fonctionnelles.

La poitrine perd avec l'âge la densité élastique particulière que lui donnaient les lobules glandulaires. Mais cette involution, si elle se précipite alors, est, nous l'avons vu, souvent bien plus précoce (et même souvent depuis longtemps terminée) lorsque s'installe la ménopause.

Pourtant, s'il existe parfois dès la première maternité des dégâts considérables, certaines poitrines, même après plusieurs allaitements, gardent longtemps, à quelques nuances près, une forme et une fermeté qui trahissent fort peu le remplacement progressif du tissu glandulaire par du tissu graisseux.

Mais à la ménopause plus aucune n'échappe à des modifications brutales. Et cette fois par la faute des modifications tissulaires générales.

Le sein engraisse et s'alourdit, ou se vide et s'aplatit par dégénérescence graisseuse.

Il perd la netteté de sa forme générale et de ses limites et s'étale, distendu, comme si une enveloppe sous-cutanée avait plus ou moins lâché.

L'aréole et le mammelon ne bombent plus, mais, au contraire, s'aplatissent ou s'enfoncent dans la légère dépression causée par la fonte du tissu graisseux rétro-aréolaire. Et ce petit détail suffit, souvent plus que des modifications d'ensemble, à « gâcher » une poitrine.

Enfin, surtout — et c'est presque toujours ce qui frappe le plus la femme — l'involution tégumentaire est, à ce niveau, particulièrement évidente. L'amincissement de la couche cutanée, la fonte du tissu cellulaire sous-jacent, le relâchement ou la disparition des fibres musculaires qui le parsèment, et qui assurent, en grande partie, l'élasticité et la tenue du sein, se traduisent par un relâchement manifeste de l'enveloppe, comme de son contenu.

Chez quelques rares privilégiées, l'involution fibreuse, à condition de n'être pas assortie de maigreur, conserve une suspension presque aussi parfaite que dans la jeunesse, mais qui peut être altérée par un aplatissement, une rétraction inesthétique ou une consistance dure, noyautée (et souvent douloureuse).

Chez certaines, peu ou trop pourvues, les modifications peuvent être rapidement désastreuses.

Chez d'autres, le volume graisseux, s'il n'est pas trop important et victime d'affaissement, peut faire encore illusion très longtemps.

Mais, dans tous les cas, les différences de consistance, d'enveloppe et de bombé aréolaire, sont toujours perceptibles et ne se laissent pas oublier, même au simple contact.

De plus, les modifications mammaires, et particulièrement les distensions se produisent toujours par à-coups. La poitrine fond, s'alourdit, se vide ou « décroche » de un à plusieurs centimètres en deux ou trois mois, ce qui frappe péniblement la femme, qui est beaucoup plus consciente de cette altération brutale que du remaniement et du remodèlement progressif compensateur, beaucoup plus lent, qui se produit et redonne, à « l'étage au-dessous », une jolie forme, stabilisée parfois pour quelques années.

Les femmes se montrent plus profondément touchées par ces dégâts mammaires brutaux que ne pourraient le laisser croire leurs déclarations sur l'importance des seins dans le rapport sexuel. Nous avons cherché à comprendre cette apparente contradiction et pourquoi l'intégrité de leur poitrine les touche apparemment plus profondément à leurs propres yeux qu'à ceux des autres. Il semble qu'il y ait à cela plusieurs raisons.

Les seins sont à portée immédiate des mains et des yeux. Maillots de bain, pulls, blouses, les soulignent inexorablement. Ils ne se laissent donc pas oublier.

A une époque de grande vulnérabilité sur le plan séduction, le symbolisme érotique extrême que leur accorde la société, augmente considérablement le sentiment de déchéance que provoque leur altération.

Leur variation dès la puberté, leur intégrité mise en danger à chaque grossesse, à chaque fluctuation de poids ou d'hormones, et, pour certaines femmes, modifiée chaque mois suivant le moment du cycle (il y a des poitrines belles en fin de cycle, et tristes et déshabitées le reste du temps), cristallisent depuis la jeunesse l'attention et les craintes des femmes sur ce point.

Enfin, la conscience de la beauté d'une poitrine est une des plus tardives découvertes des jeunes filles quand elle ne manque pas totalement. L'absence d'occcasion de comparaisons féminines ou d'appréciations masculines suffisamment nombreuses pour se situer par rapport aux autres femmes, semble la cause de ce phénomène, constant jusqu'à ces dernières années, et plus fréquent encore qu'on ne pourrait le supposer. De ce fait, la plupart des femmes ne prennent conscience de leur beauté qu'au moment des premières atteintes sérieuses. Objet de surveillance inquiète depuis l'extrême jeunesse, conditionnés à un symbolisme trop important et des modèles trop exclusifs, les seins sont en somme très souvent l'élément de beauté dont les femmes, les plus comblées par la nature, sont sûres le plus tard... et le moins longtemps !

Heureusement, qu'après des années d'inefficacité thérapeutique relative, la thérapeutique hormonale de la ménopause a fait découvrir, justement dans ce domaine apparemment si exposé, les possibilités les plus inattendues et les plus satisfaisantes.

Les phanères [1]

Les ongles

Les ongles à la ménopause sont atteints d'une façon assez curieuse et qui n'appartient qu'à eux.

Ils se rayent, se fissurent dans le sens de la longueur, cassent au moindre heurt.

Après quelques alternances d'amélioration et de rechute, ils ne parviennent plus à dépasser l'appui charnu de l'extrémité du doigt sans se briser. Rayés, fendus, aussi irréguliers et ébréchés que s'ils avaient été rongés, ils présentent un aspect friable, délité sur plusieurs épaisseurs, tout à fait caractéristique.

Cette altération persiste en dépit de tous traitements pendant plusieurs années, 3 ou 4 ans minimum, puis disparaît de façon inexplicable, comme elle était venue.

Désagréable sur le moment, sans gravité et sans conséquences ultérieures, cette perturbation pourrait être négligée.

Mais son apparition préférentielle entre 50-56 ans, sa durée prolongée, sa disparition spontanée, toutes choses inexpliquées, semblent révéler un trouble métabolique profond et passager. Ce détail sans grande importance apparente mériterait peut-être d'être mieux étudié.

Les cheveux

Tout au long de la vie, les cheveux et le système pileux dépendent de facteurs multiples qui sont tous concernés par les troubles de ménopause.

L'action des hormones est incontestable et déjà complexe. Mais il y a d'autres systèmes tout aussi complexes. Dans un follicule pileux, il y a un bulbe germinatif et une glande sébacée.

---

1. Les atteintes de l'œil, de l'oreille, des os sont étudiés dans les troubles physiologiques (p. 134) et dans les complications (p. 189).

L'un et l'autre sont sous la dépendance de systèmes neuro-végétatifs antagonistes. Ce qui fait grossir le poil réduit la sécrétion sébacée. Ce qui active la glande atrophie à l'inverse le poil.

Dépendant à la fois des hormones, des phénomènes neuro-végétatifs [1] et des sécrétions sébacées, le système pileux tout entier peut souffrir gravement des multiples désordres de ces différents systèmes à la ménopause.

Les perturbations cutanées, celles du cuir chevelu privent la chevelure des sécrétions qui lui sont nécessaires et la soumettent à de multiples agressions et variations chimiques défavorables.

Enfin, l'atrophie tégumentaire généralisée joue de façon directe sur le nombre, la qualité, la capacité proliférative des bulbes germinatifs, mais aussi de façon indirecte sur la qualité et la richesse des tissus environnants.

Pour ces multiples facteurs, après avoir subi des altérations externes qui la rendent terne et sans tenue, la chevelure petit à petit se raréfie car les cheveux qui tombent plus facilement, repoussent de plus en plus lentement et bien moins drus qu'auparavant. Plus fins, plus mous et plus fragiles, ayant perdu la qualité ancienne de leur texture, et une bonne part de leur elasticité, ils tiennent moins et s'usent ou cassent beaucoup plus facilement. *La chevelure est donc altérée dans son épaisseur, sa longueur, son aspect, et sa consistance.*

Les poils sexuels subissent une involution parallèle. Au niveau du pubis, l'atrophie du Mont de Vénus et des grandes lèvres s'accompagne d'une atrophie des bulbes pileux. Le bouclage moins serré se détend, les poils mincissent et s'atrophient.

La tendance au blanchiment est sujette à d'extraordinaires variations. Malgré la fréquence d'apparition à cette époque, elle peut être infiniment plus précoce, ou beaucoup plus tardive, que la ménopause. Il arrive que, pour une même femme, elle soit chronologiquement indépendante d'une région à l'autre. On rencontre à l'examen des femmes aux cheveux gris ou presque blancs et dont la toison pubienne est restée totalement colorée. Chez d'autres, des touffes de poils blancs apparaissent au pubis, aux aisselles, alors que la chevelure est encore indemne.

---

1. Cf. Troubles neuro-végétatifs   p. 123.

Dans la post-ménopause, la persistance d'hormones mâles isolées, ou la sécrétion d'œstrogènes ou d'androgènes de remplacement, font parfois apparaître une sorte d'alopécie séborrhéique ou un léger développement pileux de type masculin (poils rares mais longs et rêches de la lèvre, des joues ou du menton).

Les dents

La ménopause agit beaucoup moins directement sur les caries que les grossesses.

Mais tous les désordres métaboliques, tous les troubles circulatoires et trophiques se traduisent en gingivites, pyorrhées, ostéoporose, au niveau :

— des gencives, en général les premières touchées ;

— de certaines racines qui se mortifient sans raison apparente ;

— et tardivement de l'os maxillaire lui-même.

Diminuées d'épaisseur, mal irriguées, les muqueuses gingivales cyanosent et s'atrophient. Elles deviennent fragiles aux frottements, saignent pour peu de chose, se défendent mal contre l'infection. Leur aspect décoloré est révélateur.

Or, l'atrophie, en rétractant un peu la gencive, la décolle légèrement du plan profond. Cela favorise les insertions alimentaires entre muqueuses et dents qui échappent à tout brossage. Ces insertions ont un rôle néfaste :

— elles aggravent rapidement le décollement et la rétraction de la gencive ;

— elles favorisent toutes les infections, origine de la redoutable pyorrhée ;

— elles découvrent et exposent à la carie les fragiles collets des dents, normalement recouverts et protégés ;

— enfin, et surtout, elles favorisent le déchaussement de dents (parfois tout à fait saines), déjà fâcheusement facilité par l'atonie musculaire et ligamentaire générale de la ménopause, et, plus tard, lourdement grevé des atrophies ostéoporotiques des racines ou des maxillaires, conséquences secondaires (mais plus précoces qu'on ne croit) de l'appauvrissement hormonal.

Cette tendance au déchaussement progressif est accéléré lorsque les dents ne sont pas très solidement maintenues les unes par les autres, et étroitement ajustées à celles du maxillaire opposé.

A cause de l'atrophie de tout le système d'insertion et de contention, dans une ménopause non traitée, un défaut de « l'articulé », la présence d'un seul « créneau » sans prothèse, se traduisent alors rapidement par le déchaussement de la dent opposée, puis le déplacement latéral, et le déchaussement de proche en proche des dents voisines.

C'est l'origine de l'allongement et de l'écartement des dents de femme, après la cinquantaine, et de la fréquence des caries interstitielles à cet âge.

A longue échéance, pyorrhée et ostéoporose peuvent détruire progressivement maxillaires et racines, qu'il n'est pas rare de découvrir érodées, et partiellement détruites, réduites à un moignon branlant.

Aussi, par intrication de ces différents phénomènes et la constitution de cercles vicieux : « gingivite-déchaussement-pyorrhée », un nombre considérable de femmes entament à la ménopause un processus inexorable vers la dégradation de toute la mâchoire qui au bout de quelques années conduit à la perte de dents, dont beaucoup étaient saines au départ.

Cet ensemble de phénomènes involutifs, comme leurs complications, sont gravement méconnus. Ils demandent une vigilance et des notions de prévention et de thérapeutique sur lesquelles il nous faudra revenir, car en gérontologie, la destruction de l'appareil dentaire est une chose grave et les prothèses totales sont toujours un pis-aller.

Pour les femmes, l'excavation des joues par la perte des molaires, le côté inesthétique du déchaussement, les haleines fétides des pyorrhées, l'extrême incommodité et l'altération sénile irrémédiable de tout le bas du visage qui accompagnent le port d'un dentier devraient être un des sujets de préoccupation majeure, et motiver dès le plus jeune âge la plus soigneuse prévention. Mais il faudrait pour cela savoir :

— *que la dégradation est probable pour plus de 72 % des femmes à partir de la ménopause, quasi certaine en post-ménopause ;*

— *que les premières atteintes sur une bonne dentition sont toujours sérieuses et destinées à s'aggraver ;*

— *que l'existence de troubles préalables jusque-là bien tolérés vont décupler la certitude et la rapidité de cette dégradation.*

Il est regrettable qu'un manque d'informations les empêche de se sentir concernées et menacées à temps, lorsque tout est encore possible, et de savoir ce qu'il faut faire alors.

Nous voici donc au terme d'une fastidieuse et bien déprimante analyse. Elle nous a paru nécessaire pour plusieurs raisons :

D'abord parce que ces phénomènes sont *réels* et à des degrés divers, *inexorables*. Les ignorer, les minimiser, conduit à se trouver *irréversiblement impliqué* lorsqu'il est trop tard pour agir.

Ensuite parce que la connaissance de la genèse des troubles, de l'époque et des facteurs de leur constitution est indispensable pour comprendre et apprécier les possibilités presque illimitées de la prévention comme celles d'une thérapeutique plus tardive qui peut encore arranger bien des choses.

Enfin parce que leur évaluation crue et sordide est seule capable de réveiller la vigilance et la discipline nécessaire.

Cette étude montre qu'en bien des points, il s'agit beaucoup plus d'hygiène et de physiologie que d'esthétique et de cosmétologie.

Mais, si un souci de conservation esthétique peut être une motivation plus puissante ou ressentie avec plus d'acuité, et bien tant mieux ! La physiologie ne s'en trouvera que mieux, la pathologie que plus mal et c'est un moyen comme un autre d'obtenir et de conserver une réelle salubrité.

La conviction générale, que de toute façon la bataille sera perdue vers 50 ans, a deux effets fâcheux sur l'attitude féminine :

— l'un de croire que toute lutte est inutile ;

— l'autre de vivre sur sa lancée de jeunesse, et aux premières atteintes, se trouvant si près de ce « seuil-fatal-après-lequel-toute-lutte-devient-inutile », de penser que quelques courtes années de conservation ne méritent pas tant d'efforts.

Convaincues de pouvoir garder fraîcheur et intégrité physique jusqu'à 65 ans et au delà, les femmes seraient peut-être plus conscientes du danger de se laisser abîmer 20 ou 30 ans trop tôt, par veulerie ou par paresse.

Déjà, la supériorité physique de femmes de 45-65 ans, traitées et disciplinées, impose une concurrence sévère, et qui ne peut être que bénéfique, aux plus jeunes moins volontaires.

Car il n'y a plus d'excuses à la négligence ou à la désinvolture.

Prévention et thérapeutique existent maintenant. Leur efficacité trouve dans ce domaine secondaire une de ses meilleures preuves... et un des plus grands sujets d'étonnement.

En donnant des moyens d'intervention valables, elles ont permis de supprimer bien des problèmes, mais aussi de faire pour la première fois, dans les dégradations physiques de la cinquantaine, la part exacte de ce qui revient au vieillissement et de ce qui revient à la ménopause. Et le poids de la ménopause pèse lourd dans la balance !

Mais il y a une autre raison. Un voile d'optimisme hypocrite, de vertu austère ou d'indifférence masque la réalité de ces phénomènes et plus encore de leurs conséquences.

Ils peuvent paraître futiles surtout dans le domaine médical où des problèmes autrement importants accaparent l'attention.

Tout le monde, médecins compris, s'en désintéresse à ce titre.

Pourtant, les troubles morphologiques de la ménopause, malgré leurs conséquences pathologiques modérées, méritent une mention spéciale à cause de leurs conséquences psychologiques et sociales.

S'ils posent à la femme les différents problèmes de l'adaptation à un « nouveau schéma corporel » *où rien, plus jamais, ne sera mieux ou aussi bien qu'avant.*

Ils sont aussi l'origine même, inavouée, mais indéniable, de tous les rejets que rencontrent les femmes à partir de la ménopause [1].

---

1. Aussi la chirurgie plastique trouve-t-elle ici les requêtes les plus fréquentes, les indications les mieux motivées, et les résultats les plus spectaculaires et les plus durables. Cf. La ménopause en gérontologie (ouv. techn. en préparation).

TROUBLES SEXUELS

> « La ménopause est un bon exemple de la dissociation qui existe chez la femme, comme d'ailleurs chez l'homme, (mais à un degré peut-être encore plus marqué, puisqu'elle ne couvre qu'une courte époque de l'existence) entre fonction sexuelle au sens large et fonction de reproduction. »
> « Chez la femme en principe, seule cette dernière est touchée, en fait la première n'est pas intacte. »
>
> H. PÉQUIGNOT

La sexualité, à la ménopause, occupe une place à part. Et pourtant troubles physiques, physiologiques ou psychologiques, tous la concernent et l'influencent.

Directement dépendante de la richesse hormonale et plus particulièrement de la trophicité [1] tissulaire des zones érotiques, elle est donc parmi les premières fonctions altérées à la ménopause, et la plus inéluctablement dégradée à longue échéance.

Mais la conviction confuse et généralisée d'une sorte d'asexuation de la femme à cet âge fait gravement sous-estimer le problème. Or c'est une opinion tout à fait gratuite.

A toutes les époques, même les plus rigides, apparaissent des traces d'une prolongation tardive de la vie sexuelle.

Tout au long de l'histoire de la médecine, cette sexualité tardive

---

1. Contraire d'atrophie : état d'un tissu riche et bien vascularisé.

109

est mentionnée comme un phénomène normal, lorsqu'il n'y a pas d'atteinte génitale pathologique.

J. Astruc, médecin du roi Louis XV, et bien d'autres, jusqu'au docteur C. Mosher dans une étonnante étude sur la sexualité féminine, faite à la fin d'un XIXe siècle accablé de puritanisme en parlent clairement.

Plus près de nous, les études plus rigoureusement scientifiques de pionniers comme Kinsey ont largement prouvé le maintien d'activité sexuelle de la femme, à un niveau à peu près constant, jusqu'à un âge avancé.

Auto ou hétérosexuelle, conjugale ou non, cette activité diminue très légèrement après 40 ans et ne s'abaisse vraiment qu'après 60 ans.

Or, les échantillons de femmes permettant cette évaluation sont très réduits.

Peu nombreuses sont celles qui ont à la fois une sexualité préservée et un partenaire valable. Pour la plupart, l'exercice de la sexualité diminue en dehors de tout problème personnel, parce qu'elles n'ont plus de partenaire : soit par défaillance d'un mari, souvent plus âgé, soit parce que le contexte et les habitudes sociales restreignent aussi bien les occasions de fréquentation que leur libre exercice, volontiers, traité de scandaleux.

Il est beaucoup moins facile à une femme qu'à un homme d'avoir, à cet âge, des rapports extra-conjugaux.

Et pourtant, la persistance de tension sexuelle est confirmée par un pourcentage plus élevé de masturbations chez les femmes que chez les hommes de même âge, qu'elles soient ou non mariées, veuves ou divorcées. Quant aux expériences extra-conjugales, leur maximum, (28 %) se situe entre 40 et même 45 ans, et les pourcentages de 50-55 ans ne retombent pas à zéro, mais diminuent progressivement et, malgré des conditions particulièrement défavorables, se maintiennent à 60 ans à peu près au niveau des 20 ans.

Mais sur un plan strictement physiologique, comment évolue la sexualité féminine à la ménopause ?

Il est incontestable que l'involution génitale n'est pas favorable à la sexualité.

Les récents travaux de Master et Johnson, premières études expérimentales de la physiologie sexuelle, ont permis de définir les différences entre femmes jeunes et femmes ménopausées.

L'involution de l'appareil génital, nous l'avons vu, est considérable mais extrêmement variable d'une femme à l'autre, même pour un âge donné.

Cependant, et dans tous les cas, la vascularisation, les sécrétions et l'élasticité des tissus génitaux évoluent inexorablement vers l'atrophie, et dans le même temps, la sensibilité et la réponse des tissus récepteurs diminuent peu à peu, de façons très diverses, parfois lentes, parfois rapides, progressives ou en paliers successifs.

Il y aura donc des modifications obligatoirement défavorables.

Au cours de chacune des quatre phases du rapport sexuel [1] : excitation-lubrification, plateau de tension sexuelle, orgasme, résolution ou détumescence, on constate dans l'ensemble un ralentissement et un abaissement des réponses sensorielles, sécrétoires, congestives et contractiles. Mais toujours, à chaque étape, même à chiffres hormonaux égaux, ces modifications seront extrêmement variables d'un sujet à l'autre [2].

Dans la première phase (qui est l'équivalent de l'érection), comme chez l'homme, le temps de réponse à une stimulation efficace s'allonge peu à peu.

Ceci correspond, bien sûr, à un ralentissement général de la réponse nerveuse ou métabolique, propre au vieillissement. Mais ce ralentissement d'ordre général suit une courbe extrêmement lente et progressive sur laquelle la ménopause n'a pas d'influence directe.

Par contre, sur le plan métabolique et trophique, elle crée, et beaucoup plus tôt, des problèmes autrement précis :

La lubrification vaginale, caractéristique, capable d'apparaître en quelques secondes chez la jeune femme, peut demander de 1 à 5 minutes chez la femme plus âgée, et elle est bien plus faible. En effet, l'amincissement extrême de la paroi vaginale, la disparition progressive des cellules sécrétantes, s'accompagne d'une réduction proportionnelle du mucus lubrificateur [3] ;

Par ailleurs, la souplesse et l'expansivité de la cavité vaginale, considérables dans la jeunesse, diminuent au point que les rapports provoquent parfois des légères fissures extrêmement douloureuses.

Au cours de la phase du « plateau de tension sexuelle » la diminution vasculaire et sécrétoire, la réduction de souplesse et d'expansivité et l'extrême amincissement de la paroi vaginale, rendent les heurts et frottements pénibles, franchement douloureux, puis intolérables [3].

Au moment de l'orgasme, l'intensité de réponse musculaire diminue parallèlement au tonus musculaire général, mais aussi à l'atrophie tissulaire,

---

1. Telles qu'elles sont définies par Master et Johnson.
2. A *tout* âge, *tous* ces phénomènes disparaissent en quelques semaines sous hormonothérapie substitutive.
3. Cf. Involution génitale, p. 85 et Sclérose atrophique, p. 193.

vasculaire et métabolique locale, qui dégrade la fonction musculaire. Les contractions orgasmiques gardent leur rythme régulier, mais leur nombre peut diminuer sensiblement. La contractibilité de l'utérus au cours de l'orgasme reste à peu près la même, mais le nombre des contractions ici aussi diminue.

Cependant, il arrive parfois que, du fait d'une rigidité croissante de l'organe fibrosé, ces contractions soient remplacées par un spasme continu, une sorte de crampe orgasmique intense, insoutenable, avec douleur irradiante dans tout le bas-ventre et même jusqu'aux jambes. Capable d'atteindre un degré intolérable, aussi intense que certaines coliques d'accouchement, ce spasme peut se produire au cours du sommeil, lors d'un rêve érotique par exemple. Cela prouve bien son origine organique, mais aussi qu'une simple interruption de rapports sexuels (dont il est souvent responsable) ne suffise pas à l'éviter [1].

Cette réaction utérine spasmodique exceptionnelle est tout à fait particulière à la post-ménopause — les cas extrêmes se rencontrent plutôt tardivement — après 60 ans. Assez rare, elle cède heureusement de façon radicale à l'hormonothérapie.

La phase de détumescence enfin devient comme chez l'homme d'année en année plus rapide.

Voici donc le tableau de l'évolution type. Elle est inexorable, et précoce ou tardive, conduit la femme à une *véritable impotence sexuelle,* conséquence directe de la ménopause.

Mais, encore une fois, d'une femme à l'autre, les variations pour un même âge sont considérables, et lorsqu'à cette variété s'ajoutent, comme dans tout ce qui touche à la sexualité, une multitude de facteurs psychologiques, on va au-devant de bien des surprises.

Lorsqu'on résume différentes études, on constate, après la ménopause, des modes d'évolutions sexuelles parfaitement déconcertants. Sur cent cas :

— 12 augmentations de l'excitabilité et de la réponse sexuelle ;
— 28 conservations à un niveau identique ;
— environ 36 diminutions progressives de la libido ;
— environ 24 extinctions brusques.

Mais dans le contexte, très particulier, et profondément répressif, qui entoure la sexualité des femmes âgées [2], ces chiffres expriment

---

1. Cf. Involution génitale, p. 82.
2. Il y a moins de 20 ans que l'on « commence » d'admettre une sexualité féminine qui ne soit ni scandaleuse, ni amorale, en « dehors » du but procréatif.

probablement un état de fait psycho-social plutôt qu'une juste évaluation de la réalité physiologique.

En dehors de cas extrêmes ils ne correspondent pas aux modifications anatomo-physiologiques, ou aux moyennes de baisse hormonale, et ils ne correspondent pas non plus aux circonstances favorables ou défavorables.

Alors que se passe-t-il ?

*
**

Quelquefois (12 % des cas), en dehors de tout élément physiologique correspondant, l'excitabilité et l'intensité de réponse sexuelle augmentent notablement, avant, pendant ou après la ménopause, sans raison apparente.

La disparition de crainte de grossesse ne peut être toujours invoquée comme explication. Cela arrive aussi bien dans des cas de stérilité reconnus (congénitale ou acquise par ligature de trompes), après hystérectomie, ou encore malgré l'habitude déjà ancienne des contraceptifs. On a longtemps lié ce phénomène à la pseudo-hyper-œstrogénie de la pré-ménopause... mais il peut se prolonger bien au delà dans la post-ménopause !

On a pensé que la baisse ovarienne favorisait une augmentation du taux d'hormones mâles sécrétées par les surrénales, ou la fabrication par les mêmes surrénales d'œstrogènes de remplacement. Cela pourrait justifier un effet vasculaire, congestif de type mâle sur les tissus sexuels hormono-dépendants.

Comme on le voit, ces explications sont très hypothétiques, un seul fait se retrouve dans tous les cas : ces femmes sont toujours caractérisées par une remarquable conservation générale et locale.

Il est certain que les besoins sexuels augmentent vers 35-40 ans chez la femme, au lieu de diminuer comme chez l'homme. Une certaine libération de la personnalité n'y est certes pas étrangère et semble prouver que l'affirmation profonde est plus importante que l'assurance physique.

Il est également certain que des femmes, jusque-là frigides, cessent de l'être et manifestent pendant quelques mois ou quelques années, une sorte d'hypersexualisme. Comme si la crainte de devoir définitivement renoncer, provoquait une sorte de libération d' « urgence ». Presque tous les tabous s'effondrent, et, d'un seul coup, la femme met au service de sa sexualité tout ce qu'elle a acquis d'aisance et d'assurance.

Le caractère nouveau de ce comportement, un choix ou un

changement inhabituel de partenaire, et, dans quelques cas (qui attirent particulièrement l'attention, mais sont en réalité exceptionnels) une attirance nouvelle vers des partenaires plus jeunes ou de même sexe, tout cela fait parler souvent de virilisation.

En fait — épanouissement ou « rattrapage » — cette augmentation de la libido et de la réponse sexuelle, sûrement limitée à l'extrême par le contexte social (parfois un peu scandaleuse, parfois tout à fait discrète) est bien plus fréquente qu'on ne croit. Et il faut le secret du cabinet médical [1] pour réaliser que le meilleur de la vie sexuelle de la plupart des femmes s'est souvent épanoui de 45 à 55 ans.

... Ce qui devrait faire réfléchir aussi bien les convaincues de la relégation que les obsédées de la déchéance physique.

Un nombre respectable de femmes, environ 28 %, conservent une sexualité épanouie de 50 à 70 ans et même plus, bien que ce nombre soit limité par des possibilités ou occasions, indépendantes de la femme elle-même.

Certaines conservent des chiffres hormonaux étonnamment élevés, longtemps après l'arrêt des règles.

D'autres, en dépit d'un appauvrissement hormonal réel, ont eu l'occasion de continuer des rapports assez réguliers, une ou deux fois par semaine, pendant des années. On constate alors qu'une stimulation sexuelle régulière est capable, à elle seule, de conserver une lubrification, une expansivité et une contractilité ainsi qu'une intensité orgasmique, très supérieures à ce que leurs taux d'hormones auraient laissé espérer.

Si la continuité de la vie sexuelle est un incontestable avantage psychologique, c'est donc aussi, de façon évidente, un avantage physiologique. Mais comment s'en étonner dans un domaine où vascularisation, métabolisme et musculation jouent un si grand rôle ? Normalement sollicitées, il est vraisemblable qu'un bien plus grand nombre de femmes jouiraient de cette conservation.

L'évolution physiologique, elle-même, a donc à souffrir du contexte social de solitude et de relégation.

---

1. ... et sans doute le fait que le médecin est une femme, moins suspecte de raillerie ou de mépris.

✲✲

Un déclin progressif est le fait du plus grand nombre (36 %),

Etant donné le contexte psycho-social et la réalité d'involution organique, ce chiffre apparaît étonnamment faible.

De plus on a bien du mal à faire une différence entre extinction progressive spontanée, et facteurs favorisants, personnels ou externes : maladies, intoxications, interventions.

A) *Moins sensible que l'homme aux troubles vasculaires ou à la fatigue, la sexualité féminine est par contre terriblement dépendante des conditions locales.* Or, à la ménopause, en dehors de l'involution elle-même, celles-ci sont fréquemment et gravement dégradées [1].

La démusculation est déjà presque générale chez les femmes dès la trentaine. Aggravée par le vieillissement, mais aussi, et plus encore, par l'action défavorable des désordres hormonaux sur le tonus musculaire, elle devient souvent à cet âge franchement alarmante. Il est aisé de concevoir les conséquences de cette atonie sur la tension, la vascularisation et la trophicité d'organes que les accouchements avaient déjà soumis à rude épreuve.

L'atrophie tissulaire locale, à partir d'un certain degré, rend les rapports difficiles, souvent désagréables pour les deux partenaires, et quelquefois tellement douloureux pour la femme qu'elle ne peut plus les accepter, même avec une libido entièrement conservée. Un vagin desséché, atrophié, perd son manteau acide et en même temps son extraordinaire facilité d'éliminer les souches microbiennes. Mal défendu contre l'infection, crevasses et fissures peuvent devenir de véritables plaies, deuxième cause d'irritations, de douleurs, ou d'impossibilités de rapports [2].

Il est certain que ces troubles locaux peuvent être, à des degrés différents, la seule raison absolue pour qu'une femme voit sa sensibilité locale s'émousser, devienne indifférente ou refuse complètement des rapports sexuels devenus désagréables ou même intolérables.

B) *L'ensemble des autres phénomènes de ménaupose joue un rôle aussi indéniable que prévisible.*

Les multiples malaises créent des conditions physiques (fatigue, sudation, palpitations) et psychologiques extrêmement défavorables.

---

1. Cf. « Involution vulvo-vaginale », p. 85-88.
2. Cf. « Complication : Slérose atrophique », p. 193.

De plus il y a des mécanismes physiologiques précis qui, au niveau des structures supérieures cérébrales jouent un rôle considérable dans la sexualité [1].

L'intégrité du « centre de vigilance », la modération des « centres de l'émotivité » sont essentiels.

Une diminution de *vigilance,* une exaspération de *l'émotivité* peuvent avoir des causes psychiques, mais aussi résulter de désordres biochimiques strictement locaux, car leur siège est dans l'hypothalamus. *Ils sont directement responsables d'impuissance dans les deux sexes.*

On conçoit aisément que le grand désordre climatérique de l'hypothalamus soit, dans son ensemble, et dans chacun de ses phénomènes, très précisément défavorable. Hyper-émotivité, asthénie, dépression, instabilité, etc., ne sont pas seulement un mauvais climat psychologique, mais un désordre biochimique local capable d'une action défavorable directe sur les mécanismes neurologiques cérébraux de la sexualité.

C) *Enfin, il est bien évident que l'état psychique joue un rôle, qu'il est aisé, dans le contexte climatérique, d'imaginer défavorable.*

Un surmenage professionnel ou ménager, intense, un sentiment d'impuissance à assumer ses tâches, les conflits aigus de fin d'adolescence des enfants, peuvent provoquer le même type d'indifférence ou de lassitude sexuelle que le surmenage ou l'angoisse professionnelle de l'homme.

D) *Il ne faut cependant pas se laisser aveugler par la responsabilité de la ménopause. Il existe d'autres causes d'impuissance non négligeables et communes aux deux sexes [1].*

Toutes les intoxications, bien avant, et bien plus souvent que les maladies :
— le tabac a la plus lourde responsabilité ,
— diabète, alcool, café atténuent la vigilance, diminuent la vascularisation, et obnubilent ou, à l'extrême opposé, exaspèrent l'émotivité. Ils ont une action néfaste aussi bien locale que cérébrale ;
— l'obésité est toujours associée à une méforme physique, mais aussi à des complications évolutives, hypertension, diabète, artériosclérose. Or, toutes, prises isolément, sont très défavorables.

Les grandes pathologies jouent un rôle passager, ou chronique. Mais

---

1. Les longs chemins de la vieillesse. Tome I, *La différence* : chap. « Ménopause, Andropause, Sexualité » (en préparation).

ce rôle, généralement évident, sort de notre propos. Cependant, si la sexualité féminine est moins vulnérable que celle de l'homme aux insuffisances cardiaques ou respiratoires, certaines pathologies douloureuses, arthroses, lombalgies, coxalgies surtout, que justement la ménopause favorise et accélère (quand elle ne les provoque pas) [1] peuvent rendre les rapports impossibles ou créer un réflexe de crainte conditionnée et conduire à l'indifférence ou au refus sexuel.

Certains médicaments, suivant leur racine chimique, le dosage, l'effet vasculaire... peuvent avoir des effets très complexes, tantôt positifs, tantôt négatifs. Seuls les médecins les connaissent, et leur usage inconsidéré ou inadéquat par des profanes est souvent désastreux.

C'est le cas par exemple de certains excitants, calmant vaso-moteurs et même laxatifs, et ce fait devrait renforcer la prudence, et même l'abstention, de toute auto-thérapie.

E) *Enfin, il faut dire un mot au passage des interventions chirurgicales et surtout des interventions gynécologiques particulièrement fréquentes à la ménopause.*

Normalement, elles ne devraient jouer qu'un rôle épisodique.

Et, de fait, après l'ablation des ovaires, on ne constate aucune modification d'excitation érotique, ou de la faculté d'atteindre l'orgasme, aussi longtemps que le processus atrophique (aujourd'hui tout à fait évitable) n'intervient pas. Au contraire la disparition de syndromes abdominaux pénibles a souvent une action favorable.

Mais si la disparition de crainte de grossesse favorise parfois l'activité sexuelle, à l'opposé, le sentiment psychologique de castration peut provoquer des inhibitions considérables qui s'étendent parfois au conjoint.

Et bizarrement, contre toute logique scientifique, l'hystérectomie, ablation d'un organe à fonction spécifique, destiné à la grossesse seule, a parfois des conséquences plus fâcheuses que l'ovariectomie, ablation de glandes sexuelles à effet génital et même général, autrement étendu.

Cela tient à plusieurs raisons :

— l'une, archaïque, qui fait de l'utérus ou « matrice » le symbole essentiel de la féminité et de la maternité, alors que, pendant des siècles, les minuscules ovaires étaient négligés et leur rôle fécondateur ignoré ou nié [2] ;

— l'autre, moderne, qui vient d'une mauvaise interprétation de termes chirurgicaux et donne le sens d'une castration complète, à

---

1. Cf. Tr. physique, p. 96-99. Compl. ostéoporose, p. 240-249.
2. La querelle entre disciples d'Hippocrate et d'Aristote à ce sujet devait durer jusqu'au XVIIIe siècle.

ce qu'on appelle une « totale ». L'hystérectomie « totale » (col compris) ou « subtotale » (col restant) n'est, comme la salpingectomie (ablation des trompes) que l'ablation d'un organe « contenant » qui en dehors de la grossesse n'a aucune fonction féminisante.

La vraie castration, c'est l'ovariectomie, ablation de la glande sexuelle essentielle qui seule, en l'absence de thérapeutique substitutive, pourrait être responsable d'une déféminisation. Or, elle est bien moins souvent mise en cause.

Une « totale » peut être associée ou non à une salpingectomie et une ovariectomie, ou être tout à fait isolée. Dans ce dernier cas, elle ne mérite ni l'importance qu'on lui donne, ni le fâcheux honneur de supprimer la féminité ou les capacités sexuelles d'une femme, que lui attribue le profane.

E) *Il arrive souvent qu'après une longue période neutre, soit par manque d'occasions, soit pour des raisons pathologiques, ou surtout psychologiques* (mariage malheureux, adultère du mari, divorce, veuvage...), *les choses ne se rétablissent pas comme avant, même quand le surmenage ou la blessure sentimentale ou narcissique en cause, s'atténuent ou que réapparaissent des occasions de relations sexuelles.*

La stimulation érotique reste faible, ou s'associe à une sensation de fatigue intense ou de blocage sensoriel, qui devient un véritable réflexe conditionné.

La baisse sexuelle par défaut de pratique est un phénomène connu chez la femme, comme chez l'homme. Mais si ce motif est beaucoup plus fréquemment en cause chez la femme, il est par contre beaucoup plus rarement de son fait. Pour les solitaires, la solitude, la rareté des occasions, l'insatisfaction permanente, l'espacement ou l'absence de sollicitation d'un mari ou d'un partenaire défaillant sont bien plus souvent en cause que leur propre indifférence.

Chez certaines femmes, l'éducation, les complexes, ou le type de rapports établis avec les hommes ont cristallisé une vigilance narcissique sur les attributs physiques dont elles font la base unique de leur séduction et de l'attachement qu'on leur porte. L'apparition des premières dégradations physiques peut aussi créer des états de souffrances graves. Il est d'ailleurs frappant de voir la grande variété des parties du corps ou des qualités sublimées de façon presque fétichistes, cheveux, visage, jambes, seins.

Plus les structures narcissiques sont fortes, plus elles refusent de prêter les parties correspondantes de leur corps au rapport sexuel. Souvent elles finissent par se refuser totalement.

Ces crises peuvent survenir après certaines opérations, soit par sentiment de castration, soit parce qu'une importance abusive est donnée à des cicatrices, jugées trop apparentes. Et, tout cet ensemble de complexes (formes, rides, vaisseaux, cicatrices) jouent un rôle déterminant exclusif... qui n'effleure même pas la plupart des autres femmes... et des autres couples !

Les attitudes devant la diminution de la libido ou de la capacité orgasmique sont extrêmement variables suivant les sujets et l'histoire de leur vie sexuelle.

Chez les femmes dont la vie sexuelle est heureuse, elle est toujours très mal acceptée. La nostalgie de joie et plus encore de sensation de communion profonde peut devenir lancinante et on a pu décrire des états de « deuil » ou de « tristesse sexuelle » véritablement dépressifs.

Mais un assez grand nombre de femmes n'ont jamais été révélées, faute de partenaires ou de libération personnelle suffisante.

Quelques rares exceptions se lancent subitement dans des quêtes désespérées à l'approche de la ménopause, à l'idée que toute expérience de sexualité épanouie va leur échapper.

La plupart avouent qu'après une vie sexuelle inexistante, une indifférence progressive atténue heureusement leur sensation de frustration.

Lorsque domine un fond anxieux, certaines trouvent reposant d'abandonner la lutte épuisante pour la séduction et de se retirer d'une épreuve dont elles n'ont retiré que de l'angoisse.

Pour d'autres, l'impression de portes qui vont se refermer de façon désormais inéluctable sur des joies toujours ou trop souvent inaccessibles, crée parfois un état d'angoisse ou d'irritabilité intenses. L'idée que les multiples frustrations de leur vie ne seront plus jamais compensées, ajoutée aux premières défaillances ou à l'indifférence progressive du mari, peuvent rendre une épouse exceptionnellement intolérante et irascible [1].

Toutes ces réactions à la frustration ou au désintéressement sexuel prennent souvent des caractères assez typiques :

— conflictuelles, revendicatives, souvent axées sur des motifs secondaires qui servent de prétextes ;

— dépressives, nostalgiques où le regret des jours passés ou perdus est harcelant, obsessif ;

— de transfert :

---

1. C'est la cause essentielle d'une acariâtreté caractéristique.

• par sublimation, sociale, religieuse, artistique, politique ou intellectuelle, plus ou moins discrète ou fébrile ;

• par fixation psychosomatique d'éternelles malades en quête de motifs organiques susceptibles de justifier leur apitoiement sur elles-mêmes.

***
****

Dans 24 % des cas, il se produit une extinction inexplicable aussi brusque et franche que la baisse de la vue [1].

Ce phénomène peut exister avant les troubles des règles ou les accompagne immédiatement. S'il n'est pas survenu alors, il y a peu de chances qu'il se produise par la suite.

En l'espace de quelques mois, chez une femme normalement ou particulièrement active et satisfaite, libido et réponse sexuelle disparaissent complètement, sans signe physiologique précurseur de défaillance, sans signe atrophique décelable de l'appareil génital.

Il y a plusieurs caractéristiques propres à ce phénomène :

La précocité d'apparition : presque toujours quelques mois avant l'arrêt des règles. Suivant de très près ou accompagnant la première baisse visuelle, elle est souvent (mais pas toujours) contemporaine de la grande crise de fatigue générale, qui survient parfois avec les premiers signes précurseurs [2].

La brutalité d'établissement en un ou deux mois au plus.

L'amplitude de l'effet : la sensibilité, la réponse sexuelle disparaissent totalement et à tous les niveaux. Des expressions comme « j'ai l'impression d'être anesthésiée » ou « j'ai l'impression d'être en bois » sont fréquentes.

L'indifférence devient absolue, au point de rendre brusquement agaçantes et même parfois insupportables les sollicitations accueillies autrefois avec joie.

Certaines femmes solitaires se désintéressent subitement de rêveries ou de pratiques dont elles avaient plus ou moins accommodé leur solitude.

Dans tous ces cas, presque toujours le bilan hormonal révèle une baisse notable du taux d'hormones urinaires. Baisse apparemment récente, car elle n'est pas encore objectivée dans les tissus génitaux à l'examen du frottis vaginal.

---

1. Cf. Troubles physiologiques, p. 134 et p. 144.
2. Cf. Troubles physiologiques.

Il semble que comme la grande fatigue, l'obscurcissement de mémoire [1] et certaines défaillances visuelles catastrophiques [2], ces extinctions brutales soulèvent un problème particulier :
— soit d'un trouble vasculaire, périphérique ou central ;
— soit d'une atteinte neurologique centrale (peut-être du centre de vigilance ?) d'origine biochimique.

**
*

Fait brutal, aux conséquences anatomiques et physiologiques directes, évidentes et aux interactions biologiques considérables, la ménopause pourrait faire croire à une détermination, uniquement physiologique, de la sexualité à cet âge et au delà.

Dans la mesure où, contrairement à l'homme, les organes sexuels de la femme sont quelquefois soumis à une diminution de trophicité considérable, l'appareil génital peut devenir insensible, indifférent, quelquefois même douloureux. Mais il semble bien que ce soit là le seul facteur physiologique absolu d'indifférence ou de l'incapacité féminine à jouir à partir d'un certain âge.

La diminution du degré de tension psychologique et de tension sexuelle proprement dite, ne semble pas chez la femme précéder la diminution de capacité sexuelle, mais au contraire lui être consécutive et même tardivement, sauf dans les rares cas d'extinction brusque simultanée.

Par contre, la responsabilité du contexte psycho-social, son caractère « anti-nature » semblent bien jouer un rôle défavorable dominant.

Il est regrettable que l'obsession, l'exigence abusive d'une esthétique et pour la femme seule, exclusivement jeune soit si largement entretenue dans les milieux féminins aussi bien que masculins.

Il est heureux que la nature et le bon sens individuel soient assez souvent capables de passer outre.

Toutes les diminutions et modifications anatomo-physiologiques décrites ne se produisent pas ou ne sont pas perceptibles chez des femmes régulièrement hormonées. Elles disparaissent avec l'instauration d'un traitement et la réponse sexuelle reparaît après rétablissement de la richesse tissulaire.

La thérapeutique moderne, en matière de ménopause féminine,

---

1. Cf. Troubles psychiques. Obscurcissement, p. 186.
2. Cf. Trouble physiologique. Baisse de l'acuité visuelle, p. 135.

*permet des conservations de muqueuses et d'organes pratiquement
indéfinies, et la persistance, ou le retour, d'une fonction sexuelle normale n'en est pas la moindre conséquence, ni la moindre preuve.*

Examens physiques et frottis répétés en témoignent de façon
constante : chez des femmes traitées, même après 15 ou 20 ans, les
muqueuses gardent leur couleur rouge vif, leur souplesse et une lubrification normales. Détail important pour les acharnés masculins et
féminins de l'esthétisme, une femme correctement hormonée garde
une peau et une poitrine très jeune.

La sexualité est donc, grâce à la conservation esthétique et fonctionnelle de tous les tissus, une des premières bénéficiaires de cette
thérapeutique.

Mais la nouvelle génération de femmes traitées avant la ménopause et qui présentent à 65 ans un aspect à peine différent de leurs
45 ans, semblent avoir conquis quelque chose de plus que leur propre
conservation. Elles ignorent la relégation.

TROUBLES NEURO-VÉGÉTATIFS

Les troubles neuro-végétatifs de la ménopause jouissent d'une célébrité exagérée et regrettable. Spectaculaires, caractéristiques, mais de loin les plus inoffensifs, ils tiennent abusivement le premier plan, masquant bien d'autres phénomènes moins bruyants et beaucoup plus dangereux, et accaparant l'attention et la thérapeutique au point d'en avoir été longtemps, bien à tort, la seule justification et la limitation chronologique, alors qu'ils apparaissent tardivement par rapport aux grandes involutions profondes et cessent précocement par rapport aux pathologies de privation.

Ils n'en restent pas moins pénibles, parfois profondément insupportables, au point de détruire tout l'équilibre général. S'ils ne sont guère pathologiques en eux-mêmes, ils signent bien l'importance du désordre hypothalamo-hypophysaire et auraient dû, depuis longtemps, alerter sur les conséquences de ce désordre :

— au niveau supérieur (pathologies d'entraînement) [1] ;
— ou à la périphérie où ils provoquent les désordres vasculaires métaboliques et trophiques parfois considérables et souvent irréversibles [2].

BOUFFÉES DE CHALEUR

Les bouffées de chaleur méritent un chapitre à part. Signe classique de la ménopause, le plus connu, le plus communément

---

1. Cf. Complications, p. 261.
2. Troubles psychologiques. Obscurcissement, p. 186. Complications oculaires, p. 255.

admis, elles sont aussi variables dans leur mode d'apparition ou de manifestation que dans leur degré d'intensité ou leur durée d'existence.

Disons tout de suite que, comme les nausées de grossesse les bouffées de chaleur ne sont pas absolument constantes :

— de 5 à 9 % des femmes n'en ont jamais eues, même sans aucun traitement ;

— d'autres n'ont que de vagues sensations isolées, durant quelque temps, ou simplement des variations thermiques inhabituelles sans caractère marqué ;

— ou bien encore, des bouffées de chaleur apparues franchement, disparaissent après seulement quelques mois ;

— *Mais, pour plus de 70 % des femmes, les bouffées de chaleur sont la règle, impossibles à ignorer, impossibles à dissimuler, malaises parfois intenses, répétés, dont la fréquence et l'ampleur peuvent avoir de grosses répercussions physiques, psychologiques, et même sociales.*

Universellement reconnues, leur importance, leur intensité atteignent parfois un tel degré que, bien que typiquement neuro-végétatives et ne traduisant, apparemment, aucune pathologie, elles ont été, de tout temps, l'une des préoccupations majeures des thérapeutes.

Souvent même, considérées comme le signe le plus officiel de la ménopause, elles ont été abusivement retenues comme sa définition même.

Il leur arrive de survenir, dès la pré-ménopause, avant même les premiers troubles de règles : hyperthermies, congestions légères, ou salves caractéristiques, mais à dominante pré-menstruelle, et qui disparaissent avec l'arrivée des règles.

Parfois brusquement et spectaculairement dans les jours qui suivent le premier manque menstruel.

Mais, contrairement à ce que l'on croit, dans la plupart des cas, elles ne précèdent pas, et, parfois, n'accompagnent même pas l'arrêt des règles.

La grande majorité des femmes (70 à 80 % des cas) ne les signalent que quelques mois, parfois un ou deux ans, après l'arrêt des règles. Et, il n'est pas rare que la période de plus grande intensité se situe plutôt autour de 2 à 5 ans après, qu'au moment même de l'interruption.

Une bouffée de chaleur se traduit par une rougeur brutale, qui envahit en nappe le décolleté, le cou et tout le visage, jusqu'au front. Les yeux même se congestionnent et prennent un aspect larmoyant.

La crise sudorale est intense. En quelques secondes elle recouvre le visage de gouttelettes (impression de « transpirer même des yeux »), inonde le cuir chevelu au point de tremper les racines des cheveux et de défaire en un instant une coiffure. Elle mouille complètement les vêtements dans des zones inhabituelles chez la femme. Le cou, le visage, le front, le pourtour des lèvres, se congestionnent et ruissellent. Au niveau du corps, ce ne sont plus seulement les aisselles et les mains, mais aussi la poitrine, le dos, la taille, l'aine, les cuisses. Les creux des genoux, les mollets, les pieds sont atteints, même chez des femmes qui n'ont jamais transpiré de leur vie, et surtout de ces zones-là.

Comme tous les phénomènes neuro-végétatifs, elles sont accusées par tous les facteurs émotifs ou vasculaires : nervosité, trac, repas, endroits chauffés, sommeil, efforts. Elles sont souvent associées à des phénomènes de même ordre : tachycardies, extrasystoles [1] ou maux de tête. Le malaise peut alors être proche de la sensation d'évanouissement.

Pourtant les bouffées de chaleur donnent rarement des signes pathologiques. L'électro-cardiogramme est, au pire, légèrement accéléré. Il n'y a jamais d'élévation correspondante de la tension artérielle.

Mais, en dehors du malaise pur, dont les femmes admettent assez bien, tout en le tolérant mal, qu'il n'ait pas de signification pathologique, quatre caractères rendent les bouffées de chaleur particulièrement déplaisantes et intolérables.

— L'humiliation de ne pouvoir les contrôler ou les dissimuler, et de se faire remarquer. Or comme dans toutes les congestions, sueurs et gonflements, la sensation intérieure, ressentie, est supérieure à la manifestation extérieure, réelle. Ce phénomène, maintes fois constaté (même en dehors de la ménopause) est à l'origine d'une gêne disproportionnée, lorsqu'il se produit en public, car la victime le « ressent » beaucoup plus important et évident, que ne le « voit » son entourage [2]. Il arrive ainsi qu'au cours d'un dîner l'attention d'un

---

1. Accélérations ou inégalités du rythme cardiaque.
2. C'est le problème de tous les transpirants et congestifs qui croient toujours qu'on « voit » autant qu'ils « sentent ». Ce qui est faux, mais augmente irrémédiablement le trouble lui-même et leur souffrance psychologique.

médecin soit éveillée par les manifestations de gêne d'une voisine plutôt que par des signes précis, et c'est l'addition de cette gêne et de la notion d'âge, beaucoup plus que ce qu'il voit, qui l'amène au diagnostic.

— Le fait que la moindre cause d'excitation neuro-végétative, nervosité, rire, conversation animée, chaleur, repas, alcool, épices, aliments chauds, soit un élément provocateur irrésistible, fait des réunions, spectacles, dîners, transports, etc., le moment fâcheusement privilégié des crises les plus spectaculaires. Il est vraisemblable que ces phénomènes passent beaucoup plus inaperçus et soient ressentis moins fortement par des femmes primitives, peu vêtues, où chez qui les manifestations physiologiques, sueurs, odeurs ou brillance sont considérées comme normales et indifférentes, sinon appréciées. Mais, dans nos sociétés stérilisées, en privé, comme en public, ces conséquences : congestion, ruissellement, cheveux mouillés qui s'aplatissent et se collent, maquillage qui tourne, ne passent pas inaperçues et ne sont guère appréciées, comme ne l'est pas le fait de s'éponger continuellement la figure, et le cou, ou de quitter son siège à plusieurs reprises pour « aller prendre l'air », pendant un spectacle, un dîner, ou une réunion d'affaires. La société n'a d'indulgence que pour un seul type de malaises, ceux de la femme enceinte. Il y a donc un sentiment de gêne aigu. Et c'est très important, cette espèce de perturbation morale qui atteint les gens, quels qu'ils soient, à qui il arrive sans cesse des choses injustement pénibles ou gênantes.

— Un autre moment tristement privilégié et plus exaspérant encore est le sommeil nocturne. Les bouffées de chaleur peuvent réveiller de 10 à 20 fois par nuit. *Ce qui prouve bien l'objectivité de leur existence,* mais provoque des insomnies prolongées et répétées, dont le rôle sur l'asthénie ou la nervosité n'est pas mince. En réveillant le conjoint, en rendant parfois le lit intenable, en posant des problèmes de couverture ou de fenêtre ouverte, elles peuvent devenir la source de véritables conflits conjugaux.

— Enfin, brûler irrémédiablement ses meilleurs vêtements, devoir se changer plusieurs fois par jour... et par nuit ! (quelquefois oreiller et draps compris), être irréparablement décoiffée en deux secondes, et incoiffable des mois durant (car les cheveux ne résistent pas à l'imbibition sudorale), ce sont là des détails pratiques, qui rendent la vie exaspérante et parfois insupportable, à un âge où la femme se sent particulièrement vulnérable sur le plan esthétique.

L'origine des bouffées de chaleur n'est pas encore tout à fait éclaircie [1].

On a cru longtemps qu'elles étaient la manifestation directe de l'excès dans le sang des hormones gonadotrophiques sécrétées par l'hypophyse pour tenter de forcer l'inertie ou l'atrophie d'un ovaire qui n'assure plus la sécrétion œstroprogestative normale.

Mais dans les traitements modernes de la stérilité, on injecte des gonadotrophines hypophysaires pour essayer de provoquer l'ovulation. Et même à très fortes doses on ne provoque jamais de bouffées de chaleur. Tous les freinateurs hypophysaires qu'on a tenté d'utiliser ont eu des résultats médiocres, même à longue échéance. Par contre, les œstrogènes les suppriment immédiatement, et de façon d'autant plus radicale qu'ils sont associés à des progestatifs.

Lorsque le taux circulant des œstrogènes diminue brutalement dans le sang, des bouffées de chaleur apparaissent et ceci est aussi vrai dans les jours qui suivent la castration d'une femme jeune, qu'aussitôt après l'interruption d'une thérapeutique hormonale chez une femme âgée ménopausée depuis longtemps. Mais elles diminuent au fil des ans, alors que la carence s'accentue et devient à peu près totale, et que les taux de gonadotrophines sont encore très élevés.

Les bouffées de chaleur semblent donc caractérisées par une chute ou une disparition *brutale* du taux d'œstrogènes circulants. En tout cas, *bien qu'on en ignore encore le mécanisme, on peut les prévenir, et on peut les traiter : elles cèdent totalement, en un mois, à l'hormonothérapie* ; si bien que la nouvelle génération de femmes traitées depuis la pré-ménopause ignore complètement à 65 ans ce que cela pouvait bien être !

HYPERTHERMIE

Comme pendant la grossesse, à la ménopause, longtemps avant et après, il semble que la régulation thermique de base soit modifiée, premier signe d'excitation hypothalamique.

L'impression de fonctionner à une température au-dessus de la normale est fréquente, sans sensation de fièvre associée. Tout se passe comme si la régulation intérieure s'était subitement élevée.

Une ancienne frileuse se trouve de plus en plus souvent incommodée par la chaleur, l'été, le Midi, les appartements chauffés : trop de couvertures dans le lit, pas assez de fenêtres ouvertes, une tendance

---

1. Cf. « La ménopause en gérontologie » (ouvrage technique à paraître).

certaine à transpirer beaucoup plus qu'avant dans les mêmes conditions.

Sur ce fond, la moindre augmentation de température ambiante, une agitation physique ou émotionnelle s'accompagnent de manifestations exagérées, comme si tout ajoutait à cette élévation de la température de base.

Ce phénomène est long à disparaître et dure facilement une bonne dizaine d'années, et parfois plus, autour de l'arrêt des règles.

MAUX DE TÊTE

La grande céphalée essentielle féminine est si caractéristique de la vie gynécologique, qu'on l'appelle souvent céphalée endocrinienne. Sans qu'il soit possible de mette à jour un mécanisme précis, la relation de cause à effet semble évidente. L'apparition à la puberté, en phase pré-menstruelle, la disparition presque constante pendant les grossesses, la guérison à peu près totale par certains traitements hormonaux (ou encore l'apparition peu fréquente mais chronologiquement typique aux moments de *changement* dans certains de ces traitements hormonaux) orientent évidemment vers la notion de relation, sinon avec l'hormone même, du moins avec ses modifications brutales.

Dans ces conditions, les maux de tête devraient disparaître avec la ménopause. Et c'est souvent le cas (parfois après une période d'exaspération et pré-ménopause).

Mais, dans le même temps, d'autres céphalées apparaissent, beaucoup plus variées. De nombreux facteurs *nouveaux* prennent position ou s'intriquent pour former tout un ensemble de nouvelles causes déclenchantes ou favorisantes dont le recensement n'est guère aisé.

Les céphalées se déroulent de façon à peu près semblable, aussi spectaculaire que les grandes céphalées endocriniennes, mais ce déroulement semble curieusement inversé : impression d'indigestion d'abord, puis de crise hépatique avec nausées, puis enfin céphalées et malaises de 1 à 3 jours.

Les causes déclenchantes sont en général les mêmes pour une même femme, mais on les retrouve à peu près semblables chez toutes : 1) champagne et vin blanc ; 2) chocolat - sauces ; 3) alcools variés, etc. Et il est incontestable que des cures prolongées et constantes de cholagogues assurent une protection relative... à condition de les assortir de précautions alimentaires constantes !... Seulement, la plupart de ces femmes n'ont jamais été hépatiques, ne le sont toujours pas aux tests de vérification. Elles n'ont jamais eu, et n'ont toujours pas de dyskinésie hépato-biliaire. Enfin, une ou deux gorgées de substances encore récemment tout à fait tolérées, suffisent incontestablement à provoquer la crise cataclysmique, ce qui est tout de même bien disproportionné !

On ne trouve que de vagues signes allergiques inconstants et rarement significatifs. Et pourtant, ces céphalées ressemblent par la modicité de l'agent causal, la brutalité et l'importance de la réponse à une réaction anaphylactique [1].

Les bouffées d'œstrogène sans le frein progestatif pourraient jouer un rôle vaso-dilatateur. Et il est vrai que les vaso-dilatations périphériques, couperose, rougeurs du visage sont fréquentes alors. Mais ont-ils seulement une action directe ou par le biais de réactions humorales ?

Mais, plus encore que les œstrogènes, dans quelle mesure l'excitabilité hypothalamique n'est-elle pas responsable en même temps que des décharges de stimulines hypophysaires d'une activation anormale de toutes sortes de médiateurs chimiques qui règlent les dilatations et les contractions vasculaires, et sont en relation constante et étroite avec l'hypothalamus ? Cela s'appliquerait parfaitement au mécanisme de base de la grande crise migraineuse où vaso-constriction et vaso-dilatation se contrarient jusqu'à quadrupler le débit sanguin dans un secteur donné. Devant la multiplicité de petits accidents circulatoires variés dans tout le corps, il est possible d'imaginer des vaso-constrictions localisées spasmodiques, capables, en déclenchant des vaso-dilatations réactionnelles localisées, de répéter, en plusieurs points différents, le même type de phénomènes.

Mais il semble bien qu'à ces céphalées endocriniennes de multiples causes surgissent et s'ajoutent, capables de prolonger de façon différente ou de créer nouvellement d'autres types de maux de têtes.

Il ne faut pas oublier que la ménopause est l'époque où un grand

---

1. Certaines femmes doivent quitter la table, ou après quelques gorgées d'apéritif ne peuvent tout simplement plus manger ... pendant 2 ou 3 jours.

5

nombre de troubles posturaux commencent à décompenser sérieusement [1]. A cause d'une atonie musculaire croissante, les frottements, les porte-à-faux s'accompagnent de plus en plus souvent d'arthroses inflammatoires ou dégénératives. De son côté, l'os est soumis à des remaniements atrophiques profonds.

Aussi des cervicarthroses parfois considérables se développent, réactions à un mauvais fonctionnement de l'articulé cervical, à des pressions mal réparties des corps vertébraux entre eux, ou, tout simplement, à l'irritation ligamentaire qui en découle. La contracture à elle seule peut être responsable des céphalées.

Fréquemment, favorisée par ce contexte, et l'aggravant sur le plan inflammatoire, et douloureux, une cellulite de contracture s'installe, en bosse de bison.

Cet ensemble réalise un point de départ très fréquent de plusieurs types de maux de tête :

— *névralgiques,* par souffrance tendineuse et contracture : ce sont les névralgies d'Arnold, les névralgies localisées de surface, certaines hémicranies ;

— *vasculaires,* par compression des troncs vasculaires resserrés dans la gangue de muscles contracturés (céphalées de pression).

Mais les désordres physiologiques ne doivent pas faire oublier des causes pathologiques possibles.

Au premier rang l'hypertension, aussi fréquente que longtemps méconnue à la ménopause [2].

Dotée par son origine neuro-végétative d'une labilité extrême, à variations brutales, surtout au début, elle signe caractéristiquement chacune de ses poussées de céphalées intenses, semblables aux céphalées de pression, souvent pulsatiles, souvent nocturnes. C'est un phénomène assez typique et fréquent pour qu'une soigneuse vérification de pression sanguine (debout, couché, après repos et effort) soit la règle devant une céphalée nouvelle à la ménopause.

Une autre cause favorisante doit être recherchée au niveau de l'œil et pas seulement comme dans la jeunesse dans une difficulté d'accommodation, qui devient d'ailleurs évidente, mais aussi dans

---

1. Cf. Modifications morphologiques, p. 96-99.
2. Cf. Complications, Hypertension, p. 250-253.

certains cas de fatigue à l'éblouissement, d'allergies conjonctivales qui deviennent fréquentes, de petits spasmes vasculaires passagers, peut-être annonciateurs d'atrophie ou de sclérose [1].

C'est souvent la première manifestation de modifications de la pression liquide du globe oculaire, signe de glaucome, qu'il faut dépister le plus précocement possible. L'extrême importance du diagnostic précoce, la possibilité d'évaluer précocement des distensions ou des dégénérescences vasculaires doivent faire recourir systématiquement à un examen du fond d'œil, cette fenêtre ouverte sur l'involution dégénérative vasculaire ou tissulaire interne.

Généralement les céphalées diminuent progressivement et disparaissent totalement dans la vieillesse.

Elles évoluent souvent avant de disparaître vers des sensations atténuées de tête lourde, vertiges, obscurcissement cérébral plutôt que vers des névralgies aiguës, sauf dans les cas de pathologies.

Aussi leur apparition ou leur réapparition chez une personne âgée doit faire rechercher soigneusement une cause organique :
— toujours d'abord l'hypertension ;
— puis l'éventualité d'une artérite temporale ;
— les maladies cérébro-vasculaires ;
— une tumeur primitive ou secondaire du cerveau, etc.

LE BALLONNEMENT

Ce phénomène n'est pas inconnu dans la jeunesse, ni réservé au sexe féminin, mais il prend à la ménopause une fréquence particulière, et une importance caricaturale.

Les femmes se plaignent souvent à cette époque de ne plus pouvoir « rentrer le ventre », ou du fait que, sans changement alimentaire et sans prise de poids, sans démusculation et sans troubles digestifs, il devienne gonflé de façon inhabituelle.

Mais cela peut aller beaucoup plus loin. Des crises de gonflement d'une extrême importance (au point de ne plus pouvoir mettre les vêtements courants, parfois de ne plus oser sortir) sont souvent signalées. Il n'y a pas de causes apparentes et les variations dans une même journée sont parfois considérables.

Relativement peu aérophagiques, sans météorisme intestinal, ces crises se produisent en dehors des repas :

---

1. Complications oculaires, p. 255.

— tous les jours, *au fur et à mesure que la journée avance,* au point que certaines femmes qui travaillent au-dehors sont obligées de prévoir deux types de vêtements différents. Le gonflement disparaît, pendant la nuit, il n'y a plus de traces au lever, et il réapparaît à partir de 10-11 heures, ou dans le courant de l'après-midi ;

— à la suite d'un léger traumatisme émotif ou psychologique. Ils ne sont alors pas quotidiens, mais ont le même type d'évolution à disparition nocturne.

Caractéristiquement, ces crises abdominales ne se résorbent pas par élimination de gaz ou troubles de selles.

Tout se passe comme si au niveau abdominal le gonflement se produisait par fatigue ou énervement avec une dominante vespérale comme dans certains œdèmes de jambes.

PSEUDO-PATHOLOGIES

En pré-ménopause, les malaises les plus fréquents et les plus accentués sont (sans doute pour une même cause : l'insuffisance progestative) du même genre que les troubles classiques pré-menstruels. Mais ils sont souvent beaucoup plus accusés. Certains, comme les céphalées, nausées, congestions, lipothymies [1], sudations, ne font que raviver d'anciens souvenirs de puberté ou de début de grossesse. Mais à cela s'ajoutent à la ménopause bien d'autres troubles variés, qui ont comme constante de presque toujours évoquer fortement, même chez la femme la plus équilibrée, des menaces pathologiques angoissantes :

— vertiges ;

— paresthésies de toutes sortes, sensation de fourmillement, de froid, ou de brûlure dans certains segments cutanés, sensation de mains mortes ou même de bras morts au réveil avec incapacité de fermer la main ou de tenir des objets ;

— douleurs de striction cardiaque, fréquemment répétées, de type angineux ;

— palpitations (tachycardies ou extra-systoles [2]), ou les deux ;

— apparition de « mouches volantes » dans le champ visuel, impression d'oreilles bouchées ou de bruits variés.

---

1. Sensation d'évanouissement imminent.
2. Accélération ou irrégularité du rythme cardiaque.

TROUBLES NEURO-VÉGÉTATIFS

Tous ces troubles sont caractérisés par une inorganicité absolue.
Il est évident qu'ils se développent davantage sur des terrains psychosomatiques hyperexcitables dont on retrouve facilement à l'interrogatoire des manifestations antérieures.

Il est évident aussi qu'ils seront majorés, surtout dans leur explicitation, par les sujets nerveux à tendance anxieuse ou hystérique.

Mais leur constance, les similitudes fonctionnelles, comme la similitude des termes employés pour les décrire, bref, la typicité remarquable de leurs manifestations prouve bien une entité réelle. Comme le fait d'apparaître aussi équitablement chez les femmes ayant toujours été remarquablement équilibrées que chez les autres.

Devant l'intensité de ces troubles, chez les femmes qui « ne s'écoutent pas » pour reprendre, en l'inversant, la jolie expression inventée par les hommes pour tous ces malaises de femmes qu'ils imaginent mal, il est plus honnête et plus objectif d'admettre que : *si un état anxieux est capable de les majorer, ce sont le plus souvent eux qui créent un état d'anxiété.*

L'évocation, quoique plus ou moins partielle, de syndromes existants avec leurs caractéristiques, l'approche ou la sensation d'accélération d'une vieillesse, justificative de cette pathologie, créant une cristallisation sur quelques syndromes, toujours les mêmes :

— *Coronarite* : 49 % des femmes s'inquiètent d'un infarctus à cause de douleurs cardiaques avec irradiations ou fourmillement du bras et de la main, etc., alors que seulement 11 % des hommes, pourtant beaucoup plus fréquemment atteints. La « fausse angine de poitrine » par exemple est un grand classique des « pseudopathologies de la ménopause ».

— *Cardiopathie* : toutes les fantaisies rythmiques de cœurs qui « n'avaient jamais bronché » l'évoquent irrésistiblement. Là encore, il y a plus de femmes que d'hommes qui demandent un électrocardiogramme.

— Moins fréquents, mais aussi beaucoup moins explicables, des *pseudo-ulcères d'estomac* (douleurs, indigestions, crampes) se révèlent parfois en l'absence du moindre signe décelable de gastrite.

— Les « mouches volantes » survenant après une baisse de l'acuité visuelle font craindre pour la vue, les bourdonnements ou acouphènes [1] pour l'audition.

---

1. Bruits spontanés dans l'oreille.

TROUBLES PHYSIOLOGIQUES

BAISSE DE L'ACUITÉ VISUELLE

Chronologiquement, c'est le premier signe de dérèglement hormonal.

C'est aussi le signe le plus méconnu, le plus négligé. Et pourtant sa constance est étonnante, de 69 à 72 % des cas.

Parfois antérieure de 1 à 3 ans, parfois simultanée ou immédiatement consécutive, la baisse d'acuité visuelle apparaît de façon élective dans l'année qui précède les premières perturbations menstruelles.

C'est vraiment *la sonnette d'alarme* de la défaillance ovarienne.

Cette première altération de la vue, essentiellement climatérique, a des caractères particuliers qui la rattachent de façon évidente au dérèglement hormonal et aux conséquences atrophiques, vitaminiques, musculaires et circulatoires de ce dérèglement.

Il y a une certaine différence chronologique entre homme et femme.

Chez les hommes, l'âge électif des premiers troubles (lunettes) débute parfois vers 45 ans, mais se situe préférentiellement entre 50 et 65 ans. Il y a ensuite une stabilisation relative. Les aggravations sont faiblement progressives, « la certitude d'aggravation » ne se matérialisant que vers 80 ans. Une certaine sclérose en durcissant le cristallin lui enlève sa souplesse, ses capacités d'accommodation rapprochée [1]. Il s'agit donc, le plus souvent, de presbytie et la dis-

1. 20 ans : 10 cm, 45 ans : 25 cm, 50 ans : 40 cm, 60 ans : 100 cm.

tance minimale de vision distincte s'éloigne peu à peu sans autre trouble jusqu'à la vraie vieillesse.

Chez la femme, la première alerte est plus précoce (entre 45-50 ans), plus constante et toujours chronologiquement liée au premier affaiblissement progestatif de la pré-ménopause. Elle s'aggrave souvent fortement entre 50 et 60 ans. Ce n'est pas forcément une presbytie, mais des troubles de la sensibilité aux contrastes (le noir devient gris fer, et les couleurs pâlissent, les traits d'un visage ou le relief du sol se voient moins bien que les contours et les lignes), et des troubles particuliers de l'accommodation qui devient instable et inégale [1]. Troubles mieux en rapport avec le désordre organique climatérique qu'une sclérose sénile qui ne saurait encore être invoquée, et qui est, généralement, plus tardive chez la femme que chez l'homme.

Par ailleurs, il existe une relation d'intensité encore plus significative entre perturbation visuelle et carence ovarienne.

La baisse d'acuité visuelle est légère et assez lente lorsque les hormones diminuent lentement. Irrégulière en décrochages successifs, dans la ménopause progressive, elle peut, dans les grandes extinctions hormonales brutales, ou lorsqu'un désordre climatérique est particulièrement dominant, atteindre un degré rapidement catastrophique ou évoluer vers des complications particulièrement graves [2].

Lorsque la chute hormonale est brusque et importante, la vision est concernée dans pratiquement 100 % des cas. L'atteinte fonctionnelle est brutale et tout de suite inquiétante. La femme consternée parle de « dégradation catastrophique ».

Cette première défaillance visuelle pré-ménopausique doit être recherchée avec insistance.

Des femmes l'avouent et la situent avec précision à l'interrogation de ménopause, qui l'auraient niée dans la vie courante, et retardent de plusieurs années la première consultation d'ophtalmologie, souvent d'ailleurs, éloquemment remplacée par une visite subreptice à l'oculiste, pour une paire de lunettes de secours occasionnel : « Ce ne sont pas de vraies lunettes !... »

Il faut aussi se méfier de l'affirmation tranquille et déterminée : « aucune modification » qui, devant des questions plus précises,

---

1. Par analogie, dans la plupart des cas de myopie intense de la puberté, on note des perturbations hormonales importantes du type insuffisance progestative et il n'est pas rare de voir ces myopies s'accompagner d'énormes acnées kystiques, elles aussi caractéristiques de la grande insuffisance progestative.

2. Glaucome, cataracte, décollement de rétine, cf. p. 255.

s'assortit, sans vergogne et sans complexe, de la concession « sauf des lunettes pour lire ou travailler le soir, bien sûr » !

D'après nos enquêtes, sur 20 femmes de 55 à 65 ans, qui déclarent n'avoir pas de troubles de la vue, *17 portent des lunettes depuis seulement 5, 10 ou 15 ans « pour travailler »* !...

La femme, au début, ne ressent que quelques troubles passagers. Elle a dû déplacer son siège pour la télévision, modifier son éclairage pour lire ou coudre, changer de place au cinéma. Elle distingue encore bien les contours, mais moins nettement les contrastes et les reliefs, ou bien encore, a l'impression d'une accommodation mouvante et inégale.

Ces troubles au début sont caractéristiquement fluctuants. Accentués à certains moments, ils disparaissent complètement à d'autres, et la femme, le plus souvent, repousse de mois en mois, ou d'année en année le recours aux lunettes.

Ce caractère, inconstant et variable, joue un rôle certain sur le peu d'attention qu'on leur prête. Leur précocité même (le plus souvent *avant* les premiers troubles des règles), empêche la patiente d'associer les deux faits. En conséquence, le médecin est rarement averti de la *quasi-constance de cette association.*

Dans certain cas, la défaillance visuelle se produit avec un certain décalage après l'aménorrhée, lorsqu'une survivance œstrogénique exceptionnelle s'éteint définitivement, après avoir jeté ses derniers feux. Là aussi, la relation hormonale est négligée. On songe plutôt aux premières manifestations du vieillissement.

L'œil est une sorte d'appareil photographique, composé :

a) de corps transparents, liquides ou solides, qui jouent le rôle de lentilles optiques (humeur aqueuse, *cristallin* (Fig. 14, p. 430) ;

b) d'un système musculaire de réglage de la mise au point qui assure :
    • l'ouverture du diaphragme (pupille) suivant la luminosité ambiante ;
    • la courbure de lentille (cristallin) pour accommoder suivant la distance ;
    • la convergence des deux globes permettant la fusion de l'image dans la vision binoculaire ;

c) une plaque sensible, la rétine, qui tapisse tout le fond du globe de cellules spécialisées qui portent les terminaisons sensorielles :
    • cônes pour la vision colorée ;
    • bâtonnets pour la vision en blanc et noir ;

d) *une chambre noire,* la choroïde, qui entoure la rétine et, véritable éponge vasculaire, assure en même temps la nutrition des précieuses cellules sensorielles.

Dans les deux sexes l'œil est soumis aux lois de l'involution naturelle, mais la ménopause intervient précocement sur cette involution, en rapproche l'échéance, en infléchit défavorablement le cours :

— soit parce que les dérèglements qu'elle entraîne sont trop violents pour les porteurs de défauts ou d'insuffisances, jusque-là bien tolérés ou compensés ;

— soit parce qu'elle est directement responsable de lésions irréversibles des vaisseaux, des milieux transparents ou des cellules sensorielles, non renouvelables, que leur haute spécialisation rend particulièrement fragiles et inadaptables, et qu'un rien peut léser irrémédiablement ;

— soit enfin parce qu'elle est trop souvent responsable de pathologies particulières (hypertension artérielle, athéro-sclérose ou diabète, et plus tard atrophies tissulaires) dont l'action destructrice n'attend pas l'organicité pour s'exercer [1].

L'atteinte climatérique de la vision dépend d'une telle complexité de facteurs trophiques, métaboliques, vasculaires ou pathologiques, que les plus extrêmes différences, du meilleur au pire, peuvent se rencontrer au même âge. Mais les troubles de vascularisation mènent la ronde, et c'est souvent à travers eux que différentes pathologies exercent leur action désastreuse.

1. *La ménopause a une action débilitante sur le tissu musculaire.* Or, il faut peu de choses pour dérégler un système aussi fin et aussi précis que la mise au point binoculaire.

— *L'accommodation* (mise au point distale de la vision) est faite par le cristallin.

Il s'agit d'un système un peu paradoxal. Laissé à lui-même et aussi longtemps qu'il garde son élasticité naturelle, le cristallin a tendance à bomber spontanément. Ce qui ne permet que la vision de près. Pour accommoder à distance, il faut une lentille plus plane : elle est obtenue par le muscle ciliaire dont les fibres disposées en rayons autour du cristallin en se contractant l'étirent et l'aplatissent. Pour la vision rapprochée, le muscle se détend et laisse le cristallin reprendre son bombé naturel (Fig. 15, p. 430). Ainsi, en dehors

—————————

1. Cf. « Complications oculaires », p. 255.

de toute sclérose, un affaiblissement musculaire peut être responsable d'une accommodation défectueuse.

— *La convergence* est assurée par les six muscles oculo-moteurs [1] qui (à l'instar de machinistes manipulant des projecteurs), en se contractant indépendamment les uns des autres, mobilisent les deux yeux de façon que, pour réaliser une vision parfaite, les deux regards (donc, l'orientation des deux lentilles) convergent, comme deux projecteurs, très exactement et en même temps sur le point à regarder.

Même dans la jeunesse, la perfection est assez rare, mais souvent assez bien compensée.

Ainsi, en dehors de toute sclérose, un affaiblissement musculaire peut être responsable d'une accommodation ou d'une convergence défectueuse.

Plusieurs particularités semblent bien matérialiser, dans cet affaiblissement de l'acuité visuelle en pré-ménopause, la part, souvent prépondérante *d'un affaiblissement musculaire* général.

La difficulté d'accommodation climatérique reste assez longtemps caractérisée par une extrême labilité, peu évocatrice d'une rigidité cristallinienne mais par contre tout à fait typique de l'atonie musculaire.

De même qu'un muscle atone se contracte de façon insuffisante et inégale, en ondulations faiblement spasmodiques, l'atonie occulo-motrice climatérique se traduit toujours par un retard de réponse, une contraction qui devient discontinue, spasmodique, tandis que accommodation et convergence deviennent approximatives, instables, « flottantes ». Par exemple, le regard ne peut joindre deux points éloignés en ligne droite avec arrivée précise ; il effectue un parcours ondulatoire, dans la direction « approximative » de l'objet, et sans convergence nette à l'arrivée. Il faut plusieurs tentatives erratiques pour se fixer fermement sur le point choisi et souvent il n'y parvient pas. Les muscles qui travaillent le moins sont les premiers touchés. Les visions marginales latérales et supérieures, rarement utilisées, s'altèrent les premières et leurs limites extrêmes se réduisent notablement.

L'un ou l'autre de ces troubles ajouté à la lenteur et l'imperfection progressive de l'accommodation, concourent à perturber la vision, les facultés d'attention, d'observation, d'analyse et de mémoire qui l'accompagnent.

2. *Comme tout système hautement spécialisé, les organes sensoriels, et tout particulièrement l'œil, exigent une vascularisation fine et parfaite.*

Le fait que l'œil soit composé de milieux solides et de milieux liquides le rend triplement fragile :

---

1. Un supérieur, un inférieur, deux inférieurs, deux droits externes et deux obliques (fig. 16, p. 430).

— à un excès ou une insuffisance circulatoire, capables de ravager, par œdème, hémorragie, ou au contraire cyanose et nécrose des tissus hyper-fragiles et irréparables comme la rétine ou le cristallin (décollement de rétine, cataracte...) ;

— à une rupture d'équilibre entre les milieux liquides de l'œil et ceux de l'organisme (hypertension oculaire, glaucome) ;

— aux variations de perméabilité des membranes cellulaires susceptibles d'agir :

   • directement sur la constitution de ces liquides et leur viscosité ;
   • indirectement sur la facilité ou la difficulté d'échange et, dans ces deux cas, sur la qualité et l'intégrité des tissus concernés [1].

Or la *ménopause est un désordre vasculaire permanent.*

Vaso-dilatation et vaso-constriction, peuvent aller jusqu'au spasme. Mais dans la micro-circulation capillaire, un spasme capillaire peut être prolongé presque indéfiniment par les effets chimiques locaux qu'il a lui-même créés. C'est le dommage irréparable : *la nécrose.*

Le débit est fréquemment modifié non seulement par des différences de pression ou de contraction mais aussi par des variations du contenu et de la fluidité sanguine : hyper ou hypoviscosité alternées, modification des hématies tendant parfois vers l'enraidissement.

Tous ces désordres dans des zones aussi finement vascularisées expliqueraient peut-être le caractère inhabituellement irréversible (parmi les troubles de ménopause), des lésions du système oculaire.

D'ailleurs, on retrouve des phénomènes de même ordre au niveau de l'oreille [2].

3. Certains composants de l'œil ne peuvent assumer leur rôle, irremplaçable, qu'à la condition de conserver une parfaite intégrité trophique.

La transparence, l'homogénéité des milieux transparents qui servent de lentilles, l'intégrité métabolique des cellules sensorielles, la liberté et la qualité des échanges liquides qui les assurent, ne souffrent pas d'altération.

Or la ménopause affaiblit vascularisation et métabolisme dans l'organisme tout entier en le privant de l'impulsion propre aux hormones sexuelles. Cette action hypovascularisante et hypométabolisante qui se sent à tous les niveaux de l'organisme, a dans cet organe précieux et sensible, même à faible effet, des conséquences importantes.

---

1. « Complications oculaires », p. 255.
2. Cf. « La ménopause en gérontologie » (ouvr. techn. à paraître).

Dans les années de vieillesse, l'atrophie scléro-fibreuse s'installe de toute façon. Mais le rôle de la ménopause sur l'involution fonctionnelle et tissulaire a été dans certains cas considérable, cause d'atrophie, scléroses, cyanoses, hypertension, hémorragies, nécroses, dangereuses pour tous les milieux de l'œil, si aisément dommageables.

4. *La vision ne dépend pas uniquement des facteurs physiques et physiologiques de perception sensorielle. C'est aussi un mécanisme mental très complexe* qui nécessite la mise en œuvre de qualités de :

— réceptivité, observation, reconnaissance, analyse et classification : donc vigilance ;

— fixation, conservation, rappel et reconnaissance de la chose vue : donc mémoire,

— tous ces mécanismes exigeant à leur tour vigilance et concentration : donc disponibilité [1].

Or nous l'avons vu, la vigilance est souvent altérée à la ménopause, autant par le désordre neuro-humoral supérieur que par les perturbations psychologiques ou l'asthénie [2].

Le regard discerne et englobe moins de choses pour une surface donnée, ou pour un temps donné. Il faut regarder plus longtemps et, surtout, plusieurs fois pour être sûr d'avoir bien vu. Là où un sujet jeune voit sur un écran plusieurs choses à la fois et les retient presque toutes *bien,* une personne âgée, dont l'attention est attirée par un détail, ne voit plus même l'action essentielle.

Il lui échappe une foule de choses, objets ou action, pourtant en plein champ visuel, et le temps de regarder, elle ne se souvient plus de ce qu'elle a vu.

On conçoit que la récupération de cette faculté relève autant d'une rééducation intellectuelle qu'oculo-motrice.

De plus, un bon voyant est obligatoirement extroverti, et la ménopause, avec sa panoplie très particulière de sensations et de problèmes intérieurs, est une période d'introversion exceptionnelle.

5. *Enfin, l'état général, on le sait, joue un rôle important sur une fonction qui ajoute, pour être parfaite, les exigences de l'intégrité psychique et sensorielle à celles de l'intégrité physique.*

La désorientation psychique, la fatigue physique réelles de la

---

1. Effets semblables pour l'audition. La supériorité des résultats lorsque la rééducation oculo ou oto-motrice s'assortit d'une rééducation des facultés mentales (mémoire, concentration, observation... est vraiment significative).

2. Cf. Tr. sexuels, p. 116. Tr. psychique, p. 175.

ménopause influencent obligatoirement tous les facteurs de la vision, ajoutant leur effet défavorable aux fâcheuses conséquences des désordres hormonaux, vitaminiques, métaboliques et vasculaires auxquels l'œil est, dans tous les milieux qui le composent, particulièrement sensible.

La vision est donc concernée à la ménopause, directement vulnérable et directement agressée, sur des plans fort divers, d'importance inégale, mais dont les influences respectives, les intrications et interdépendances accusent encore la relation exceptionnellement étroite entre la détérioration de cette fonction sensorielle et les désordres provoqués par la privation hormonale.

L'effet thérapeutique est d'ailleurs significatif de cette relation, et des caractères qui lui sont propres.

EN PRÉVENTION et dans des conditions normales, la baisse sensorielle ne se produit pas, ou est insignifiante :
— *à condition que la prévention hormonale ait été suffisamment précoce* (n'oublions pas qu'il s'agit d'un des premiers troubles précurseurs) ;
— *que l'entretien fonctionnel ait été constant* (exercices, en général, et compensations particulières lorsque les conditions d'activité principale sont défavorables) [1] ;
— *que les fonctions intellectuelles soient utilisées et leur qualité entretenue.*

EN THÉRAPEUTIQUE, le problème est beaucoup plus difficile et nécessite la mise en œuvre de grands moyens :
— *l'hormonothérapie,* bien sûr, avant toute autre chose pour stopper les dégradations, calmer les troubles et empêcher la constitution de pathologies à complications oculaires [2] ;
— la revigoration vitaminique générale intense, adjuvant indispensable à l'hormonothérapie substitutive nécessaire ; indispensable... mais ici presque toujours insuffisante ;
— le traitement des troubles psychologiques (chimiothérapie prudente, psychothérapie ou rééducation intellectuelle éventuelles) n'est pas négligeable, parfois indispensable [3].

---

1. Tout ce qui exige une accommodation fixe et continue sur un même point (écriture, couture, etc.).
2. Hypertension, athéro-sclérose, diabète.
3. Pour les besoins de la vision.

Mais cette thérapeutique s'assortit d'une exigence particulière. Dans toute altération musculaire (pubertaire, post-partum, post-opératoire, hémiplégique, ou caractéristique de certaines affections particulièrement atrophiantes au point de vue musculaire, comme l'hépatite virale par exemple), lorsque la cause d'affaiblissement est supprimée, *le capital « musculaire » doit être reconstitué. Il ne le fait jamais spontanément à l'âge adulte* [1].

La baisse visuelle climatérique n'échappe pas à cette règle. Le traitement, seul, est *toujours* insuffisant et exige d'être assorti d'une rééducation rigoureuse des muscles dont le fonctionnement s'est altéré. Comme toutes les rééducations de tonus musculaire, celle-ci rétablit une contraction ferme, précise et continue avec une amélioration vasculaire et trophique non négligeable, favorise le maximum de récupération d'accomodation et de convergence et assure leur conservation. La contraction sourciliaire et palpébrale qui pallie instinctivement, mais sans succès, à la réduction de la capacité d'accommodation et de balayage panoramique, se relâche et l'œil détendu s'ouvre plus largement. Terne, gris ou jaunâtre, le blanc de l'œil redevient clair et brillant, et l'examen du fond d'œil révèle en effet une vascularisation meilleure.

L'ouverture, l'éclat, la beauté oubliée, mais surtout la vivacité, la précision du regard, plus importants que la beauté dans le rapport humain, réapparaissent, qui ne peuvent exister qu'avec des yeux bien ouverts, brillants, actifs au regard net et précis. Les gens qui « regardent » beaucoup, attentivement et intensément, par disposition mentale ou exigence professionnelle, conservent indéfiniment un beau regard et de beaux yeux... et les rides de rire ou de soleil, les cernes de fatigue n'ont rien à y voir et ne l'empêchent pas.

Les résultats sont rapides, dans les délais classiques de la récupération musculaire, et durables, à condition, comme tout entretien musculaire, d'être régulièrement poursuivis.

L'involution de la vision ne se passe pas de la même façon chez les femmes traitées ou non traitées. Si le traitement est très précoce, avant la pré-ménopause, l'acuité visuelle persiste statistiquement plus longtemps, ou diminue bien plus modérément. Et il n'y a jamais dégradation brusque. Si le traitement n'est établi qu'après une ou plusieurs années de ménopause, la vision se stabilise rapidement au point atteint et s'y maintient durablement. Quelques fois (assez rares il est vrai), elle s'améliore sensiblement.

---

1. Cf. *Les longs chemins de la vieillesse,* tome I, *La Différence,* chap. « Conservation des fonctions sensorielles ».

Le seul gain certain concerne les complications qui semblent inconnues sous traitement. C'est aussi dans ce domaine que la thérapeutique hormonale tardive obtient les améliorations les plus valables.

Toute modification de la vue, aussi faible soit-elle, doit donc, après 40 ans, alerter, faire penser à un affaiblissement ovarien même avant le moindre autre signe, et entraîner une action immédiate. Il faut :

— pratiquer un bilan hormonal : frottis, mais surtout dosages hormonaux plus tôt [1] révélateurs ;

— établir le traitement hormonal et vitaminique immédiat compensateur ;

— attaquer vigoureusement les pathologies éventuelles ;

— mettre en jeu localement une rééducation oculo-motrice immédiate et vigoureuse *qu'il ne faudra plus jamais abandonner complètement.*

Gagner une dizaine, ou une vingtaine d'années sans lunettes, et retarder d'autant les processus d'altération fonctionnelle et trophique, valent bien cette peine.

---

1. Cf. **Ces examens aux noms barbares.**

LA FATIGUE [1]

La fatigue est un signe majeur. Intense, généralisée, cliniquement et biologiquement inexplicable, elle est présente dans 63 % des cas.

C'est, après l'altération de la vision, le signe le plus précoce. Assez précoce parfois pour que personne ne fasse la relation avec une ménopause qui ne semble pas ébauchée.

La fatigue à la ménopause peut revêtir des formes très différentes, souvent plusieurs à la fois, *intriquées de façon apparemment illogique et déconcertante, et caractéristiquement, ensemble ou séparément, sans aucune raison apparente.*

Certaines plaintes reviennent comme des litanies : « Je ne sais pas ce que j'ai » ... « je n'arrive plus à me lever », « le soir à 8 h, je tombe comme une masse » ... « je n'ai plus envie de rien » ... « je n'arrive même plus à compter.... à faire des projets »...

Elle est parfois constante, ne cédant même pas au repos, ou seulement matinale ou vespérale. Mais elle survient le plus souvent par vagues, de quelques semaines ou de quelques jours, parfois de quelques heures seulement.

Les manifestations physiques et psychiques coexistent presque toujours, ainsi qu'un syndrome dépressif plus ou moins accusé.

Physiquement, les femmes se plaignent d'une sensation de pesanteur, de mollesse, de langueur physique tout à fait caractéristique.

Parfois légère, elle n'attire l'attention que par son caractère inexplicable, dans un contexte apparemment normal, mais c'est plus souvent un épuisement véritable, un accablement invincible. Les membres sont lourds à remuer, le moindre mouvement fatigue, et... jusqu'à l'idée du mouvement.

Cette impression d'épuisement est tout à fait indépendante, d'une accélération cardiaque ou d'un essoufflement particulier à l'effort, qui pourraient logiquement l'accompagner.

Et pourtant son caractère organique est bien objectivé en plusieurs points techniquement mesurables :

- • baisse de tonus nerveux et musculaire,
- • augmentation du temps de réaction,

---

1. Ou asthénie.

• insuffisance et surtout irrégularité de la concentration, avec alernance de tics tétaniques ou d'atonie, inhabituelle et injustifiée,

• défaut de coordination,

• fatigue plus rapide à la répétition,

• lenteur de récupération,

• perturbation du contrôle postural, psychomoteur...

Parfois à peine perceptibles, parfois profondément accusées, toutes ces perturbations sont mesurables au dynamomètre, à l'ergographe, au repos et à l'effort, et aux différents tests de recoupement.

Mais elles se trahissent aussi dans une fréquence inhabituelle de maladresse, chutes ou accidents.

Sur le plan intellectuel, les perturbations sont également mesurables, et étrangement semblables.

Des tests spécialisés montrent des défaillances en salves ou par vagues irrégulières, aussi bien en début qu'en fin d'épreuves, absentes certains jours, très accusées à d'autres.

Elles sont particulièrement marquées dans le domaine de la concentration, de la vigilance, de l'adaptabilité de la mémoire.

Mais, caractéristiquement, ce n'est pas la capacité en elle-même qui semble atteinte, mais plutôt la régularité à l'assumer. Par exemple les tests qui se basent sur la capacité de répétition révèlent des irrégularités imprévisibles, aussi bien en début qu'en fin d'épreuve. La fatigabilité peut se manifester, puis disparaître sans raison logique apparente.

L'asthénie climatérique semble donc caractérisée par une fluctuation des courbes de performances, objectivement incompréhensible, indépendante des événements extérieurs ou de l'activité du sujet, et en dehors de toute pathologie.

Elle ne cède pas au repos, augmente ou cesse sans raison. Elle est accompagnée paradoxalement d'hyperexcitabilité ou au contraire de somnolence, ou de l'une et de l'autre alternée.

Mais elle disparaît de façon significative dans la vraie postménopause et avec le vieillissement.

Alors qu'une jeune femme l'est parfois, une adolescente toujours un peu, une femme en ménopause est *presque toujours,* et souvent, *très* fatiguée. *Mais la femme de soixante ans passés, en l'absence de toute cause pathologique, retrouve une forme physique et psychique tout à fait déconcertante par rapport aux années précédentes et au vieillissement en cours.*

Alors, comment expliquer cette fatigue aussi indéniable que paradoxale ?

A première vue ce n'est pas tellement difficile. Il y a, à la ménopause, abondance plutôt qu'insuffisance de causes logiques.

En dehors du surmenage ou des différentes causes pathologiques de fatigue qui sont bien connues et parfaitement répertoriées, certaines causes paraissent concerner plus directement la ménopause :

1. Les causes hormonales [1]

Pratiquement toutes les affections endocriniennes entraînent une fatigabilité anormale, certaines s'accompagnent d'asthénie psychologique, dépressive, d'autres de nervosité avec agitation et instabilité.

• *Les affections surrénales* sont toujours caractérisées par des phénomènes de fatigue physique et psychique marqués. Or la surrénale est commandée par l'ACTH, stimuline hypophysaire, comme les gonadotrophines, et comme elles commandées par l'hypothalamus.

• *Les affections thyroïdiennes.*

La commande supérieure thyroïdienne est hypothalamique et agit sur une stimulation hypophysaire, la TSH. Les relations entre ménopause et thyroïde sont donc fréquentes et évidentes.

Or les moindres perturbations thyroïdiennes s'accompagnent toujours de fatigue avec des nuances d'excitation nerveuse ou d'apathie somnolente, suivant que la glande thyroïde est excitée (cas le plus fréquent) ou inhibée.

• *Une dernière stimuline hypophysaire, la STH,* toujours commandée par l'hypothalamus, agit sur la croissance mais aussi sur la régulation des sucres.

Il semble évident que la STH ait à souffrir du désordre et de l'irrégularité de l'excitation hypothalamique et hypophysaire ménopausique.

Des phases d'hypoglycémie et d'hyperglycémie peuvent se succéder, des phases de grande forme puis d'épuisement musculaire également, sans raison.

• *Les parathyroïdes* sont sensibles à la fonction ovarienne. Des phénomènes tétaniques accompagnent très souvent les étapes gynécologiques féminines : puberté, phase prémenstruelle, début de grossesse ! Fourmillements des mains, crampes, contractures, nervosité, anxiété, émotivité, sont des signes extrêmement fréquents en préménopause et ménopause. Or ils sont accompagnés de fatigue dans au moins 50 % des cas.

Voilà donc quatre sécrétions hormonales différentes, susceptibles de provoquer des états de fatigue précis et bien connus, lors-

---

1. Cf. Complications d'entraînement, p. 261.

qu'elles sont perturbées, et qui le sont effectivement souvent, à la ménopause, soit pas effet direct du désordre hypothalamo-hypophysaire, soit par réaction au désordre métabolique périphérique auquel elles sont sensibles et programmées à répondre.

2. Carences vitaminiques

Elles s'accompagnent toujours, toutes, de fatigue.

Mais pendant longtemps personne n'a pensé à soulever un problème de ce genre à la ménopause.

Or, il a été mis en évidence de véritables déperditions vitaminiques à l'occasion de stress, de détresse organique, physiologique ou psychologique, ou d'orages hormonaux.

Les grands stress émotionnels par exemple se traduisent par une brusque carence vitaminique. On ne sait encore s'il s'agit de destruction enzymatique provisoire ou si les décharges surrénaliennes qui les accompagnent ou les sidérations hypothalamiques qu'ils provoquent sont susceptibles de modifier, au moins provisoirement, les constantes du milieu intérieur.

Toujours est-il que la réponse de ces perturbations à une vitaminothérapie substitutive est tout à fait extraordinaire, alors que cette action est nulle sur des asthénies d'origine psychique et névrotique.

Or la vitaminothérapie substitutive est toujours remarquablement et très rapidement efficace à la ménopause (particulièrement en perfusions intraveineuses).

Les patients l'éprouvent et l'explicitent comme « une résurrection ». C'est même le cas d'amélioration le plus spectaculaire.

3. Tous les troubles vasculaires, en hyper ou hypotension en constriction ou en dilatation sont cause de fatigue.

L'asthénie neuro-circulatoire constitue le tiers de la clientèle cardiologique, et les 9/10° des pseudocardiopathies de ménopauses. Caractéristique des déséquilibres du système sympathique, elle s'accompagne en général de palpitations, de précordialgie, de gêne respiratoire avec angoisse, panoplie classique de la ménopause.

4. Les modifications liquidiennes, le changement de perméabilité cellulaire (particulièrement lorsque domine l'imperméabilisation) donnent une fatigue d'intoxication, par ralentissement des métabolismes et des échanges, de l'apport d'oxygène et de l'élimination des scories.

Or, nous l'avons vu, la ménopause est particulièrement riche en troubles et variations de ce genre.

5. Enfin tous les désordres métaboliques cellulaires sont cause de fatigue. Et à la ménopause ils sont multiples :

— troubles de fixation ou élimination des graisses et des protéines ;

— perturbations de la régulation des sucres ;

— modification du taux des électrolytes indispensables à l'équilibre et aux échanges cellulaires : magnésium, phosphore, sodium, oligo-éléments, etc. ;

• les phosphores qui accusent des fuites rénales importantes dans toutes les crises hormonales et jouent un rôle essentiel dans la contraction musculaire ;

• le calcium plus ou moins mis hors de cause dans l'exercice sportif, mais qui reprend ici une nouvelle importance du fait de l'importance des remaniements humoraux et hormonaux et de leurs conséquences dans le métabolisme osseux [1].

Tous entraînent une fatigabilité musculaire particulière avec sensations, contractures, fourmillements et tics tétaniques, et on peut imaginer que les muscles n'échappent pas à des perturbations, capables de modifier des structures osseuses.

Comment s'étonner alors que la ménopause soit aussi franchement marquée du sceau de la fatigue : elle représente un peu à elle seule, tour à tour ou ensemble, chacun des cas que nous venons d'énumérer.

*
**

Mais il semble exister chez les femmes, et chez les femmes exclusivement, des phénomènes particuliers qui ne répondent ni à l'une ni à l'autre catégorie et sont pourtant objectifs et mesurables.

Imperceptible chez les unes, envahissante et perturbante pour d'autres, une mollesse, une sorte de langueur physique, objectivées par une baisse de tonus nerveux et musculaire, et une laxité ligamentaire particulière, apparaissent, étrangement identiques, à diverses périodes de la vie féminine : puberté, début de grossesse, période prémenstruelle, post-partum, et ménopause.

Les femmes, alors, ont de la peine à se tenir droites, à se mou-

---

1. Cf. Complications. Ostéoporose, p. 240. Cataracte, p. 256.

voir, elles présentent des troubles fréquents, plus ou moins passagers, de l'accommodation visuelle et une augmentation de la laxité musculaire. Elles deviennent maladroites, se heurtent fréquemment aux angles de meubles, aux embrasures de portes, elles contrôlent mal leurs mouvements, lâchent des objets, et leurs chevilles se tordent de façon inhabituelle.

Avec l'asthénie, et malgré une involution fibreuse déjà sensible à 50 ans, on trouve parfois, en préménopause, un peu de cette laxité ligamentaire, caractéristique des grandes variations hormonales, et maladresses, accidents se multiplient, anormalement.

Absolument caractéristiques de la physiologie féminine, inconnus du sexe mâle, ces phénomènes mériteraient des études bien plus approfondies. Relèvent-ils d'un déséquilibre hormonal, électrolytique, neurologique ou circulatoire ? Sont-ils la conséquence des modifications de perméabilité des membranes cellulaires et de la viscosité sanguine, si particulières à ce sexe et susceptibles d'altérer le rythme et la qualité des échanges : nutrition, oxygénation, élimination des toxines ?

Leurs variations sur quelques jours ou quelques mois, qui les rendent déconcertants et difficiles à définir, semblent cependant assez bien correspondre aux grandes variations hormonales.

Les périodes de baisse de forme, d'asthénie ou de laxité correspondent toujours à des périodes d'hyperviscosité et d'imperméabilité au moment des fortes variations hormonales :

— début de puberté,
— fin de la phase progestative du cycle menstruel,
— début de grossesse,
— début de ménopause.

Les périodes de pleine forme étant au contraire celles de fluidité :

— avant la puberté, après la ménopause, donc en dehors de la phase gynécologique.
— après les règles, jusqu'à l'ovulation,
— en milieu et presque jusqu'à la fin de grossesse (malgré les conséquences de l'augmentation du fœtus et de ses exigences métaboliques).

La période perturbée est toujours chronologiquement associée à des troubles circulatoires, jambes lourdes, impression de fièvre, d'intoxication...

Faut-il en traduire qu'il y a coexistence de troubles hormonaux,

149

neuro-humoraux et vasculaires, ou que l'un d'entre eux cause tous les autres ? Et lequel ?

⁕

Les phénomènes des fatigues, caractéristiques de tous les grands bouleversements physiologiques hormonaux, coïncident toujours avec une carence vitaminique.

On le reconnaît classiquement. Mais presque toujours, sans penser à faire une relation avec le trouble hormonal.

A chaque fois, une explication circonstancielle semble plus évidente :
— à la puberté, les besoins de la croissance,
— pendant la grossesse, ceux du fœtus (et pourtant les plus grandes fatigues se rencontrent en début de grossesse),
— à l'accouchement ceux de la lactation (or la fatigue profonde, brutale, peut apparaître dans des cas où la lactation a été supprimée d'office),
— à la ménopause, le vieillissement.

Et pourtant, chaque fois, à chacune de ces époques la vitaminothérapie donne des résultats immédiats, éloquents.

Même en phase pré-menstruelle, lorsqu'une asthénie aiguë apparaît régulièrement dans les deux ou trois jours qui précèdent les règles, l'action vitaminique peut être radicale.

En gérontologie, le mauvais état général, la fatigue d'intoxication ou de carence, sont un problème fréquent, parfois le seul, mais capable d'empêcher une vie normale et d'atteindre un degré tout à fait pathologique.

Il est donc impératif de réussir une thérapeutique vraiment efficace. On découvre ainsi peu à peu des classifications très précises d'après la réponse thérapeutique :
— au premier rang, de façon extraordinaire, l'asthénie de ménopause, puis toutes les autres asthénies hormonales : gravidiques, pubertaires, prémenstruelles...
— au deuxième rang, les états de stress : deuil, accident, effroi, choc sentimental [1]...
— très positives, mais plus lentes celles des fatigues de surmenage ou de convalescence,
— en partie seulement (et avec rechutes si la guérison n'intervient pas) celles qui accompagnent les grandes pathologies,
— *négativement, sans aucune exception* (et de façon tellement frappante que c'est un sérieux élément de diagnostic), les fatigues d'origine névrotique ou psychotique.

---

1. Le stress émotionnel se traduit toujours aussi par une perturbation brutale de la floridité tissulaire particulièrement évidente au visage.

On peut donc supposer des relations réelles entre la perturbation hormonale et la carence vitaminique. Cela mériterait des recherches précises dont les résultats seraient intéressants pour toute la vie gynécologique.

Un peu de tout cela, toutes ces formes de fatigue gynécologique se retrouvent à la ménopause avec une intensité parfois exceptionnelle, ajoutées aux troubles de carence hormonale, aux dérèglements métaboliques et vasculaires, aux malaises, aux hémorragies, aux insomnies...

*

Il faut donc bien admettre de classer cette fatigue là dans les troubles organiques. Cause éventuelle et non pas conséquence de troubles psychologiques.

Lui accorder authenticité et importance, non pas comme « *malaise féminin* », mais en tant que signature de perturbations pathologiques.

Sa précocité d'apparition plaidait déjà en faveur d'une organicité bien indépendante des facteurs psychologiques habituellement invoqués. Mais elle prouve surtout à quel point les perturbations organiques sont déjà franchement engagées, avant que n'apparaissent les premiers signes classiques de la préménopause.

Elle mérite donc une attention particulière.

— Symptôme révélateur du début des désordres de privation, elle doit conduire à une évaluation et une équilibration rapide de la situation hormonale.

— Trouble profond, elle exige une thérapeutique, d'autant plus diligente qu'elle a toutes chances d'être efficace.

Elle répond spectaculairement en quelques jours à une vitaminothérapie substitutive générale (et tout particulièrement sous la forme de perfusions), et elle disparaît complètement en 2 ou 3 mois avec l'établissement d'une hormonothérapie substitutive (où il est possible de manier pour chaque personne l'apport progestatif qui donne l'état de forme maxima).

TROUBLES ET DISPARITION DES RÈGLES

La disparition de l'hémorragie menstruelle est le signe majeur de la ménopause.

De façon brusque ou progressive, régulière ou mouvementée, mais *absolument inéluctable,* les règles tarissent et disparaissent : c'est l'*aménorrhée définitive.*

Constante, absolument généralisée et chronologiquement précise, elle a toujours tenu le devant de la scène, masquant souvent des aspects bien plus importants de la transformation en cours.

La moyenne de longévité, d'à peine 25 ans à la fin de l'Empire romain, approchait seulement 50 ans au début de ce siècle. La disparition des règles a donc fait longtemps partie des avatars de la vieillesse, comme la perte des dents, ou le blanchiment des cheveux.

Pourtant dès la plus haute Antiquité, la disparition du flux menstruel était déjà individualisée et décrite comme un phénomène bien défini, inéluctable, constant, touchant absolument toutes les femmes sans exception, et dans des limites chronologiques étroites.

Mais il a fallu bien longtemps pour comprendre que la disparition des règles n'est pas à elle seule la ménopause, mais seulement le signe spectaculaire d'une transformation profonde et de phénomènes autrement importants comme, à la puberté, le premier sang menstruel.

Il arrive que la disparition des règles soit soudaine et brutale. Les cycles restent réguliers. Seules l'intensité et la durée du flot, ont, au cours des années, plus ou moins diminué. Puis brusquement, une menstruation manque... Il n'y en aura plus jamais d'autres.

Ces aménorrhées brusques sont généralement *tardives,* de 50 à 56 ans. Elles sont souvent caractérisées par une grande discrétion dans les manifestations climatériques. Mais elles sont également *très rares :* 11 à 12 % seulement de l'ensemble des ménopauses.

L'interruption soudaine survient parfois, bien plus précocement, dans la pré-ménopause. On trouve alors assez facilement un facteur déclenchant. C'est parfois une maladie, une opération, ou une grossesse particulièrement tardive sans « retour de couches ». Mais la responsabilité la plus fréquente revient aux chocs émotifs : un accident, un grand effroi, un deuil (mari ou enfant), parfois le départ (ou même simplement l'adultère) du mari...

On a pu constater de nombreuses aménorrhées de ce type chez les rapatriées d'Algérie, entre 42 et 50 ans, fréquemment chez les réfugiées pendant la guerre et, de façon presque générale chez la plupart des déportées, *dès* leur arrestation.

Le mode le plus fréquent est un raccourcissement progressif de la durée des règles, avec appauvrissement du flot, qui précède parfois de plusieurs années l'aménorrhée définitive.

Cette diminution est la règle.

Et, il faut bien l'entendre, par rapport aux règles antérieures : des règles de 3 à 5 jours que l'on qualifierait de « normales », peuvent, suivant les femmes être en fait :

— diminuées, si elles duraient 6 à 8 jours, auparavant ;

— augmentées, si, faibles et irrégulières, elles n'ont pris un rythme régulier, et surtout une intensité normale, qu'après la quarantaine.

La différence est importante car cette augmentation [1] révèle plus souvent une tendance fibromateuse, qu'une normalisation de l'utérus.

Parfois c'est le cycle lui-même qui raccourcit tandis que l'écoulement reste normal. Ce phénomène correspond à une maturation insuffisante du follicule ovarien. Le corps jaune résiduel qui lui succède est de moins bonne qualité, moins riche, moins sécrétant. Il s'éteint précocement, et n'assure plus qu'un plateau thermique réduit, à 8 puis à 5 jours ou même moins. Puis il n'y a même plus de corps jaune, car il n'y a plus d'ovulation. Il arrive alors que les règles se déclenchent et se terminent de façon fantaisiste et imprécise, s'esquissant plusieurs jours avant ou traînant plusieurs jours après un écoulement franc mais seulement d'un ou deux jours.

Les variations et les reprises de la sécrétion hormonale cyclique, ne sont plus assez nettement tranchées et la muqueuse, sans remaniement progestatif, desquame mal [2].

Dans la plus grande partie des cas, l'aménorrhée définitive ne s'établit pas d'un seul coup.

Il peut y avoir des périodes de 3 mois, de 6 mois, parfois même d'un an sans règles, puis, elles réapparaissent normalement plusieurs fois de suite, et s'interrompent à nouveau. Cette alternance d'aménorrhées et de cycles normaux peut se reproduire plusieurs fois. Ce n'est qu'après plusieurs éclipses de ce genre que la disparition sera définitive.

Il arrive que les règles disparaissent périodiquement, au moment

---

1. Et même une persistance sans signes de réduction.
2. Cf. « Extinction », p. 59.

des vacances, à l'occasion d'un voyage, pour reprendre normalement lorsque les conditions habituelles sont retrouvées, et cela, plusieurs années avant l'interruption totale [1].

Parfois enfin, elles s'espacent, n'apparaissent (mais avec une relative régularité), que tous les 2 ou 3 mois, pendant 1 ou 2 ans, avant de disparaître définitivement.

Souvent les dernières règles sont suivies de l'apparition de bouffées de chaleur, mais c'est loin d'être une règle absolue [2].

Mais il n'est pas rare que, de façon paradoxale, les règles augmentent de durée, de fréquence ou d'intensité avant de s'interrompre définitivement.

Il faut alors noter soigneusement comme toujours leur date de début, mais aussi celle d'ébauche, de force ou de traîne, et toutes les reprises hémorragiques irrégulières (même et surtout légères) intermenstruelles. Car c'est toujours un signe pathologique et le type adopté par ces pertes a une certaine importance pour le diagnostic médical :

De durée et d'intensité normales, mais nettement rapprochées parfois à moins de 20 jours : ce sont les *polyménorrhées* ;

A bonne date, mais anormalement fortes et nettement plus longues : ce sont les *ménorragies*. Ces « grandes règles » peuvent dépasser 10 ou 15 jours, et prendre une allure tout à fait hémorragique.

Enfin des pertes inopinées, petites ou très fortes, entre deux menstruations normales sont des *métrorragies*.

Cependant, les différents modes coexistent parfois, empiétant l'un sur l'autre, et il devient plus difficile de les différencier. Or à cet âge la courbe de température n'est souvent d'aucune aide. Il n'y a plus d'ovulation, par conséquent pas de corps jaune, et pas de progestérone : la température redevenue *monophasique* ne donne plus d'indication utile [3].

Il arrive enfin que les règles prennent une allure complètement désordonnée. Elles se font en plusieurs épisodes, traînent quelques jours sur leur fin ; s'arrêtent puis reprennent 1 ou 2 jours, et retraînent à nouveau.

---

1. Les éclipses de vacances ou de voyages sont classiques aussi à la puberté.

2. Cf. « Bouffées de chaleur », p. 123.

3. Par opposition à la température *diphasique* du cycle menstruel normal : en dessous de 36,8° les 14 premiers jours avant l'ovulation, avec un plateau à 37° ou au-dessus, de l'ovulation à la veille des règles.

Il y a des alternances capricieuses, de règles faibles et de règles abondantes, sans aucune régularité.

Chez une même femme, le cycle peut raccourcir jusqu'à une vingtaine de jours, puis s'étirer au contraire à 40 ou 35 jours [1].

Les différences d'intensité étant aussi imprévisibles que les différences de dates, ceci crée très souvent un élément d'exaspération pour la femme qui ne sait jamais, ni quand ses règles vont survenir, ni combien de temps elles vont durer. Ce qui pose de sérieux problèmes pratiques ! D'autant que ces règles particulièrement... déréglées, s'accompagnent presque toujours de très nombreux troubles de pré-ménopause à dominante neuro-végétative.

Mais il semble souvent subsister un certain rythme intérieur ; des cycles longs sont compensés par des cycles courts, des règles réapparaissent après plusieurs mois à peu près dans la période prévisible en l'absence d'interruption.

Sous traitement elles tendent à se stabiliser à certaines dates préférentielles comme si elles obéissaient à une sorte d'horloge intérieure [2]. Ce que A. Netter appelle « une mémoire centrale » et qui est peut-être hypothalamique.

---

1. Sans doute à cause de maturations irrégulières, espacées, de quelques follicules encore actifs.
2. Il est fréquent d'ailleurs que des mois, parfois des années après l'arrêt des règles le syndrome d'ovulation ou le syndrome pré-menstruel habituel persistent à dates régulières nettement perceptibles.

EMBONPOINT

Un grand nombre d'enquêtes ont été pratiquées sur une vaste échelle dans différents pays. L'augmentation de poids semble [1] un phénomène important de la ménopause :

— Seules, 30 % environ des femmes ne changent pas notablement.

— Un très petit pourcentage : 7 %, maigrissent.

— Mais à l'opposé, 53 % grossissent et parmi celles-ci :
  - 10 % environ de 1 à 2 kilos ;
  - 20 % de 2 à 5 kilos ;
  - et 70 % prennent plus de 5 kilos, dont 19 % plus de 15 kilos.

Les moyennes d'augmentation sont légèrement moins fortes, surtout dans les poids élevés, chez les femmes dont le niveau socio-économique permet une meilleure surveillance thérapeutique, ou dont les exigences à ce sujet sont plus grandes.

Chaque étape importante de la gynécologie féminine est toujours accompagnée d'une tendance particulière à l'embonpoint. Puberté, grossesse, ménopause, sont également menacées.

Mais l'embonpoint, à la ménopause, est nuancé par un phénomène qui modifie complètement la signification d'examens ou de statistiques superficielles :

Avec l'âge, l'involution générale comporte une augmentation progressive de la « masse graisseuse » par rapport au poids total.

Cette augmentation ne doit pas être confondue avec une prise de poids. Elle est due au remplacement progressif de la masse musculaire ou organique par du tissu graisseux : 20 % chez l'homme, 34 % chez la femme, déjà victime d'une fonte musculaire plus précoce.

Ces différences expliquent que la plupart des femmes à l'approche de la ménopause se plaignent d'un engraissement souvent disproportionné de la prise de poids ou de l'augmentation de volume effectives, parfois même indépendant de celles-ci.

La plupart des femmes sont parfaitement conscientes du rôle de la ménopause dans cette tendance à grossir, et, plus particulièrement, *dans une difficulté nouvelle et inhabituelle à maigrir.* Pourtant,

---

1. Même certaines statistiques, qui se veulent contradictoires, avouent 49 à 50 % d'embonpoint, dont 20 % « considérable » !

si certaines ont tendance à attribuer abusivement tous leurs maux à la ménopause, d'autres conscientes d'une augmentation anormale de leur appétit ou d'une tendance nouvelle à la gourmandise et *en particulier aux sucreries,* dans l'ignorance des modifications de la faim et du goût, propres aux grands mouvements hormonaux, n'accusent pas la ménopause de cette prise de poids, mais seulement leurs changements alimentaires dont elles ignorent qu'ils proviennent du désordre hypothalamique.

Mais aux yeux des jeunes femmes, l'engraissement ménopausique est une évidence, encore soulignée par l'épaississement postural [1]. Redouté dans 60 % des cas, il est — pour elles — au premier rang des peurs de modifications physiques défavorables.

L'embonpoint est donc un trouble fréquent de la ménopause. Il prend le deuxième rang des troubles physiologiques.

C'est aussi un des premiers signes avant-coureurs. Il apparaît électivement en pré-ménopause. Parfois énorme et atteignant des proportions démesurées en peu de temps, parfois modéré et traduisant plutôt un remaniement défavorable des tissus [1].

Dans certains cas, il rétrocède de lui-même, spontanément en post-ménopause.

Or son rôle sur le psychisme des patientes est beaucoup plus important. Au point de paraître disproportionné.

Mais il y a à cela des raisons :

— le relâchement tégumentaire, contemporain, lui permet d'envahir pour la première fois des zones jusque-là indemnes de variations de poids : base du cou, les emmanchures, le haut des bras, le dos, les flancs, les attaches mammaires qui s'étalent et perdent de leur précision, le ventre (même chez les femmes minces), la taille, les genoux. Et tout cela donne au corps un aspect soufflé et des contours grossiers, mal dessinés. Cet épaississement lâche, la perte de silhouette sont typiques de cette époque.

— Il est difficilement contrôlable. Sa principale caractéristique est de se produire sans modifications alimentaires ou physiques, mais, par contre, de résister à des méthodes de correction jusque-là toujours efficaces.

— Il est très déformant. Les tissus, en effet, sont alors très fragilisés par une perte considérable d'élasticité, d'épaisseur, de régularité, par de multiples troubles vasculaires et métaboliques et

---

1. Cf. « Troubles morphologiques », p. 96.

des anomalies et des variations constantes de perméabilité. L'embonpoint provoque donc immédiatement, et même à faible poids, des altérations de relâchements et d'adhérences, irrégularités de surface et de consistance qui donnent, même à faible épaisseur, un aspect plissé ou capitonné particulièrement disgracieux.

Chez une femme, déjà consciente de dégradations cutanées, ces effets, et l'impuissance nouvelle à les combattre, sont très mal tolérés.

De plus, la patiente croit l'embonpoint irréversible. Elle ne sait pas qu'il rétrogradera vraisemblablement de lui-même et sera parfois plus facile à combattre quelques années plus tard. Par contre, elle sait fort bien qu'à cet âge, la fonte graisseuse, spontanée ou thérapeutique, au lieu d'améliorer les tissus, aggrave encore les dégâts et laisse derrière elle des traces de relâchement, d'irrégularités, de fripés, pires que les précédentes et qui s'y ajoutent, au point de craindre parfois davantage un amaigrissement qui ne serait plus réparateur que de l'embonpoint lui-même.

La thérapeutique classique, à cette époque, se heurte bien à ces inconvénients : un amaigrissement très difficile à obtenir et qui laisse bien souvent des tissus distendus et flétris.

La thérapeutique hormonale, si elle a une action préventive, moins évidente peut-être que dans d'autres domaines (encore qu'elle soit parfois capable de réussir, à elle seule, quelques amincissements spectaculaires), a surtout deux avantages majeurs.

Elle redonne à l'embonpoint les caractéristiques physiologiques habituelles de la jeunesse, qu'il s'agisse de localisation, de diffusion ou de sensibilité aux traitements et aux régimes.

Si elle a été suffisamment précoce, elle préserve des envahissements et des distensions caractéristiques.

Enfin, *dans tous les cas,* grâce à la conservation cutanée et sous-cutanée qu'elle assure, elle permet un amaigrissement sans séquelles.

Une femme hormonée de façon adéquate peut à tout âge maigrir sans plus de risques esthétiques qu'une jeune femme.

Une obésité de la première enfance crée une quantité anormale de tissus graisseux, donc un terrain obèse.

L'influence hormonale pubertaire, si elle est mal équilibrée, peut avoir des effets exagérés :

— directs : augmentation anormale de la masse graisseuse ;

— indirects (les plus souvent en cause dans les obésités de l'adolescence) :

· dérèglements métaboliques avec hyperfixation graisseuse ou liquidienne ;

· troubles vasculaires : vaso-dilatation, transudats, stases (sang ou lymphe) ;

· déformations posturales (conséquences d'un hyperlaxisme musculaire et ligamentaire, sous dépendance directe des hormones femelles) par le biais desquelles se réalisent les trois quarts des localisations graisseuses dites « gynoïdes », c'est-à-dire féminines ;

· enfin, « la faim hormonale », violente, illimitée, irrésistibles (surtout vis-à-vis des sucres), sans doute facteur dominant et le plus constant.

Tous sont caractéristiques des hormones féminines et du déségestative ». Il se retrouve chaque fois que le même déséquilibre est quilibre classique : « hyperfolliculinie-relative-à-une-insuffisance-prosusceptible d'exister : pré-menstruation, grossesses, ménopause.

Les perturbations hormonales de la ménopause, fort semblables, au début, à celles de la puberté, des troubles neuro-végétatifs, psychologiques, métaboliques et liquidiens similaires, augmentés encore par une hyperexcitabilité désordonnée de l'hypothalamus, des troubles circulatoires ou posturaux, considérablement aggravés par une sédentarité le plus souvent presque totale, autant de causes qui, souvent accumulées, font de la ménopause un moment de choix pour l'obésité.

Cette relation privilégiée semble se faire préférentiellement à partir de troubles du métabolisme de sucre.

A côté des causes anatomiques apparaissent des causes psychologiques. La compensation alimentaire est en effet un comportement fréquent, pour se consoler ou se rassurer.

Parfois il se fait un déplacement de valeur. Ne pouvant réaliser d'eux-mêmes ce qu'ils voudraient, certains préfèrent renoncer à cette image trop difficile à défendre et s'accorder des satisfactions immédiates et faciles.

Il y a aussi des phénomènes d'autodestruction *comme à la puberté*. Le refus de sa propre image crée une agressivité retournée, une certaine tendance à s'abîmer volontairement, à se traiter sans égard, à porter atteinte ou à négliger son intégrité physique.

Et les troubles de l'appétit, facteurs presque constants de ces embonpoints, confirmeraient ces motifs si la physiologie expérimentale moderne ne nous révélait d'autres mécanismes encore plus évidents et où le trouble physiologique précède ou cause la manifestation psychologique.

Les centres de l'appétit et de la satiété sont hypothalamiques comme les centres de régulation ovarienne [1].

Ils sont en relation avec les centres supérieurs de la conscience, les hormones, le taux de sucre sanguin. Ils les influencent et sont par eux influencés.

Comment ne pas concevoir le rôle de la grande révolution ménopausique sur des centres anatomiquement si proches et sur des mécanismes physiologiques si étroitement concernés ?

L'hypoglycémie par exemple, extrêmement fréquente à la puberté, est très souvent présente en pré-ménopause. Or, l'hypoglycémie augmente l'appétit, non seulement en inhibant directement le centre de satiété, mais aussi, indirectement, en provoquant une sensation de fatigue ou de faiblesse, particulièrement accusée avant les repas.

De plus, le goût des hydrates de carbone, apparu avec une intensité particulière à la puberté, et dont la disparition aurait bien arrangé les choses, persiste curieusement après la ménopause, alors que l'attirance pour les protides (et la viande en particulier) diminue.

Aussi est-il fréquent de voir beaucoup de femmes prendre progressivement goût à des petits déjeuners, en-cas de 11 heures et goûters (baptisés thés) où chocolat, pain, confiture, bonbons, gâteaux, alcools jouent un rôle dont elles ne se souciaient pas auparavant.

Toutes choses bien fâcheuses à une époque où les états prédiabétiques et même diabétiques (une femme sur quatre) sont si fréquents.

Il y a donc à la ménopause un concours exceptionnel de facteurs d'embonpoint.

Il ne faut donc pas les ignorer, les nier ou les traiter à la légère, d'autant qu'issus des mêmes troubles, ils répondent au même traitement.

Mais leur connaissance mérite d'être détaillée, car elle permet de comprendre, d'analyser et de synthétiser bien des phénomènes que l'on aurait pu croire d'origines diverses, et sans rapport entre eux.

---

1. Et probablement aussi ceux qui règlent les métabolismes des sucres.

INSOMNIE

Il peut sembler étrange de cataloguer l'insomnie dans les troubles de la ménopause. Pourtant la ménopause agit, directement ou indirectement sur tant de mécanismes, susceptibles d'altérer le sommeil, qu'il semble impossible de l'écarter de la liste des troubles dominants.

Elle y occupe une place statistiquement importante : (35 %) des femmes en ménopause en sont victimes.

Tous les types d'insomnie sont largement représentés :

a) *La difficulté d'endormissement* est liée, le plus souvent, à un état anxieux permanent, qui s'accuse en fin de journée ou au début du repos. Mais parfois, il y a seulement une *impression d'éveil* inhabituelle.

b) *Les insomnies de pleine nuit* sont très variables :

• Certaines sont précoces. Après une demi-heure, ou une heure de sommeil paisible, la patiente est réveillée, brusquement pour 2 ou 3 heures : c'est un rêve, une angoisse ou simplement, cette curieuse impression d'éveil paradoxal ;

• D'autres se produisent plus tard, de une heure à trois heures du matin. Elles sont souvent liées à des causes organiques et, particulièrement, digestives ;

• Les plus tardives, vers 4 ou 5 heures du matin, font classiquement rechercher une hypoglycémie, mais elles relèvent bien plus souvent d'un état de vigilance exagérée, plus ou moins assorti d'angoisse, et sensible au moindre bruit.

c) *Les réveils précoces* sont très fréquents. Là aussi une excitation anormale, un état anxieux diffus, ou une sensation d'angoisse brusque et violente, sont souvent responsables. Mais parfois ce sont des maux de tête, premières manifestations d'une hypertension encore insoupçonnée. Dans ce type de réveil, la conscience du peu de temps qui reste avant l'heure du lever, empêche presque toujours le rendormissement.

La règle veut que pour une personne donnée, l'insomnie adopte presque toujours un type caractéristique constant. Mais les insomnies de la ménopause pour une même femme varient suivant les époques, dans leurs horaires et dans leur expression et plusieurs types se succèdent et même souvent coexistent.

La pré-ménopause, dominée par la nervosité, voit le plus souvent une insomnie d'endormissement, majorée par la fébrilité ou l'angoisse. Les réveils matinaux sont peu fréquents. Il n'y a que rarement hyposomnie, mais, au contraire, une tendance fréquente à une hypersomnie, assez semblable

161

6

à celle des débuts de grossesse, soit par fatigue pure, soit par réaction des structures nerveuses cérébrales, soit encore par réflexe de fuite.

Le besoin de sieste à cette époque est très fréquent, de même que l'assoupissement involontaire au spectacle, à la télévision ou en lisant. Cette hypersomnie nocturne et diurne est caractéristique de la pré-ménopause presque exclusivement.

Au plus fort de la ménopause, les insomnies se généralisent sous la dépendance associée des troubles psychologiques et neuro-végétatifs. Bouffées de chaleur, crampes, engourdissement, douleurs musculaires ou articulaires multiplient les causes et la durée des insomnies.

Plus tard, dans la post-ménopause, l'insomnie a tendance à gagner la fin de nuit, et les réveils précoces avec incapacité de se rendormir se multiplient. La durée du sommeil nocturne se réduit, et l'évolution se fait fréquemment vers une hyposomnie que la persistance de crampes, engourdissements et fourmillements douloureux et l'augmentation de douleurs articulaires et osseuses contribuent à aggraver et à rendre chronique.

Deux phénomènes accompagnent souvent ces insomnies les rendant plus pénibles.

Le ressassement presque obsessif des faits de la journée, de problèmes en cours... ou depuis longtemps révolus ! Dès que, au début de l'assoupissement, la vigilance s'affaiblit et les freins de conscience se lèvent, ce phénomène envahit l'esprit avec une intensité croissante. Il cause un réveil total, accompagné d'une anxiété, assez pénible pour faire craindre le rendormissement.

Les rêves et cauchemars, sous l'effet conjugué des réveils multiples et des phénomènes neuro-végétatifs, s'intensifient, se multiplient. En altérant l'effet réparateur du sommeil ils aggravent sensiblement la nervosité et la lassitude.

Le sommeil constitue un besoin physiologique fondamental, mais, en durée, fort différent suivant les individus.

Cependant des interruptions répétées entraînent de façon certaine des troubles graves en raccourcissant le sommeil profond et en fractionnant les périodes de rêves. C'est beaucoup plus fatigant et les facultés mentales sont beaucoup plus perturbées qu'après une nuit courte mais ininterrompue.

L'impression d'insomnie peut exister aussi à partir d'un sommeil de durée raisonnable, et sans vrais réveils, mais agité, peu profond et qui laisse le matin plus fatigué que le soir précédent. Or il est bien évident que ce qu'on demande avant tout au sommeil, c'est un repos réparateur.

Il est donc aisé à partir de ces notions d'imaginer le rôle des troubles climatériques à n'importe quel moment de la nuit, et *surtout plusieurs fois par nuit,* sur ces précieux mécanismes du sommeil.

L'influence de la ménopause s'exerce de diverses manières :

— *Directe encéphalique,* car les centres de sommeil et de veille sont hypothalamiques [1]. Le sommeil, à la ménopause, peut tout simplement faire les frais de l'hyperexcitation hypothalamique générale et de ses répercussions sur l'écorce cérébrale. Les centres de vigilance se trouvent en effet dans une des régions les plus fortement perturbées de l'hypothalamus. On assiste à des inhibitions, ou exaspérations, ou encore à un décalage dans le temps entre les moments de vigilance et les moments d'inhibition, de telle sorte qu'une période de vigilance empiète sur le début ou la fin de la nuit, tandis qu'une période de somnolence consécutive tombe à contre-temps, en plein jour.

— *Indirecte et infiniment multipliée* par le biais des différentes perturbations organiques ou psychiques.

• *Les bouffées de chaleur* sont cause de réveils répétés au cours d'une même nuit, parfois jusqu'à vingt fois par nuit, et ce, pendant des mois de suite. Il est bien évident qu'une femme ainsi réveillée chaque nuit, en état de malaise, et souvent obligée de se changer, ne se rendort pas facilement et finit par atteindre un état d'épuisement qui ne peut qu'aggraver la nervosité, l'irritabilité, ou l'état dépressif.

• *Les palpitations,* fourmillements, crampes, chauds, froids, engourdissements, sont souvent intenses et réveillent brusquement, parfois à heures fixes. Et pour un long moment, car ils contraignent souvent la femme à se lever jusqu'à ce que l'engourdissement des mains ou des jambes ait cédé. Ils multiplient les causes et la durée des insomnies.

• *Les douleurs* ne manquent pas dans ce tableau : vasculaires, musculaires, articulaires, ou osseuses, des membres, des extrémités, dans les régions lombaire, dorsale, cervico-brachiale, etc. Ce sont des causes classiques de difficultés à l'endormissement, de réveils en période de sommeil paradoxal, ou de perturbations de la qualité du sommeil et des rêves.

• Il ne faut pas oublier au passage les *causes urinaires,* particulièrement chez les femmes atteintes de prolapsus, d'atrophie vaginale ou d'un début d'athérosclérose cérébrale.

• Enfin, des *abus de café* ou *de thé,* plus fréquents qu'on ne croit,

---

1. Comme la commande des *messagers* hormonaux qui règlent les sécrétions hypophysaires.

souvent encore augmentés à cette époque pour lutter contre la fatigue ou la dépression.

**

Pour apprécier une insomnie de ménopause, il faut donc d'abord se référer, d'une part au type de sommeil et aux tendances insomniaques antérieures, d'autre part aux troubles climatériques dominants.

Les mythes qui accompagnent la nécessité et les horaires indispensables de sommeil, leurs effets sur la beauté (mais on oublie trop souvent que le gonflement des paupières dû aux barbituriques marque bien davantage les yeux que le léger cerne de nuits un peu moins longues) jouent un rôle non négligeable.

Puis, tous les travaux médicaux prouvent qu'un très grand nombre de patients sont de faux insomniaques. Ils ont une appréciation tout à fait personnelle et inexacte aussi bien de la vraie durée de leur sommeil, que du besoin physiologique réel, qui est presque toujours surestimé.

Il est vrai qu'il existe des sujets fragiles, vulnérables : ceux qu'une hyper-excitabilité neuro-végétative expose à de violentes réactions aux moindres variations d'équilibre, ou certains terrains névrotiques, traumatisés par les perturbations neuro-psychologiques, ou par l'insomnie elle-même.

Mais les perturbations profondes, qui atteignent de solides dormeuses après 20 ou 30 ans de nuits inaltérables, témoignent bien de la responsabilité de la ménopause en ce domaine, à travers les multiples désordres organiques et psychologiques qu'elle suscite. Responsabilité que confirme le rôle rapidement favorable de la thérapeutique hormonale.

L'attitude des femmes vis-à-vis de l'insomnie est extrêmement variable. Il est évident qu'une anxieuse en fera un vrai drame, où la crainte de ne pas s'endormir devient une cause supplémentaire d'insomnie, alors qu'une autre en prend paisiblement son parti et tâche d'utiliser au mieux le temps de veille forcée.

Mais les conséquences physiques et psychiques tout à fait sérieuses de cette *insomnie vraie* demandent une attention égale à celle que l'on prêterait à une pathologie.

VIRILISATON

L'apparition, chez quelques femmes, à partir de 55/60 ans d'un système pileux plus grossier, de traits plus durs, d'une voix qui devient plus grave et plus rauque, d'un comportement plus direct, brusque, assuré, autoritaire, bref, la disparition d'un certain « moelleux » féminin de traits, de formes et d'attitudes, ont souvent porté à définir la post-ménopause comme une déféminisation et même une sorte de virilisation.

Certes, des modifications de ce genre se rencontrent parfois mais elles ne sont évidentes qu'en trop petit nombre pour en tirer des conclusions générales.

Les vraies modifications physiques virilisantes sont rares.

Raucité de la voix, système pileux augmenté à la lèvre ou au menton ? Ils ne sont guère significatifs dans la grande majorité des cas. La voix baisse avec l'âge, de toute façon, même avant la ménopause. L'augmentation du système pileux ne concerne guère que les lèvres et le menton [1], jamais les bras, les jambes (ou le torse) qui sont au contraire plus glabres que ceux d'une jeune femme ou d'une adolescente. La musculature, si sensible aux hormones mâles, n'est jamais améliorée.

Il est vraisemblable qu'il s'agit plutôt que d'une augmentation d'hormones mâles, d'un manque local d'hormones femelles circulantes.

Dans des sites, également sensibles aux hormones mâles ou femelles, comme les follicules pileux de la lèvre ou du menton, une augmentation androgénique n'est pas nécessaire. Pour que l'équilibre cellulaire local bascule il suffit d'un manque œstrogénique.

Les cas vraiment significatifs sont relativement rares. Ils ne dépassent jamais 12 à 15 % de l'ensemble des femmes ménopausées.

Les plus souvent concernées sont les porteuses de surrénales [2] hyperactives, déjà nettement repérables avant la ménopause, et dont l'action tissulaire déjà vigoureuse devient prépondérante lorsque disparaît l'effet des hormones ovariennes.

Les unes ont toujours eu ce type de déséquilibre. Il s'accuse à la ménopause.

---

1. Souvent le blanchiment est seul responsable d'une épaisseur et d'une raideur accrues des duvets naturels.
2. Qui sécrètent des hormones de type androgénique.

Les autres, très rares, ont une richesse polyhormonale bien équilibrée : sécrétion ovarienne et surrénale également fortes et dans un juste rapport entre elles. Ces femmes sont souvent dotées de chevelures extraordinaires, sourcils et cils denses, poils sexuels très fournis et tendance duveteuse caractéristique. La rupture de cet équilibre à la ménopause laisse sous la dépendance de la seule sécrétion androgénique un système pileux important, déjà développé et vigoureux.

Plusieurs hypothèses ont été avancées.

Lorsqu'il n'y a plus de follicules en état de le faire, les cellules ovariennes restantes et les glandes surrénales [1] tendent de répondre à la stimulation exaspérée des gonadotrophines hypophysaires.

Les unes comme les autres sont capables de fabriquer une sécrétion hormonale de compensation. Mais elles sont équipées aussi bien pour fabriquer des œstrogènes que des androgènes (hormones mâles).

On pense qu'il est alors possible qu'elles fabriquent :

— des œstrogènes dont les effets secondaires imparfaits ne sont pas tout à fait semblables à ceux de la sécrétion folliculaire,

— ou, à leur place, des quantités plus ou moins importantes d'hormones mâles.

Ainsi, seules quelques très rares femmes sont physiologiquement concernées, et la plupart de façon très superficielle.

Et les modifications en excès des dosages hormonaux à signification mâle sont très rares et tendent, au contraire, à s'abaisser progressivement dans le vieillissement.

C'est aussi par une tendance hormonale virilisante que l'on a tenté d'expliquer des changements de vie affective, une attitude plus assurée, autoritaire ou protectrice, et ces jalousies de ménopause dont l'apparition tardive et le caractère possessif et tyrannique détonnent sur la personnalité antérieure [2].

Or, première objection, ces grandes crises de jalousie délirante atteignent leur plus haut sommet dans la phase hyperémotive de la pré-ménopause, jamais après.

Deuxièmement, on ne peut considérer les comportements sexuels comme seulement instinctifs et naturels. Ils sont trop profondément remaniés par des facteurs psychologiques et l'extrême conditionnement des deux sexes depuis l'enfance.

Enfin, il semble bien que l'essentiel des modifications constatées ne demande rien aux hormones, mais tout simplement à l'évolution de la personnalité au cours de la vie.

Les hormones œstrogènes, en dehors d'effets génitaux directs,

---

1. A fonction androgénique dans les deux sexes.
2. Cf. « Troubles psychologiques », p. 181.

TROUBLES HÉPATIQUES

Ils font partie des troubles qu'on ne songe pas à rattacher à la ménopause.

Pourtant ils sont loin d'être rares ou négligeables et montrent des caractères constants bien particuliers.

Intolérance digestive, plus ou moins violente, à des aliments absorbés sans inconvénients jusqu'alors. Champagne, vins blancs au premier rang, puis chocolats, graisses, et, souvent, toutes les formes d'alcool, déterminant des réactions intenses qui peuvent prendre l'allure :

— d'une grande migraine immédiate ;

— de « gueule de bois » du lendemain, de durée anormalement longue, et tout à fait hors de mesure avec la quantité ingérée ;

— ou bien (et c'est le cas le plus fréquent), d'une sorte de « crise de foie » de 2 à 3 jours, ou davantage, avec maux de tête, vertiges, nausées intenses, parfois jusqu'au vomissement.

La ressemblance avec les migraines « hormonales » de la vie gynécologique est frappante, mais le point de départ est *toujours* alimentaire, et les crises sont déclenchées par des quantités souvent dérisoires, quelques gorgées, une ou deux bouchées.

Malgré leur aspect clinique évocateur, il est très difficile de rattacher ces phénomènes à une insuffisance hépatique dont on ne trouve d'ailleurs ni antécédents ni signes en cours d'examens ou de tests.

Ils existent en dehors de toute atteinte pathologique même légère.

Leur caractère brutal, disproportionné, évoque souvent une réaction allergique. Dans les facteurs déclenchants prédominent des produits à action vaso-dilatatrice (alcools) puis ceux (chocolat, crème, graisse) qui provoquent une excrétion biliaire brutale. Tout se passe donc comme si la réaction vasculaire et sécrétoire normale prenait tout à coup l'allure d'un véritable orage.

Mais, de même qu'il n'est pas possible de trouver des perturbations hépatiques appréciables, il est difficile de trouver des réactions immunologiques qui objectivent une réaction allergique.

Le traitement ne simplifie pas les difficultés du diagnostic : cette hyper-sensibilité, en effet, ne réagit que très faiblement aussi bien aux anti-histaminiques qu'aux draineurs hépato-bilaires.

Leur association en traitement prolongé ne semble freiner (légèrement) l'hyper-sensibilité générale... qu'à la condition expresse d'éliminer soigneusement les causes alimentaires.

Il est souvent nécessaire de protéger la patiente pendant 2, 3 ou 5 ans, sans qu'on sache très bien si c'est à force de constance, ou simplement parce que le problème s'est résolu de lui-même, que les phénomènes cèdent peu à peu et finissent par disparaître complètement autour de 60-65 ans.

Cet ensemble bizarre permet tout de même quelques constatations.

Cette apparente fragilité hépatique se rencontre, *chez la femme*, dans des occasions bien définies :

— *La puberté*, âge des grandes indigestions spectaculaires (chocolat au premier rang), des nausées sans raison, de malaises et d'évanouissements fréquents. Age aussi de l'apparition des premières grandes migraines. Combien d'adolescentes sont traitées pour une « insuffisance hépatique » dont on ne retrouve plus trace à l'âge adulte !

— *Les syndromes prémenstruels* avec leur tableau classique : nausées, céphalées, vertiges, vomissements.

— *Les débuts de grossesse* à l'appui de nausées parfois féroces, et à nouveau de tendance à l'évanouissement.

— *La ménopause* enfin.

Et si on peut trouver des particularités, propres à chaque époque, il n'en reste pas moins que ces manifestations frappent *des sujets, normalement indemnes, à des moments privilégiés, très clairement définis et très semblables sur le plan hormonal.*

Comme si à tout « chambardement » hypothalamique correspondait un certain désordre digestif de type neuro-végétatif dont le mécanisme n'est pas encore clairement défini.

Explicable ou non, la perturbation de la sphère hépato-biliaire est évidente à la ménopause.

C'est une période privilégiée de lithiases vésiculaires, celle de la plus grande fréquence d'interventions chirurgicales.

Dans les cas d'alcoolismes, jusque-là relativement tolérés, elle signe l'époque des grandes décompensations hépatiques et tissulaires qui, en moins de 3 mois, défigurent, d'œdèmes et de bouffissures, un visage ou un corps.

Il est possible, enfin, que ce soit une des causes de ces grandes carences vitaminiques que l'on rencontre si souvent à cette époque.

TROUBLES PHYSIOLOGIQUES

Le problème du fonctionnement hépato-bilaire, en rapport avec les grandes crises humoro-hormonales, est donc posé et demande une solution qui est certainement complexe et, sans doute, tout autre que digestive.

TROUBLES PSYCHIQUES

Parmi les craintes des femmes à propos de la ménopause, les aspects psychiques de dérèglement ou de vieillissement sont souvent cités au premier rang. Cette crainte, si elle représente la préoccupation majeure de 52 % des femmes qui ont assisté à la ménopause de leur mère ou d'une parente proche, reste formulée par 42 % de celles qui n'ont pas eu l'occasion d'en observer dans leur entourage. Ce n'est donc pas un phénomène négligeable.

Mais l'étude de ces troubles est, à la ménopause, particulièrement difficile.

Tabous, méconnaissance ou indifférence, n'ont guère facilité une étude objective de la physiologie féminine et plus encore des relations entre cette physiologie et la psychologie [1].

Longtemps mal étudiées, et surtout mal comprises, sujets d'agacement ou tout bonnement d'indifférence, les variations psychologiques caractéristiques du climatère, englobées en vrac dans les « tendances hystériques de la nature féminine », n'ont été que tardivement analysées comme signes *objectifs*, de troubles *objectifs*.

---

1. Ce chapitre peut sembler, suivant les points de détail abordés, ou suivant celui qui le lit, tantôt trop optimiste, tantôt trop pessimiste. Il peut être nécessaire de préciser que la description des formes et des fréquences générales est fondée sur une population saine dont la plus grande partie a été examinée et suivie en prévention et en étude, et non à la suite de demande de consultation médicale pour troubles. Certaines femmes avaient été ou étaient traitées, d'autres non. La part apparemment réduite qui concerne le domaine névrose-psychose-ménopause n'est donc telle que parce qu'elle est replacée dans le contexte général du tableau de ménopause courante. Il est bien évident qu'une étude sur les névroses ou psychoses de la ménopause prendrait un tout autre relief.

172

Par ailleurs, à part quelques exceptions (d'autant plus remarquables !), une psychologie si dépendante d'influences hormonales et si souvent indépendante du contexte objectif, est, pour des observateurs masculins (donc la plupart des médecins), toujours difficilement, et jamais tout à fait, concevable !

Et pourtant, beaucoup de femmes médecins, elles-mêmes, ont été certainement gênées dans leur approche du sujet, par un désir confus d'assimilation à « l'équilibre et la logique des hommes » et de rejet de « subjectivité féminine ». Vraisemblablement aussi par un refus inconscient, profond, qui les porte à nier, en l'ignorant, ou en la minimisant, une fatalité déplaisante, qui les concerne toutes, et qu'aucune femme n'affronte volontiers.

C'est un domaine où rien n'est jamais strictement mesurable. Il est déjà très difficile de délimiter clairement le rôle des facteurs biologiques et psychologiques propres à la patiente et celui du contexte familial et social dans lequel elle vit. Leur intrication, indéniable, est bien trop complexe et mouvante.

Mais, cependant, pour essayer d'y voir clair il faut aussi tenter de séparer d'autres facteurs dont les variations d'influence ne sont pas négligeables.

Il est bien évident que des bouleversements extérieurs, même légers, grèvent sérieusement un désarroi physio-psychologique antérieur ou simultané. De même, à l'opposé, un bouleversement interne (émotivité, dépression, asthénie, etc.) majore les événements extérieurs, au point de les rendre excessivement intolérables ou insurmontables.

La ménopause, en remettant en cause tout le mode de vie de la femme, l'image qu'elle a de soi, celle qu'en ont les autres, va, par son symbolisme extrême, comme dans ses traductions physiques, physiologiques ou psychologiques, prendre des nuances particulières suivant le terrain, le passé vécu et subi, les tendances névrotiques de la personnalité, la façon tout à fait personnelle dont chacune investit ses problèmes et ses sensations et les conditions de vie qui l'entourent à ce moment-là. Et toute la vie passée et actuelle de la femme, ses joies, ses conflits, ses frustrations, jouent un rôle constant de sensibilisation ou d'apaisement.

Les traumatismes psychologiques et les malaises physiologiques de la ménopause survenant sur un terrain plus ou moins fragile et névrosé, ou chez une femme n'ayant pas eu les satisfactions sexuelles qu'elle espérait, sont, avec son contexte familial et social, des facteurs de décompensation évidente. Cette épreuve est indubitablement plus ou moins bien assumée, plus ou moins majorée suivant le caractère de base.

Mais que son importance soit proportionnée à la mesure de la personnalité antérieure, cela n'est pas du tout constant. Sans la tenir pour nulle, trop de faits interdisent cette explication.

La généralisation universelle des troubles, à toutes les époques, et dans tous les milieux, est sans mesure avec le pourcentage raisonnable de névroses probables.

Certaines femmes parfaitement névrosées toute leur vie, traversent cette période avec le minimum de perturbations et en sortent tout à fait indemnes, parfois même améliorées par rapport à l'état antérieur.

L'apparition de modifications psychologiques, profondément perturbantes chez des femmes très équilibrées, alors que rien n'évoque le dérèglement hormonal, encore très silencieux, montre bien qu'il se passe quelque chose au niveau de la sphère centrale, bien au-dessus des hormones ovariennes, dans l'hypothalamus où se règlent la faim, la soif, la vigilance, la sexualité et toutes les formes de l'humeur.

> « *L'expérience prouve qu'à la base du système de ménopause il y a un déséquilibre primaire biochimique, et que les troubles d'ordre psychiques sont secondaires à ce dysfonctionnement.* »
>
> (Murphy)

Pour tenter de simplifier un peu les choses, on pourrait dire que la psychologie climatérique comprend :

— des manifestations intellectuelles ou caractérielles, qu'on peut objectivement isoler, décrire, et statistiquement, mesurer.

— tous les éléments psychologiques susceptibles :

• de découler des premières ou de les influencer en les majorant ;

• de créer, liés au phénomène de ménopause lui-même, un climat, un état d'esprit, voire une personnalité particulière.

Statistiquement, les troubles psychologiques de la ménopause, par ordre d'importance et de fréquence, sont surtout constitués par :

— *Une diminution de la mémoire,* rarement décrite, et pourtant présente dans 82 % des cas.

— *Une nervosité,* caractéristique dans 45 à 55 % des cas, qui tranche nettement sur le comportement habituel antérieur de la patiente.

— *Des états dépressifs* (34 à 40 %), souvent cycliques dans la préménopause, et qui ont tendance à augmenter nettement dans la ménopause, et la post-ménopause.

— Dans 29 à 35 % des cas :
— *une irritabilité* qui semble liée à des états d'intolérance, mais dont l'exaspération par exemple au cours de cycles irréguliers, semble aussi confirmer l'origine neuro-humorale centrale ;
— *des insomnies,* surtout dans la post-ménopause, et qui ne sont pas toujours causées par les bouffées de chaleur.

— Enfin, *une lassitude* dans 20 à 25 % des cas, différente, quoiqu'elle la renforce et parfois la simule, de l'asthénie physique.

L'altération de la mémoire fait partie des signes précoces qui, comme la dégradation de la vue, accompagnent, et le plus souvent précèdent, les premiers troubles de règles. Elle est, de ce fait, fréquemment méconnue ou sous-évaluée par la suite [1]. Extrêmement variable dans son intensité, c'est pourtant un des signes les plus constants : 82 % dans les études systématiques de 40 à 60 ans.

La moitié environ de ces cas est caractérisée par un *obscurcissement* brusque et indéniable qui, en quelques mois, altère inexplicablement et brutalement la mémoire même chez des femmes l'ayant beaucoup développée et constamment utilisée, en dehors de tout surmenage, souci, maladie asthéniante ou intoxication de quelque type que ce soit, et surtout sans aucun rapport avec les étapes classiques du vieillissement fonctionnel [2] normal, mais, au contraire, tout entière à la fois, dans tous ses types de mécanisme, comme une sorte de brume ou d'anesthésie.

On constate fréquemment *une baisse de vigilance* qui semble même parfois la première touchée.

La concentration est pénible, impossible à prolonger. Etudier, lire, écouter, tout devient difficile. Des erreurs, par distraction, se mul-

---

1. En effet, dans bien des interrogatoires, lorsqu'une femme répond « avant » à la question sur la relation chute de mémoire-ménopause, elle ne réalise généralement pas (comme le montrent les examens systématiques) qu'avant c'était déjà 45 ans, juste avant les premiers troubles de règles et la première prise de conscience de la ménopause.

2. *Les longs chemins de la vieillesse.* Tome I, *La différence* (en préparation).

tiplient : dans la conduite automobile, dans les rites habituels du ménage, le travail professionnel...

Des maladresses soudaines, inhabituelles se produisent constamment : objets renversés, ongles cassés, faux pas, chutes mêmes, dont on ne sait s'il faut les rattacher à un trouble de l'équilibre, de l'attention, de la vue ou de la notion temporo-spatiale des mouvements.

Certains auteurs parlent à ce sujet d'*involution intellectuelle,* d'autres la nient. Il est pourtant certain que tout cela semble relever d'une sorte de somnolence éveillée, comme si le débit sanguin cérébral s'était brusquement ralenti.

Cet obscurcissement, cette sorte d'incapacité plus ou moins accusée, inexplicable et invincible, jouent un rôle important dans le sentiment de déchéance, bien avant les dégâts physiques dans l'ordre chronologique d'apparition, mais aussi dans l'échelle de valeurs où les femmes classent leurs craintes. Ajoutés aux multiples dérèglements psychologiques et nerveux, ils pèsent lourdement dans la crainte d'une « dépersonnalisation » dégradante.

L'apparition d'une *nervosité,* cyclique ou continue, aux expressions multiples, mais dont les manifestations, souvent exagérées, sont presque toujours inexplicables, aussi bien par la personnalité antérieure, que par le contexte immédiat, est une des modifications caractérielles les plus spécifiques de la ménopause (45 à 55 % des cas).

Si elle revêt les formes les plus variées, la nervosité climatérique a des caractères particuliers, toujours les mêmes, qui se retrouvent chez toutes les femmes.

Au premier rang, *l'émotivité,* signe majeur. Elle est particulièrement étonnante chez les femmes qui n'y ont jamais été sujettes.

L'hyper-excitabilité de toute la sphère hypothalamo-hypophysaire exaspère émotions et sentiments en en démultipliant démesurément les traductions physiques neuro-végétatives : sursauts, rougeurs, pâleurs, palpitations, extra-systoles, tremblements irrépressibles, frissons, contractures des joues, des lèvres... « Je me suis sentie devenir toute froide »... « J'ai vu rouge » et la patiente insiste, « vraiment rouge »... Je sentais mon visage et tout l'intérieur de ma tête pleins de sang chaud [1] !... »

---

1. La panoplie des femmes trompées de 45 à 55 ans abonde en descriptions de bouleversements physiques brutaux qui, oubliés depuis la puberté,

Tout cet ensemble de sensations anormales, intenses jusqu'au malaise, finissent par faire craindre à la femme les émotions capables de les susciter, et, classiquement, cette angoisse les majore aussitôt.

La nervosité de ménopause, comme typiquement celle de la puberté, s'accompagne d'une *instabilité* considérable. C'est une des premières modifications caractérielles : labilité, bizarreries de l'humeur, écarts de caractère inhabituels, indécision jusqu'à l'angoisse, succession d'impulsions déraisonnables et de freinages paralysants, excitation joyeuse, hyper-activité puis passivité annihilante ou dépressive...

Décuplée par l'émotivité, cette instabilité climatérique, avec ses alternances d'agitation ou d'apathie, de gaieté et de neurasthénie, au début simplement disproportionnées, puis tout à fait incohérentes et anormales est si caractéristique, qu'on en retrouve des traces dans la littérature la plus ancienne [1].

La femme en ménopause est aussi typiquement et exagérément cyclothymique que l'adolescente à la puberté. Le caractère dominant de cette cyclothymie, ses traductions émotionnelles, son action également nocive sur l'humeur ou l'activité (absolument semblable à ces deux époques de la vie et fréquemment retrouvée dans les carrières gynécologiques perturbées) doit orienter vers des causes centrales neuro-humorales plutôt que vers des facteurs psychologiques, tout au plus favorisants.

Les états dépressifs de la ménopause, cycliques ou continus sont bien plus fréquents et accusés que l'estimation qu'on en fait d'habitude.

C'est, en effet, un domaine où les femmes sont relativement réservées : crainte d'être raillées, une sorte de pudeur à afficher dépression ou angoisse pour certains motifs narcissiques, ou tout simplement l'habitude de n'être jamais prises au sérieux, si ce n'est rabrouées, à propos de leurs « états d'âme ».

Dans toutes les recherches que nous avons faites, les états dépressifs (en filigrane ou évidents [2]) nous sont apparus plus fréquents et plus profonds qu'une approche superficielle ne le laisse croire :

---

sont très rares chez leurs consœurs en malheur, plus jeunes, qui se contentent de rager ou de pleurer.

1. Cf. « Historique », p. 383.

2. Les vagues dépressives se produisent parfois en phases pré-menstruelles de la pré-ménopause, soit qu'elles apparaissent pour la première fois, soit qu'elles s'accentuent péniblement.

— sentiment d'abandon, de solitude, d'être incomprise ;

— pessimisme, impressions de catastrophes imminentes, angoisses diffuses ou aiguës ;

— et, envahissantes, invincibles, sensations de « vague à l'âme », de désenchantement, humeur triste, idées noires pouvant aller jusqu'à des crises (ou un état constant) de désespoir, sur lequel se greffent, plus souvent qu'à d'autres époques de la vie, de véritables impulsions suicidaires.

Il est certain que, chez la plupart des femmes cyclothymiques à tendance dépressive, tous ces signes s'aggravent dangereusement, majorés par l'exaspération neuro-végétative des émotions, les variations imprévisibles et incontrôlables de dynamisme ou d'apathie, et l'état général asthénique. Le climatère peut déclencher de graves décompensations.

Mais les crises dépressives surviennent parfois chez des femmes qui n'ont jamais donné de signes de dépression et qui n'ont aucune raison d'en avoir. Sans raison et sans habitude de cet état, elles s'affolent à la recherche d'une cause pathologique grave.

Les dates d'apparition atténuent ou exagèrent cette impression, suivant que la ménopause peut être classiquement mise en cause ou n'est pas encore soupçonnée.

L'irritabilité, franche, ou plus ou moins contenue, est souvent décrite comme la conséquence des autres troubles de la ménopause (tout particulièrement de l'émotivité et de la neurasthénie), des malaises organiques et du contexte symbolique et social.

Mais pourtant son apparition précoce parmi les tous premiers symptômes dément cette opinion et signe une origine directement centrale.

Elle apparaît dans la pré-ménopause, parfois avant le moindre trouble, en petits éclats isolés qui, au début déconcertent la femme elle-même. Ce n'est que peu à peu que se soulèvent de grandes vagues d'agacement, des fortes bouffées de rage, un état presque constant de réaction véhémente et intolérante.

L'irritabilité domine nettement en pré-ménopause et semble très fortement liée aux cas de cycles très irréguliers. Ce caractère, ajouté au fait déconcertant qu'elle apparaît avec autant de virulence (peut être enrichie de la liquidation brutale de retenues antérieures) chez des femmes jusque-là totalement calmes et pacifiques, laisse supposer l'interaction de plusieurs phénomènes.

Mais, le désordre supérieur semble toujours en cause : les trois époques de la vie où une femme « sort de ses gonds » pour un rien (parfois jusqu'à une pointe d'hystérie) sont significativement : la puberté, la grossesse, la ménopause (avec répétition d'orchestre en période pré-menstruelle).

Et l'irritabilité climatérique évoque de façon étonnante par ses variations, plus dépendantes d'une sorte de vulnérabilité et de souffrance intérieure que du contexte extérieur, les grandes vagues d'intolérance, de susceptibilité ou de tristesse de la puberté.

Simplement elle revêt des nuances différentes. L'adolescente sombre dans des crises de désespoir. Personne ne la comprend, personne ne l'aime... Avec l'indépendance, l'autorité ou une certaine saturation, la femme, à la ménopause, devient d'humeur difficile, acariâtre, impatiente, emportée, sujette à de grandes crises de colère, où les nuances d'intolérance et de revendication dominent et donnent un caractère très particulier.

Mais, pour une fois, il semble bien que, incontestablement responsable, la perturbation physiologique n'explique pas tout. Que cette irritabilité soit suscitée, puis augmentée (particulièrement dans ses manifestations) par l'émotivité, c'est évident. Le rôle des insomnies ou de la fatigue est également certain. La dépression en aggravant le pessimisme ou la sensation d'agression, peut jouer également un rôle. Mais, cela ne suffit pas à expliquer la progression et les nuances de ces manifestations. En fait, il semble qu'après une période de pure réaction émotive, apparaisse un état d'intolérance croissante à de multiples sujets.

Au début, le fait de ne plus se sentir tout à fait soi-même, d'échapper à son propre contrôle. Ensuite les malaises dont la constance et la gratuité augmentent l'exaspération à la moindre contrariété. Très vite, il semble que ces sentiments, associés au concept même de ménopause, fusionnent dans une notion confuse et constante *de danger, d'insécurité, de fragilité, d'injustice.*

Puis, des réactions de peur, ou d'agressivité défensive. Plus les malaises, la fatigue et l'impression de dégradation physique s'accentuent, plus la femme a l'impression qu'on lui a « joué un mauvais tour », qu'elle est dépouillée, détruite, frustrée, trahie par quelque chose d'extérieur à elle et qu'elle ne peut combattre. De là, une exaspération croissante devant des contrariétés les plus minimes, le rejet violent et véhément de situations pénibles, mais non dramatiques, ou, jusque-là, tolérées, l'ampleur, la véhémence, et le côté revendicateur de l'extériorisation. Cet état peut créer des problèmes sérieux dans le milieu professionnel, puis familial et quotidien, et prendre dans certains cas des nuances franchement hystériques.

Dominante : *la lassitude* écrase les manifestations d'émotivité ou d'angoisse. Plus légère : elle les exaspère souvent d'un motif supplémentaire. Cyclique : elle accuse encore les variations de l'humeur [1].

Elle prend surtout la forme d'un désintérêt vis-à-vis des choses habituellement aimées, comme vis-à-vis de choses différentes ou nouvelles. Il n'y a pas déplacement de l'intérêt, mais *désintérêt général*.

Un accablement physique et moral, la sensation écrasante d'être « fatiguée d'avance », rendent toute action, toute réflexion pénibles, dont l'idée seule paralyse.

Traduite par la nécessité d'efforts considérables pour réaliser des choses autrefois quotidiennes et faciles, des velléités vite découragées, une apathie ou une impuissance totale, quel que soit le degré de cette lassitude, elle est symbolisée par une perte du goût de vivre, sans cause apparente, mais assez profonde pour provoquer des états amorphes, abouliques et parfois nihilistes.

Il est bien évident que cette énumération incomplète, pourrait être plus longue et plus variée, et que les différents types possibles d'associations et d'interactions de chacun de ces troubles donnent chaque fois une base différente, modulée à son tour par la personnalité et les conditions de vie.

Mais, à quoi bon ! Dans le domaine neuro-végétatif et ses répercussions psychologiques, tout est possible et aisément imaginable. Les lignes et caractères essentiels permettent de concevoir ou de reconnaître les variantes que l'on peut rencontrer.

Certaines, cependant, demandent des mentions particulières. Ce sont des associations capables de réaliser un véritable changement de personnalité.

L'association émotivité-angoisse-dépression peut transformer une femme, autrefois calme et décidée, en une déprimée, timorée, incapable d'affronter quoi que ce soit, ou qui que ce soit.

Cafard, désintérêt, asthénie, conduisent à des états d'aboulie apathique qui tranchent parfois fortement sur l'ancienne activité.

Quant à l'association émotivité-irritabilité-dépression elle est parfois à l'origine de véritables phénomènes d'autodestruction rageuse. La femme se néglige ou s'abîme, exagérant agressivement

---

1. Cf. « Troubles », *La Fatigue*, p. 144.

les dégâts spontanés (embonpoint, avachissement musculaire, par exemple). Parfois, on a l'impression que se sentir difficile à supporter, la porte, comme l'adolescente, à se montrer odieuse.

Bien sûr, on a conscience que chez certaines patientes, une certaine instabilité caractérielle antérieure s'exaspère, et des structures fragiles se détraquent plus facilement.

Mais, de nombreuses femmes, extrêmement équilibrées, heureuses et actives jusqu'à 45 ans, viennent consulter, au bord de la panique, parce qu'elles ont depuis quelques mois « l'impression de devenir folles » : elles ont peur de tout, n'osent plus sortir, ne sont plus capables de prendre la moindre décision. Tout effort leur coûte un monde, le moindre problème ménager ou professionnel les jette dans des abîmes d'angoisse, de dépression, de désespoir.

Ceci peut se produire *avant* le moindre trouble, lors d'une diminution hormonale brusque et encore silencieuse.

Le fait de ne pouvoir rattacher ce phénomène à une cause compréhensible les angoisses d'ailleurs beaucoup plus que celles qui, touchées plus tardivement, pensent tout de suite à « la ménopause peut-être ? »

Le sentiment de « dépersonnalisation » est si profond qu'elles viennent consulter pour dépression nerveuse, maladie mentale, ou même tumeur cérébrale, mais jamais pour une ménopause, dont elles n'ont pas encore soupçonné la relation, et dont elles ignorent surtout l'étendue des fantaisies neuro-végétatives et psychologiques.

Et il est très difficile de les rassurer et de les convaincre de la *responsabilité exclusive* des hormones, dans un tel état.

Heureusement qu'après bilan, deux mois de traitement suffisaient à leur restituer leur intégrité et leurs capacités antérieures.

Agressive, férocement possessive et revendicatrice, la jalousie de la ménopause est une nuance très particulière de la jalousie en général et d'autant plus étonnante qu'elle apparaît quelquefois chez des femmes qui, jusque-là, n'en avaient jamais montré, ou éprouvé le moindre signe.

On a voulu expliquer et l'apparition tardive et le décalage avec la personnalité antérieure, par une transformation virilisante.

Nous en avons vu beaucoup. C'est un domaine où les femmes se confient aisément à d'autres femmes. Elles nous ont paru plus souvent des comportements de panique que de virilisation.

Toutes les jalousies sont narcissiques et possessives, mais, à cet âge, la femme est hypersensibilisée par l'exaspération (dont elle

181

n'est pas responsable) de ses réactions émotives ou dépressives, désemparée par la désintégration de son milieu familial ou social, fragilisée par la conscience ou la crainte de sa propre dégradation.

Elle n'est plus la première, la seule, la préférée. Elle n'est plus la mère indispensable, dans la mesure où les enfants ne sont plus des enfants. Elle n'est plus essentielle à la vie de son mari, dans la mesure où il y a longtemps que leurs vies se sont partiellement détachées. Alors elle s'affole et se traumatise à un point inconcevable.

Ressentie et majorée de façon très pénible, aussi bien par l'intensité des réactions émotives que par la profondeur de la dépression consécutive, la femme à cet âge perd souvent toute mesure, se comporte en bête traquée. Toute possibilité de diplomatie patiente, raisonnable ou astucieuse, est débordée par l'intensité de réaction émotive, l'affolement, la démesure de la blessure narcissique qui détruit sa confiance en elle-même justement ébranlée, et l'impression de situation irréparable.

Dans certains cas exceptionnels très caractéristiques, on assiste à un extraordinaire récital d'autodestruction qui donne un caractère particulier, presque rituel, aux jalousies délirantes, caractéristiques, de la pré-ménopause.

Dès le début, la femme essaie de matérialiser à l'extrême l'étendue de son infortune. « Savoir » prend une importance obsessive comme s'il fallait ne perdre aucune miette de son malheur. Elle court aux pires conclusions, contre les plus sûres évidences. Puis, de façon inexorable, comme un exécuteur, se néglige, joue à l'extrême les ravagées, les détruites. Enfin, de la même manière, la créant parfois de toute pièce, elle met en scène la destruction familiale. Comme elle a détruit son image, puis l'image de son bonheur, elle s'acharne à détruire l'image du père, puis l'image du foyer dans ce qu'il avait de plus vrai.

Et après avoir expliqué à grands cris, la première année, qu'elle va mourir d'être un tout petit peu trompée, un tout petit peu abandonnée, vieillie, méconnaissable, enfin soulagée et inexplicablement apaisée, elle explique, trois ans plus tard, qu'elle est enfin séparée de son mari, et que c'est un bon débarras.

Et l'évidence du soulagement (incompréhensible pour un observateur) dont elle se vante, de la transformation, presque outrée, dont elle ne se plaint plus, qui terminent cette crise ravageante et insensée, montrent à quel point s'est joué là, bien autre chose qu'un point de fidélité conjugale : la blessure narcissique démesurée et impardonnable. Car les armes sont perdues pour reconquérir une image tolérable de soi qu'elle préfère détruire que conserver amoindrie. Cet autre en qui plus jamais elle ne retrouvera la confiance en elle-même, elle préfère le perdre tout à fait. Cette femme qu'elle n'est plus, cette vie qu'elle croit voir échapper, elle les rejette elle-même de désespoir à l'idée affolante de ne peut-être plus pouvoir les conserver.

Car c'est bien de désespoir qu'il s'agit.

Absurde, incontrôlable, majoré par la phase de mutation critique, mais que seul un bouleversement émotionnel, au-delà de la personnalité, a mené à ce point de démesure incontrôlable.

Dans certains cas, la révolution neuro-végétative et affective se joue sur un contexte qui n'est pas tout à fait clair.

Il est assez classique qu'une mère reporte sur ses enfants une sentimentalité exagérée ou frustrée sur le plan conjugal.

Mais, dès la puberté, sauf en de rares cas, la fille entre en opposition caractérisée vis-à-vis de la mère, et la période la plus aiguë de cette opposition qui va souvent jusqu'à l'animosité, se situe entre 18 et 21 ans, quelquefois 23 ans. Elle correspond donc assez exactement à l'époque de ménopause maternelle. Il y a donc là, non seulement un exutoire perdu, mais un conflit supplémentaire.

Le fils, à l'opposé, semble répondre mieux à l'attachement affectif de la mère. Parfois même, il lui donne d'elle une image narcissique qu'elle n'avait pas obtenue de son mari. Cela crée une relation privilégiée, comme entre père et fille, une sorte de rapport « un peu flirt » qui est agréable aux deux partenaires.

Mais ce rapport peut devenir plein de pièges s'il n'évolue pas normalement vers une indépendance croissante du fils, ou si la mère ne la supporte pas lorsqu'elle se produit.

Sur une base névrotique, ou lors de bouleversements anormaux, les premières vraies indépendances du fils, sa non-disponibilité, ses activités extérieures, ses amitiés et ses liaisons, qui ne sont plus des enfantillages, une situation sociale indépendante, suscitent un sentiment de frustration ou de jalousie, aussi grave, sinon plus, qu'à l'occasion d'une infidélité ou d'un abandon conjugal. Seules les manifestations sont différentes puisqu'elles ne peuvent être explicitées.

La mère cherche soit à prolonger un lien pratiquement amoureux, tyrannique, suppliant, envahissant, soit à maintenir une tutelle sévère, captatrice.

Cette lutte se développe déjà fortement entre mère et fils, puis se transfère avec une certaine férocité ou une animosité sans pareille sur les liaisons ou la bru éventuelle. Le manège, suivant les époques, prend plusieurs formes qui dépendent du degré de lucidité ou de contrôle de la malheureuse « amputée ».

Certaines femmes font des oppositions systématiques à toutes les candidates possibles. Il n'est pas rare d'en voir qui cherchent pendant des années une femme pour leur fils, mais découvrent systématiquement les pires motifs de rejet dès qu'une fixation semble se dessiner.

D'autres croient être ravies du mariage et du choix, puis deviennent rapidement acides, acerbes, parfois odieuses et même dangereuses, se comportant comme envers des rivales directes. Réflexions désagréables, mauvaise foi, multiples chantages « pour qu'on ne prive pas une mère de son fils » peuvent coexister ou laisser place à des attitudes de rejet violentes, refus de recevoir le couple, calomnies à peine concevables, qu'elles croient pouvoir justifier par quelques arguments sans valeur, mais totalement indéfendables, aussi bien sur le plan familial que social, pour un observateur dégagé.

Nous voyons parfois des femmes, mères de plusieurs enfants qui tolèrent bien leurs gendres mais haïssent en bloc leurs brus ; et si un fils a été préféré, c'est sa femme qui est la plus haïe.

L'abandon des prérogatives féminines à une autre, différente, plus négligente ou plus exigeante, peut jouer un rôle très important dans ce domaine. De même qu'une jeune femme n'aime guère qu'on lui parle tout le temps, à propos de ses échecs, des succès de sa belle-mère, combien de belles-mères ne tolèrent pas l'idée que leur bru puisse réussir quelque chose aussi bien, mieux, ou différemment.

Et sur ce fond d'orties les chantages à l'ingratitude, à la trahison, au désespoir, aux maladies vont aisément jusqu'à une somatisation véritable.

Les relations avec le gendre sont parfois elles aussi ambiguës. Après quelques temps de rapports sympathiques, une image jeune, attachante, attirante, où se confondent un peu (et ceci est vrai surtout pour les femmes sans garçon) le fils qu'on aurait pu avoir ou l'homme qu'on n'a pas eu, se substitue inconsciemment aux rapports normaux, et la femme glisse insensiblement vers une forme de désir, ou de jalousie retournée contre la fille (quelquefois même contre le gendre), surtout si la composante sexuelle, inconsciente ou non, est importante.

Une femme, hostile aux hommes en général, ne pourra dissimuler une répulsion vis-à-vis de chacun de ses gendres dans tout ce qu'ils ont de physique ou d'intime, comme si elle était directement concernée.

184

Mais à l'inverse elle peut créer consciemment ou non avec l'un ou l'autre un lien qu'elle n'a jamais voulu ou pu voir avec ses filles ou son mari.

Toutes ces nuances, normales au départ, peuvent atteindre un degré élevé de conflits intérieurs et d'anomalies de comportement.

Conscientes ou non, mais toujours difficilement avouables, elles se traduisent souvent par des transferts d'intolérance ou d'agressivité qui en masquent la cause réelle. Mais, elles sont loin d'être négligeables et méritent une aide réelle, compréhensive... et technique...

... Car, dans tous ces cas, parler de maîtrise, de calme, d'astuce ou de diplomatie, est dérisoire. Il s'est passé quelque chose, et quelque chose de grave.

Des femmes, que rien dans leur personnalité antérieure ne semblait prédisposer, ont été atteintes de bouleversements phychosomatiques suffisamment forts pour perdre leur personnalité et leur intégrité psychologique.

L'ensemble des perturbations neuro-végétatives, l'asthénie et l'aboulie qui les paraphent, dramatisent à l'excès le problème objectif.

Si la personnalité est solide et l'environnement favorable, un traitement hormonal rapide essentiel (nécessaire et suffisant), assorti, suivant les cas, de calmants ou de vitamines, permet, en moins de deux mois, de renouer un dialogue avec la personne « raisonnable » d'antan.

Sinon, l'aide d'une psychothérapie, si elle est acceptée, peut être hautement nécessaire pour éviter une bascule névrotique d'autant plus irréversible que souvent, pour rendre plus évident son malheur et son désarroi, pour jouer « les reproches vivants », la patiente en rajoute... jusqu'à un point de non-retour. Car on ne revient pas de certaines simulations et à cet âge, elles peuvent aisément devenir organiques.

Heureusement, dans la plupart des cas, la crise se résout d'elle-même, par excès, épuisement ou saturation.

Mais les dégâts professionnels, familiaux ou personnels sont bien souvent irréparables.

*

Puberté, maternité, ménopause, autant de transformations et de bouleversements exceptionnellement profonds.

Uniques à ce sexe et à ses fonctions, ces métamorphoses ont

été chargées à cause de leur nature même, et par toutes les sociétés humaines, d'une signification symbolique considérable et pesante [1].

A chaque fois, la transformation du schéma corporel, de l'équilibre physiologique et du statut sexuel, familial et social, causent des remaniements profonds et irréversibles de la personnalité tout entière de la femme : sexuelle, affective et intellectuelle.

Chaque métamorphose représente donc autant d'épreuves, tantôt destructrices, tantôt éprouvantes, tantôt exaltantes (car même la ménopause peut être exaltante en tant que libération d'un asservissement physiologique).

La plupart des femmes, tout au long de leur vie s'en tirent à peu près bien, grâce à un végétatisme solide et une heureuse faculté d'adaptation et d'oubli.

Plus rares et favorisées, quelques-unes les franchissent comme autant de mutations, de multiplications et d'enrichissements de la personnalité.

Mais il est bien évident que certaines structures fragiles ne résistent pas à l'un, à l'autre, ou à la succession de ces bouleversements profonds, et se détériorent chaque fois davantage. Des jeunes filles jamais adaptées à leur puberté, puis à l'état de femme, des jeunes femmes jamais tout à fait guéries de leurs grossesses, de leurs accouchements ou de la fonction maternelle en elle-même, des femmes qui craquent à la ménopause et décompensent en névroses ou psychoses variées sont rares... mais pas exceptionnelles.

Dépourvues de caractères vraiment distinctifs, on pourrait ne voir que coïncidence dans ces névroses ou psychoses du climatère, si un taux de fréquence, incontestablement élevé à cet âge, n'obligeait à reconsidérer le problème de plus près.

Il est rare que névrose ou psychose se développent sans aucune base antérieure. On retrouve presque toujours dans le passé des manifestations révélatrices, soit à l'occasion de la puberté, soit surtout au moment des grossesses ou de grands chocs affectifs.

Cependant, si on ne peut affirmer une origine climatérique, la fréquence particulière à cet âge fait supposer un rôle favorisant et peut-être même déclenchant.

Ce phénomène de décompensation qui fait basculer dans le domaine pathologique des troubles anciens jusque-là à peu près contrôlés est-il le fait du bouleversement physiologique ou la conséquence d'une certaine image de la femme de 50 ans dans notre société

Sans doute un peu des deux, chacun majorant l'autre.

---

1. Il en est de même pour la notion de « virilité ».

Il existe enfin un dernier type de phénomène, heureusement fort rare, et tout à fait inexplicable.

Forme précoce de démence organique ou d'obscurcissement sénile, il semble relever de mécanismes différents de la sénescence mais pour l'heure, inexplicables. Et on hésite depuis longtemps devant cette altération centrale, précoce, progressive et irréversible entre d'hypothétiques diagnostics de troubles vasculaires ou de dégénérescence du tissu nerveux cérébral.

Le début prend des aspects variables :
— atteinte primaire de l'équilibre avec des vertiges qui s'aggravent progressivement jusqu'à gêner la marche ou la rendre impossible, désorientation, incapacité croissante à garder les yeux ouverts, à articuler, puis à entendre ;
— parfois, c'est la mémoire qui s'éteint la première jusqu'à empêcher tout fonctionnement intellectuel normal. La sensation de tête vide ou cotonneuse, une sorte de torpeur s'installent, envahissantes. Les organes des sens sont touchés à leur tour. Puis survient une phase de désorientation croissante, perte du sens de l'heure, de la conscience du lieu, de l'entourage...

Ces démences ou ces obscurcissements, pseudo-séniles, semblent avoir avec la ménopause d'étroites relations.

Il faudrait pouvoir reprendre toute leur étude à l'aide des nouveaux moyens que la science met à notre disposition.

Cela ne peut être facile ou rapide, étant donné l'heureuse rareté de ces cas.

Mais il est à souhaiter que cette étude porte ses fruits, car rien n'est plus terrible que de voir des femmes intelligentes, vives, actives, s'éteindre inexorablement par affaiblissement progressif et irrémédiables de leurs facultés intellectuelles ou motrices. Le fait que dans la plupart des cas elles en soient parfaitement conscientes et luttent de toutes leurs forces sans résultat, rend cette régression vraiment insoutenable.

LES COMPLICATIONS DE LA MÉNOPAUSE

> « La femme âgée est constamment ménopausi-
> que... On est forcé de prendre acte des consé-
> quences sur la pathologie de l'arrêt de fonction
> de reproduction. »

La liste des complications ou des conséquences lointaines de la ménopause est (quoique sûrement encore incomplète) aussi vaste que déprimante : hémorragies, dermatoses, atrophies, prolapsus, tumeurs génitales bénignes ou malignes ; pathologies variées : vasculaires, osseuses, oculaires, hormonales... Les troubles que nous venons d'étudier, aussi désagréables soient-ils, ne sont que peu de choses à côté de la gravité de ces pathologies consécutives ou associées.

Aussi ne faut-il pas s'étonner que, continuellement aux prises avec ces problèmes, les gérontologues donnent à la ménopause une valeur beaucoup plus grande que tous les autres spécialistes. Plus proches de la fin que du début de la vie, obligés de remonter aux sources pathologiques les plus lointaines pour être vraiment efficaces, ils sont constamment impressionnés par les liens étroits qui relient une pathologie de vieillesse et le trouble léger de jeunesse qui l'a suscitée et développée.

Or, dans cette optique, la ménopause joue un rôle écrasant, obsédant, décompensant des fragilités antérieures jusque-là bien tolérées, transformant en pathologie évolutive ce qui n'était que gêne légère, mais surtout créant de toutes pièces toute une pathologie lourde, dangereuse, invalidante chez des femmes jusque-là intactes. Et si les perturbations ne sont, à leur début, que fonctionnelles, elles évoluent inéluctablement vers l'organicité ou laissent, en se retirant, des lésions irréversibles.

Il n'est guère facile d'en établir la liste.

Gravité, ordre d'apparition, mécanismes, indépendance ou plus souvent intrications, tout cela est tellement mouvant et variable qu'aucun type de classification n'est vraiment clair ou complet, même avec des répétitions abusives.

Aussi n'en étudierons-nous que quelques-unes, particulièrement exemplaires pour nous permettre de souligner :

— la responsabilité de la carence ovarienne dans d'importantes pathologies et dans le vieillissement même ;

— la nécessité impérieuse de vigilance et de prévention ;

— les motivations irréfutables d'une thérapeutique systématique.

1

COMPLICATIONS DE L'ATROPHIE

SCLÉROSE ATROPHIQUE GÉNITALE

Etroitement assujettis à la réduction hormonale, les tissus génitaux, hormono-dépendants, sont, sinon les plus précocement, du moins les plus directement concernés.

Le début de cette sclérose se situe approximativement entre 45-50 ans. Mais la limite d'extrême gravité est beaucoup plus variable. Parfois déjà constituée à 50 ans, il arrive qu'elle soit à peine ébauchée à 75 ans.

La diminution hormonale varie en effet considérablement dans sa rapidité, dans ses rythmes (réguliers ou en paliers), pour une même femme suivant les moments... et plus encore d'une femme à l'autre ;

La dépendance tissulaire est elle aussi variable... La « *réceptivité* » est un caractère propre à chaque tissu, indépendant du taux d'hormones circulants [1]. Une femme pauvre-hormonale peut être hyper-réceptive comme une femme riche-hormonale peut être hypo-réceptive ;

Enfin, cette réceptivité dans un même organe varie facilement d'une zone à l'autre : par exemple à la surface muqueuse utérine, on peut trouver un foyer hyperplasié isolé dans un ensemble parfaitement atrophique. Il est donc bien difficile d'établir des règles précises.

---

1. Vraisemblablement proportionnée au nombre de protéines-cibles chargées, dans les cellules spécialisées, de capter l'hormone-messagère et aux enzymes cellulaires chargés de la métaboliser.

Cependant, tous ces phénomènes sont reliés par un facteur commun, une tendance irréversible plus ou moins rapide, mais inéluctable, vers l'atrophie.

L'atrophie vulvaire, nous l'avons vu [1], concerne les zones périvulvaires : mont de Vénus, grandes lèvres, et la vulve elle-même. Ce n'est généralement que la continuation à l'extérieur de l'atrophie du vagin tout entier.

Des modifications involutoires profondes assèchent les sécrétions, ralentissent l'irrigation vasculaire et atrophient la couche muqueuse qui perd ses assises superficielles et sécrétoires jusqu'à se réduire à 2 ou 3 assises de cellules contre 20 à 26 avant la ménopause : *l'épaisseur d'une feuille de papier.* Desséchée, cartonnée, amincie à l'extrême, cette muqueuse devient terriblement fragile, et saigne au moindre contact.

Extérieure, donc particulièrement exposée, la muqueuse vulvaire est un terrain de choix pour toutes sortes d'infections et de dermatoses surajoutées.

Le vagin, à l'état normal, est protégé des infections microbiennes par une acidité naturelle exceptionnelle. Cette acidité est due à la présence de bacilles de Döderlein, hôtes normaux et nécessaires qui transforment le sucre abondant des cellules superficielles en acide lactique. Ils assurent ainsi un *manteau acide* qui est une défense naturelle anti-microbienne incomparable. Des souches microbiennes disposées sur une muqueuse vaginale saine sont éliminées en moins de 2 heures. Mais à la ménopause, avec l'appauvrissement hormonal, la disparition des cellules superficielles et de leur sucre, les bacilles de Döderlein disparaissent, laissant sans défense une muqueuse atrophique, irritée au moindre frottement.

Et la surinfection est de règle. A l'examen systématique, plus de 79 % des femmes en sont atteintes à des degrés divers.

Des troubles urinaires sont fréquemment associés. En effet la paroi antérieure du vagin est au contact direct de la base de la vessie et de l'urètre (Fig. 4, p. 424). Lorsque la paroi vaginale est trop amincie, les rapports déclenchent très facilement des irritations urinaires. L'infection vaginale s'accompagne de cystites de voisinage fréquentes et répétées au point de parfois la masquer. *Il est frappant de voir comme le traitement hormonal supprime la plupart des cystites*

---

1. *Cf.* « Involution vagin, vulve », p. 85-87.

post-ménopausiques sans qu'il soit nécessaire d'ajouter un traitement spécifique.

A elle seule, mais bien plus encore si elle est aggravée de complications infectieuses, ou dégénératives, *la sclérose génitale atrophique est la cause absolue d'impotence sexuelle de la femme âgée.* C'est aussi la plus fréquente [1].

Mais il y a plus grave : de même qu'elle empêche toute relation sexuelle, *l'atrophie pathologique est capable d'interdire toute investigation en amont, essentielle au dépistage et au contrôle de toute la zone génitale sous-jacente* (utérus, trompes, ovaires). Ce degré extrême menace environ une femme sur cinq, ce qui est énorme. Il peut être atteint très précocement chez des femmes castrées jeunes, mais parfois, aussi, très rapidement, au cours de certaines ménopauses.

Accompagnée de prurits [2], infections, kératoses, rétractions cartonnées, l'atrophie devient sur des terrains prédisposés le point de départ d'affections dermatologiques variées : kraurosis vulvaire, lichen scléro-atrophique.

Elles ne tolèrent aucune négligence. En effet, *kraurosis ou lichen peuvent à la fois favoriser ou masquer le développement de lésions dégénératives pré-cancéreuses. La sclérose atrophique vulvaire est le seul « climat » hormono-tissulaire capable de provoquer une dégénérescence cancéreuse.*

Elles sont longues à se constituer et il est toujours possible d'intervenir avec un succès complet à tous les stades préliminaires : atrophie, dermatoses... Mais ensuite, la ligne de démarcation entre kraurosis et lésion pré-cancéreuse n'est pas évidente et il est bien dangereux de laisser les choses en arriver là.

L'action des hormones sur ce tissu si docile à son influence permet de faire un diagnostic éliminatoire rapide. Toute dermatose vulvaire lichenifiée, ulcérée sur fond atrophique qui n'obéit pas très rapidement à un traitement hormonal exige immédiatement des vérifications rigoureuses avec biopsie [3].

La sclérose atrophique vulvo-vaginale est une démonstration exemplaire :
— De ce que peut faire la ménopause, à elle seule, en l'absence

---

1. *Cf.* « Troubles sexuels », p. 110-112, 115.
2. Démangeaisons.
3. Petit prélèvement de tissu sous anesthésie locale qui permet un examen histologique au microscope.

de tout traitement. Du plus insignifiant au plus grave : une modification légère au début, l'assèchement de la muqueuse, des troubles fonctionnels, puis des pathologies pré-cancéreuses, jusqu'à la menace mortelle d'un cancer tardif ;
— De ce que peut faire l'hormonothérapie substitutive. En partant du plus tard jusqu'au plus tôt : l'amélioration du pronostic, la guérison totale et le retour à la normale à tous les stades précédents, la prévention absolue de toute perturbation.

C'est une justification plus que suffisante de thérapeutique hormonale systématique préventive.

COMPLICATIONS DE L'ATROPHIE

PRURIT VULVAIRE

Le prurit vulvaire, affection gynécologique fréquente, prend à la ménopause une signification particulière.

Il est souvent associé à toutes sortes de petites démangeaisons corporelles : sensations de tiraillements, démangeaisons irrésistibles et inhabituelles, particulièrement dans les zones (jambes, bras, cou) qui souffrent les premières d'assèchement cutané.

Une apparition précoce, brutale peut être considérée comme la première manifestation d'une brusque extinction ovarienne. C'est le signe de profondes modifications trophiques et circulatoires encore indécelable. Plus tard, le prurit accompagne plutôt les états d'atrophie avancée, lorsque la muqueuse terriblement asséchée et cartonnée [1] se comporte comme une gangue irritante. Il est alors capable d'intensité intolérable, cause de grattages féroces qui provoquent facilement des lésions lichénifiées. *Cette lichénification (sans danger sur la peau) favorise au niveau des muqueuses la formation de lésions précancéreuses.*

Mais l'appauvrissement hormonal n'est pas la seule cause d'un prurit vulvaire. Il peut y avoir toutes sortes d'origines : allergiques, microbiennes, mycosiques, ou encore pathologiques (comme dans le diabète et certaines anémies. Enfin, dans certains cas, il peut matérialiser une fixation physique, la nomatisation de frustations sexuelles. Donc un diagnostic précis et technique, local et général, doit être fait, qui demande une grande compétence. Car sous une apparence simple et familière, c'est un signe dont un profane ne peut ni évaluer l'importance et les conséquences, ni déterminer l'origine, légère, ou grave, ni surtout décider du traitement. Il faut :

— dépister toutes les causes éventuelles :

• bénignes et faciles à traiter ;

• malignes, beaucoup plus rares, mais capables d'évoluer longtemps sous l'aspect de dermatose inoffensive pour un œil non averti ;

— rechercher une involution hormonale violente, qui dans le même temps causerait des troubles plus graves, oculaires, osseux...

Le prurit vaginal répond spectaculairement à la thérapeutique appropriée et surtout, si le diagnostic de privation hormonale est bien posé, à la thérapeutique substitutive.

---

1. D'après R. Aron Brunetière.

PERTES

Les pertes à la ménopause sont souvent bien insuffisantes. Cela semble un grief paradoxal ?

C'est que, signes fidèles, évidents, de la moindre irritation vaginale de jeunesse, elles sont considérablement réduites plus tard par atrophie de la couche sécrétoire de la muqueuse génitale. Même en présence de très fortes infections.

Elles doivent donc alerter systématiquement et rapidement, car étant donné l'assèchement de la muqueuse, elles ne peuvent être que pathologiques, signe d'irritation ou d'infection.

Elles tachent le linge, s'accompagnent de prurits vulvaires, de sensations de brûlures vaginales, et du fait de l'amincissement de la paroi qui sépare le système urinaire du vagin, sont très souvent accompagnées de cystites qui, plus désagréables, les révèlent ou parfois les dissimulent.

Les causes en sont très diverses.

Vaginites

La sclérose atrophique vulvo-vaginale est un terrain de choix pour l'infection.

Un frottis vaginal cytobactériologique permet un diagnostic rapide et précis :

a) des germes en cause et par antibiogramme de leur sensibilité aux antibiotiques ;

b) du degré d'atrophie de la muqueuse.

Le traitement de l'infection, bien mené, donnera un résultat immédiat, mais il faut bien comprendre que l'hormonothérapie équilibrante, capable à elle seule d'accélérer considérablement la guérison, parfois même de l'obtenir en redonnant ses défenses naturelles à la muqueuse, est en tout cas indispensable pour éviter les récidives continuelles.

Cervicites

On appelle ainsi les inflammations aiguës, subaiguës ou chroniques du col utérin.

Les exocervicites sont extrêmement fréquentes, les lésions malignes le sont très peu, mais rien ne les distingue avec certitude au début.

Il faut donc toujours faire un examen clinique soigneux, et un prélèvement par frottis qui permet :
- la recherche du germe et de sa sensibilité aux antibiotiques ;
- l'évaluation de l'irritation et l'atrophie de la muqueuse ;
- le dépistage de cellules cancéreuses éventuelles.

Il faut ensuite pratiquer *toujours* un examen de contrôle après le traitement, dont les patientes ont du mal à comprendre l'importance. Quand les troubles semblent avoir cessé, les germes peuvent n'être qu'atténués, ou détruits seulement en partie, et le dépistage est bien plus parfait sur muqueuse normale.

Métrites

On tient souvent pour acquis que les infections utérines s'éteignent automatiquement à la ménopause. Beaucoup de médecins le croient, et presque toutes les patientes qui ne voient plus de pertes ou qui ne souffrent plus. Mais en fait, la pauvreté des manifestations sécrétoires est presque toujours contredite par les résultats des examens systématiques, qui montrent la présence de germes dans plus de 70 % des cas ;

Cela s'explique assez bien.

Normalement, la desquamation menstruelle remet chaque mois la muqueuse utérine à neuf. Ce fait, ajouté à son acidité naturelle, l'aide à limiter l'infection en période d'activité vaginale.

Seul le col qui ne desquame pas, risque de servir de point de départ, après chaque menstruation à la réinvasion ascendante de l'utérus par des colonies microbiennes. Ceci explique que dans la vie génitale, il y a presque toujours très peu de pertes après le curetage naturel des règles, et que celles-ci augmentent au fur et à mesure que le cycle avance, tandis que l'infection microbienne s'étend, remonte jusqu'au fond de l'utérus et atteint son maximum juste en phase pré-menstruelle.

Ce système d'exfoliation menstruelle protège la muqueuse et dans la plupart des cas limite les dégâts infectieux.

Mais avec la disparition des règles, le nettoyage naturel périodique est supprimé. Or, c'est justement le moment où l'atrophie dépouille la muqueuse de ses défenses naturelles, et la couvre de craquelures, d'érosions ou de crevasses.

C'est aussi l'époque où apparaissent toutes sortes de lésions propres à la ménopause, qui modifient la cavité (polypes muqueux, fibromes, cancers du corps utérin). Ils peuvent provoquer l'infection, mais aussi être masqués par elle. Il faut donc les rechercher systématiquement.

Une muqueuse traitée et que l'on fait desquamer régulièrement échappe à ce genre de troubles.

Pertes retenues

Elles sont beaucoup plus rares, et beaucoup plus graves.

La pyométrie est une conséquence directe de l'atrophie. C'est la rétention dans la cavité utérine d'un écoulement séreux, sanguin ou purulent, ou un peu les trois à la fois, par un col dont l'atrophie a plus ou moins complètement fermé l'orifice.

Les signes, contrairement à la jeunesse, ne sont pas très évidents, mais il y a une certaine température, des douleurs du bas-ventre avec gonflement. *La notion que rien de ce genre ne peut se produire à la ménopause, les raisons fonctionnelles étant désormais éteintes, doit conduire à une consultation immédiate.*

Un traitement antibiotique énergique, le rétablissement de la perméabilité du col seront les premières manœuvres indispensables qui seules permettront de rechercher ensuite en amont, par les moyens classiques (hystérographie, curetage biopsique, ou cœlioscopie [1]), les causes responsables :

— presque toujours un ou plusieurs polypes fibreux surinfectés ;
— parfois simplement, une infection atrophique sénile ;
— rarement, mais plus dangereusement, un cancer utérin.

L'hydrorrhée est constituée par des pertes très caractéristiques, brutales, très fortes, véritables « vidanges d'eau ».

Elles se produisent (parfois au cours d'un effort) séparées par plusieurs jours ou plusieurs semaines parfaitement secs.

Il n'y a en général pas d'autres signes, *mais il faut demander une consultation immédiate et des vérifications soigneuses.* Il peut exister une légion maligne au niveau de la trompe, pour laquelle un diagnostic précoce est une chance à ne pas perdre. L'intervention est peu traumatisante et l'exérèse d'une trompe sans importance à cet âge.

---

1. *Cf.* Ces examens aux noms barbares, p. 282.

2

HÉMORRAGIES

Les hémorragies de ménopause peuvent atteindre une violence incroyable, et parfois très impressionnante. Elles ont laissé des souvenirs mémorables dans l'histoire, même récente, de la médecine.

Il y a moins d'un siècle en effet, sans anesthésiques, sans antibiotiques, sans anti-coagulants et sans hormones, aucune intervention n'était possible. Il fallait assister impuissant au développement parfois interminable et terrifiant d'une succession d'hémorragies d'origine inconnue, et d'autant plus mystérieuses et déconcertantes que, si quelques-unes, particulièrement violentes ou d'origine cancéreuse, aboutissaient à la mort, bien d'autres, après des récidives plus ou moins longues, parfois de plusieurs années, s'éteignaient spontanément, sans laisser de traces... ni d'explications !

Après la découverte de l'anesthésie, et de l'aseptie, la chirurgie s'empara du problème, cherchant obstinément — et abusivement — des causes que l'on ne pouvait imaginer, autres qu'anatomiques.

Ce n'est que très récemment que fut enfin comprise et démontrée *l'origine fonctionnelle*, ovarienne, du plus grand nombre d'entre elles. Mais il est vrai que les moyens nets et clairs de poser un diagnostic et d'intervenir efficacement sont, eux aussi, assez récents.

En période féconde [1], une hémorragie est *toujours* pathologique : accident de grossesse, avortement, placenta prævia, rupture de grossesse extra-utérine, quelquefois fibromyome ou cancer du col. Mais le risque obstétrical domine de très loin, et c'est à lui qu'on songe avant toute autre chose.

---

1. Tout ceci doit s'entendre en dehors de tout traitement.

A partir de 40 ans, le problème devient plus complexe :

— il faut tout d'abord s'assurer qu'il n'y a pas un état de grossesse ;

— ensuite, vérifier la possibilité d'une hyperplasie, d'un myome sous-muqueux ou d'un polype, et éliminer tout cancer ;

— et puis songer enfin à la possibilité de troubles de règles d'une ménopause précoce.

A la ménopause, les choses se compliquent extrêmement. Règles hémorragiques ou hémorragies intermenstruelles sont fréquentes, sans relever obligatoirement de phénomènes pathologiques.

Des hémorragies fonctionnelles sont encore possibles après un arrêt apparemment définitif.

Il ne faut donc pas dramatiser.

Mais, à l'opposé, on ne peut se fier trop paisiblement à une explication purement physiologique. Si le risque obstétrical a disparu, le danger d'hémorragies d'hyperplasie [2] cataclysmiques, les petites pertes irrégulières d'un cancer, ne permettent aucune désinvolture. Il ne faut pas *supposer,* mais *chercher* et *éliminer* patiemment, méthodiquement, toutes les pathologies bénignes ou graves susceptibles d'en provoquer.

Enfin, dans la post-ménopause tardive [1], toute hémorragie est suspecte et demande des vérifications rigoureuses.

**

Les causes bénignes l'emportent nettement dans les 3/4 des cas. Elles sont à l'origine des hémorragies les plus violentes et les plus spectaculaires.

Parmi elles, les causes fonctionnelles l'emportent et de loin sur les causes organiques !

Voilà qui ne ressemble guère aux idées qu'on se fait !

LES CAUSES BÉNIGNES assurent la responsabilité de 68 à 78 % des grandes hémorragies. Elles sont :

— tantôt fonctionnelles : hyperplasie [2] ;

— tantôt organiques : fibromes, polype de l'utérus (ou du col) ;

— tantôt thérapeutique : de simples erreurs de prescription ou

---

1. Toujours sans traitement.
2. Hypertrophie de la muqueuse.

de prise hormonale partagent souvent cette responsabilité. Elles se placent au 3ᵉ rang des causes bénignes !

LES LÉSIONS MALIGNES sont infiniment moins nombreuses, mais incomparablement plus graves ; elles causent rarement de grandes hémorragies, mais se trahissent plutôt par des pertes irrégulières, peu importantes mais répétées. Ici aussi l'utérus dont la muqueuse est si naturellement hémorragisante prend la tête par ordre de fréquence, devant les lésions du col.

Mais leur évolution, autrefois toujours mortelle, a changé. Avec les progrès modernes, elle va de la guérison à 100 %, à des sursis de plusieurs années ou de seulement quelques mois, suivant la précocité du diagnostic et de la mise en train thérapeutique.

Aussi insisterons-nous particulièrement sur ce problème car c'est de l'idée juste qu'une femme s'en fait, et de sa rapidité à consulter, que dépend l'efficacité totale ou au contraire tristement relative du médecin.

CAUSES UTÉRINES

Bénignes ou malignes, fonctionnelles ou organiques, les CAUSES UTÉRINES sont évidemment de loin les plus fréquentes, étant donné les caractères particuliers de la muqueuse.

❖

Les plus fréquentes, et, paradoxalement, les plus dramatiques, sont presque toujours fonctionnelles.

L'hyperplasie de la muqueuse utérine est de loin la grande responsable, en fréquence et en abondance. C'est le phénomène extrême du déséquilibre de début de ménopause : œstrogène (+), progestérone (—), desquamation (0).

Elle se rencontre donc surtout en pré-ménopause et seulement dans les premières années de la ménopause proprement dite [1].

En effet, l'hyperplasie est le prolongement exagéré en importance et en durée de la prolifération muqueuse utérine qui précède l'ovulation. Elle est causée par l'action isolée, prolongée, d'œstrogènes seuls (d'origine fonctionnelle, pathologique ou thérapeutique). Avec une progestérone très réduite ou disparue, il n'y a plus ni remaniement, ni desquamation menstruelle franche. La prolifération tissulaire, glandulaire et vasculaire s'exaspère tandis que certaines portions de muqueuse commencent à nécroser. Ainsi se déclenchent des hémorragies interminables, rebelles, parfois cataclysmiques et capables de se renouveler pendant des mois et des années.

Un traitement progestatif, un ou plusieurs curetages parviennent souvent à ramener la muqueuse à l'état normal. Mais dans certains cas rebelles, pris trop tardivement ou dus à une sécrétion ovarienne anormale, on est parfois contraint de recourir à l'hystérectomie avec ou non, suivant la cause, ovariectomie associée.

La deuxième cause fonctionnelle est l'atrophie.
Ce n'est pas aussi contradictoire qu'il paraît.

---

1. Lorsque le stroma conjonctif ovarien ou la persistance de follicules enkystés continuent une sécrétion oestrogénique isolée, sans progestérone et sans desquamation.

La muqueuse atrophiée, amincie, desséchée, kératosée, donc raidie, présente souvent des craquelures capables de saigner au moindre frottement, au moindre effort, à la moindre distension. Mais elle est rarement capable d'égaler les grandes hémorragies « *en nappes* » de l'hyperplasie.

Lorsque le diagnostic est certain, les atrophies cèdent toujours vite et très bien à l'hormonothérapie. Mais il faut la débuter très progressivement : une revascularisation brutale, toujours très rapide provoquerait une hémorragie, peut-être plus violente que celle qu'on prétendait traiter.

Il n'est pas rare de trouver les deux cas opposés associés. Beaucoup d'hémorragies se produisent à partir d'une ou plusieurs plaques Hyperplasie, atrophie de la muqueuse utérine, sont des diagles différences locales de sensibilité et de vascularisation).

En principe, curetage et traitement hormonal à dominante progestative au départ régularisent et normalisent la muqueuse.

Hyperplasie ,atrophie de la muqueuse utérine, sont des diagnostics relativement aisés, à condition d'employer une méthode rigoureuse.

Les frottis ne sont jamais suffisants. Ils doivent toujours être accompagnés des dosages hormonaux.

Négliger une hystérographie empêcherait de garantir l'absence de tumeur organique, bénigne ou maligne. Une simple ponction-biopsie plutôt qu'un curetage pourrait manquer une plaque d'hyperplasie isolée ou un cancer à ses débuts. Il ne faut donc pas craindre ce type d'examen [1], mais bien au contraire, s'y prêter de bonne grâce. Sans gravité et sans désagréments appréciables, ils permettent avec certitude et à un stade très précoce, un diagnostic autrement très difficile.

Enfin, dans le cas d'une hyperplasie, le curetage biopsique exploratoire a fait d'avance, à lui tout seul, les deux tiers du traitement.

Les causes organiques bénignes viennent au 2ᵉ rang, et sont bien moins souvent responsables de grandes hémorragies.

Les polypes sont des petites tumeurs qui se détachent dans la

---

1.   *Cf.* « Ces examens aux noms barbares... », p. 291.

cavité utérine. Leur image en pendentif est très caractéristique à l'hystérographie (fig. 7, p. 425).

— ils sont parfois *fibreux* et saignent peu ;

— parfois *muqueux* et alors rarement isolés et très *hémorragisants*.

Mais les deux formes exigent une vérification histologique soigneuse car bien que tout à fait bénins, ils peuvent : soit subir ultérieurement une dégénérescence cancéreuse, soit se trouver associés à un cancer que l'on ne peut courir le risque de manquer, sur la foi d'une image radiologique rassurante.

Un curetage est indispensable et souvent suffisant, à l'exception de quelques polypes fibreux, très volumineux, qui demandent une véritable intervention.

Le fibrome [1] a une responsabilité hémorragisante bien loin d'égaler la précédente. Non seulement c'est une des plus basses, très loin derrière les hémorragies fonctionnelles ou même thérapeutiques, mais elle dépend bien plus de la situation de la tumeur, dans la paroi musculaire (près ou loin de la muqueuse), que de son volume (fig. 6, p. 425).

Tumeurs bénignes par excellence, musculo-fibreuses, développées parfois précocement par la perturbation précoce du rapport : œstrogène (+)/progestérone (—), 80 % des fibromes apparaissent significativement en pré-ménopause, c'est-à-dire en *période d'insuffisance progestative relative*.

Leur début peut être précoce (dès avant 40 ans), longtemps silencieux, et c'est le plus souvent une découverte de hasard ou d'un examen gynécologique systématique. Les symptômes sont souvent discrets : pesanteur pelvienne, gêne urinaire, pas de douleurs.

Cependant, de façon générale, le fibromyome est la cause majeure des anomalies de règles de la femme à partir de 40 ans : règles hémorragiques trop abondantes, trop longues, souvent chargées de caillots, parfois accompagnées de pertes du milieu du cycle, mais, *toujours, séparées par des périodes sans saignement* ;

L'évolution est habituellement lente, par petites poussées. Mais, hypersensible aux hormones, le fibrome peut subir des évolutions brutales en période pré-ménopausique ou sous l'effet de traitements intempestifs.

Le plus souvent, il s'atrophie spontanément en même temps que la paroi utérine, mais ce n'est pas une règle absolue.

---

1. Appelé également fibromyome.

Isolé ou multiple, de volume variable (d'une noisette à un gros melon), le fibrome a des conséquences très différentes suivant sa situation : *sous-muqueux,* il saigne énormément et cause des hémorragies cataclysmiques, même sous très petit volume ; *polypeux,* il saigne également et s'accouche parfois en partie dans le col ; plus profond, il peut, même volumineux, rester totalement muet, saigner discrètement, et seulement augmenter, par distension ou agrémenter de caillots, par rétention, des règles autrement normales. Cependant, il arrive qu'un très gros fibrome profond cause indirectement de grandes hémorragies en provoquant une distension anormale de la cavité utérine.

Le fibrome peut subir des complications tardives.

— *hémorragiques,* dans les fibromes sous-muqueux toujours très hémorragisants, ou par torsion de la tige d'un fibrome polypeux ;
— *mécaniques,* de compression : urinaire ou intestinale ;
— *douloureuses,* rares, mais témoins d'une nécrose éventuelle.

Un fibrome non polypeux, qui n'évolue pas, ne gêne pas, ne saigne pas, peut être conservé. Il ne subit jamais de dégénérescence cancéreuse.

Beaucoup sont parfaitement tolérés, n'empêchent pas le traitement hormonal s'il obéit à quelques règles particulières et ne demandent qu'une surveillance vigilante. Et on constate qu'ils se calment plus facilement et plus sûrement sous traitement, qu'avec la carence et l'atrophie ménopausique.

Cependant, certains cas posent un problème chirurgical :
— les hémorragies, rebelles au traitement médical ;
— les compressions avec des troubles fonctionnels, particulièrement urinaires ;
— les complications locales : nécroses ou infections ;
— les très gros fibromes qui doivent toujours être enlevés, car même s'ils sont momentanément bien tolérés, ils subissent une transformation fibreuse qui les rend très durs (« fibromes calcifiés ») et risquent de causer dans l'atonie et l'amaigrissement de l'extrême vieillesse des compressions et des frottements dangereux ;

Enfin, une autre éventualité opératoire est de plus en plus couramment envisagée à l'heure actuelle. Lorsque l'assèchement hémorragique d'un fibrome est incompatible avec un traitement d'équilibration hormonale de ménopause, même parfaitement nuancé, il semble que l'attitude moderne — et elle est beaucoup plus facilement acceptée par les femmes qu'on ne pourrait l'imaginer — soit en faveur de l'intervention chirurgicale. La sauvegarde de l'intégrité et de l'équilibre des 20 ou 30 années à venir le vaut bien, toutes les fois que l'indication opératoire et favorable et ne pose pas de problèmes particuliers.

٭٭

Les hémorragies d'origine thérapeutique occupent, dans les hémorragies de ménopause, une surprenante troisième place, soit : un cas sur dix.

Ces hémorragies ne surviennent pas n'importe quand, mais presque toujours, dans des conditions que l'on peut définir clairement et qui démontrent que *ce n'est pas la fréquence croissante des traitements qui est en cause, mais des erreurs dans ces traitements*.

Il faut en effet peu de chose. La muqueuse utérine est exceptionnellement hormono-dépendante. *Or, toutes les hormones génitales, mâles ou femelles, sont, dans certaines conditions, capables d'un effet hémorragique.*

A) La prise d'*œstrogènes seuls* représente pour sa part la moitié des hémorragies thérapeutiques : dose trop élevée, mais surtout prise continue — même faible — et de longue durée. Dans les deux cas, l'effet prolifératif œstrogénique n'est plus périodiquement remanié par la progestérone, ni annulé par les règles. La muqueuse s'hyperplasie et saigne.

B) Certaines *associations sont mal équilibrées* ou *mal choisies* :

— *l'association œstrogènes + androgènes* représente à elle seule le quart des cas restants. Les androgènes en effet potentialisent, plutôt qu'ils n'atténuent, l'effet prolifératif des œstrogènes ;

— les *associations œstro-progestatives* sont les seules qui ne soient jamais en cause, sauf dans deux cas bien particuliers :

• si elles sont commencées trop brutalement chez une femme âgée très atrophiée ;

• s'il n'y a vraiment pas assez de progestérone et vraiment trop de folliculine ;

C) Les *thérapeutiques retard* ont une lourde responsabilité. Elles provoquent parfois après cessation brusque des hémorragies tardives *(jusqu'à 2 ou 3 mois après l'interruption)* et extrêmement violentes.

Ces erreurs sont parfois médicales. Le recours à des méthodes ou des produits variés, parfois illogiques ou contradictoires, une méconnaissance ou une désinvolture vis-à-vis des hormones prolongent ainsi injustement la méfiance qu'on leur porte.

Mais presque toujours les intéressées elles-mêmes sont sérieusement impliquées ; erreurs, libertés ou interprétations abusives, tout ce qu'on peut imaginer de fantaisiste est souvent dépassé.

Des erreurs très fréquentes, surtout au début, interviennent dans la prise du médicament. Toutes sont possibles, même les plus invraisemblables, et cela quelle que soit la précision des instructions données verbalement et par écrit, le niveau social ou culturel des patientes.

La fantaisie — et, pour certaines femmes, l'irresponsabilité — sont dans ce domaine sans limites :

a) La méthode est modifiée :

— certaines ne lisent, ne comprennent ou ne retiennent pas les choses les plus simples, ou stoppent par-ci, par-là le traitement en cours de cycle, oublient ou sautent délibérément quelques jours, ou bien encore inversent l'ordre des médicaments : progestérone d'abord, suivie (et pourquoi pas ?) des œstrogènes ! Et elles sont tout étonnées, voire scandalisées de l'apparition deux ou trois fois par mois, et à contretemps, des règles primesautières et fantaisistes ;

— d'autres, plus déterminées gardent un seul des deux médicaments, parce qu'il « semble mieux leur convenir » [1]... ; décident arbitrairement qu'un peu plus, ou un peu moins leur sera plus profitable ; ou, animées d'un sage esprit d'économie, prolongent indéfiniment la prise d'œstrogènes, seuls délivrés sans ordonnance [2].

Il faut souvent des recoupements policiers, pour obtenir la description du mode d'emploi réel qui commence toujours par « comme vous m'avez dit », pour finir... de la façon la plus imprévisible et renversante.

b) Les doses sont modifiées aussi légèrement et en toute bonne foi, parce qu'on n'a pas bien lu pour commencer et qu'on oublie de relire pour continuer, parce qu'il y a confusion avec un autre médicament ou une ordonnance antérieure.

Il existe aussi de fréquentes prises d'hormones, sous-estimées

---

1. Et évidemment lâchent presque toujours le progestatif, ne gardent que l'oestrogène, ce qu'il ne fallait justement pas faire !
2. La mauvaise foi idéologique et financière de la législation anticontraceptive en étendant à tous les progestatifs quel que soit le motif de prescription, le non-remboursement SS et l'obligation d'une ordonnance (qui n'est pas exigible pour les oestrogènes) favorise absurdement la prise isolée d'oestrogènes, c'est-à-dire *le seul risque hormonal relatif.*

ou insoupçonnées. Des produits d'usage externe sont employés à tort et à travers, pour la peau, les cheveux, les seins, dont on ignore l'action profonde. Des médicaments sont utilisés sans savoir qu'ils sont hormonaux parce qu'on leur attribue des propriétés tout à fait différentes. Beaucoup de patientes prennent par exemple un médicament à base d'œstrogènes, parce qu'on le leur avait donné (ou à une amie) pour la circulation [1]. Enfin de nombreux cosmétiques contiennent des doses variables d'hormones dont, aussi bien les commerçants que les patientes semblent ignorer totalement l'action générale et la complexité de cet effet. Il est à souhaiter vivement qu'ils soient interdits en cosmétologie et sans prescription médicale.

Une thérapeutique œstro-progestative bien calculée, adaptée à l'équilibre de la patiente ne doit en aucun cas donner d'hémorragies [2].

Si de petites fantaisies de pertes sont aussi innocentes que fréquentes en début de traitement (ou s'il y a eu quelques oublis), elles doivent être cependant *toujours signalées* au médecin traitant, seul capable d'en comprendre ou d'en rechercher l'origine.

Dans un traitement bien équilibré, bien rythmé, des hémorragies d'abondance déraisonnable, persistant ou apparaissant en dehors des périodes menstruelles normales, sont le signe à peu près certain d'un élément pathologique assez petit pour avoir échappé à l'examen préliminaire normal ou, ce qui est beaucoup plus rare, mais pas impossible, sous traitement, en train de débuter.

Il s'agit presque toujours d'un élément bénin : petit polype du col ou myome sous-muqueux, très hémorragisant sous un faible volume, et qui après sa petite manifestation rentre définitivement dans l'ordre après l'électro-coagulation, ou curetage. Mais c'est parfois le premier signe d'un cancer dont l'atrophie génitale masquait une évolution, dangereusement silencieuse. Aussi, devant quelque

---

1. La confusion de termes qui fait mélanger sous la même appellation « troubles de la circulation ou troubles circulatoires », les vaisseaux et les règles est extrêmement fréquente dans le public et conduit à bien des interprétations fantaisistes. Les troubles de la circulation sont les *troubles vasculaires* des vaisseaux et du sang, ils ne sont pas concernés dans les troubles des règles qui sont des *troubles d'hormones,* donc endocriniens et non circulatoires. Même si une de leur manifestation est sanguine, car c'est aussi le cas des hémorragies digestives ou gingivales que l'on n'appelle pas pour autant troubles circulatoires.
2. Sauf lors d'un début trop brusque chez une femme âgée.

chose d'un peu bizarre, au cours d'un traitement hormonal, l'attitude qui consiste à l'arrêter sans revoir le médecin est toujours sotte ou dangereuse et souvent les deux à la fois :

— sotte, le plus souvent, car dans les trois quarts des cas il ne s'agit que de nuances de traitement, ou de petites tumeurs bénignes facilement curables, et qu'on renonce ainsi, pour rien, à des grands avantages ;

— dangereuse, rarement, mais peut-être irréparablement, parce que se satisfaire, avec l'arrêt du traitement, de l'arrêt du saignement n'arrête pas une évolution cancéreuse. En éteignant, sans lui donner suite, son signal d'alerte, on perd les meilleures chances de diagnostic précoce et de guérison totale d'un cancer.

4. Le cancer de l'utérus ne représente que 25 % environ de l'ensemble des causes d'hémorragie.

Mais son début, dangereusement insidieux, donne très peu de signes significatifs. Seules quelques *hémorragies,* capricieuses, sans rythme précis, indépendantes des règles, rarement importantes, surtout au début, attirent l'attention. Elles sont parfois accompagnées de pertes blanches purulentes et fétides.

Aussi la *seule chance de dépistage précoce, il faut à tout prix le comprendre, réside dans des examens systématiques :*

— *frottis périodiques,* et pas seulement vaginaux, mais aussi du col, et de l'utérus par aspiration ;

— au moindre doute *une hystérographie*[1] qui infirme ou confirme les soupçons, et permet d'apprécier l'extension vers le col ;

— une ponction ou un *curetage biopsique* qui permet presque toujours un diagnostic histologique clairement positif.

Ce n'est pas la fréquence du cancer, mais seulement sa gravité, la pauvreté de ses signes, et la nécessité d'un diagnostic précoce, qui conseillent expressément des examens détaillés, méthodiques au moindre signe hémorragique, car l'évolution est longue, et laisse des chances exceptionnelles de traitement.

Mais il faut intervenir le plus vite possible, car l'envahissement se fait petit à petit vers le col, siège de nombreuses chaînes gan-

---

1. *Cf.* « **Ces examens aux noms barbares** », p. 291.

glionnaires et point de départ de diffusion lymphatique. Il peut aussi gagner en profondeur la couche musculaire de l'utérus, et se propager irréversiblement aux organes de l'abdomen. Enfin, il ne faut pas donner le temps à des cellules migratrices de créer à distance des métastases (trompes, ovaires ou vagin). (Fig. 9, p. 426.)

Comme toujours dans les cancers, l'importance de l'intervention chirurgicale et du traitement radiologique (rayons X cobalt) ou médical (progestatifs de synthèse) est proportionnée à la nature histologique, au degré d'évolution et à la présence ou l'absence de propagation ganglionnaire ou métastasique.

Le cancer de l'utérus est typiquement hormono-dépendant et significativement lié à la ménopause. En effet : 80 % des cas apparaissent en post-ménopause avec un maximum vers 60 ans.

Il est favorisé par plusieurs conséquences directes de la carence ovarienne :

• *un déséquilibre hormonal ovarien :* œstrogène (+)/progestérone (—) (c'est le climat des ménopauses tardives avec sécrétion œstrogénique isolée) [1] ;

• *une altération tissulaire utérine :* hyperplasie, atrophie, et surtout persistance de foyers prolifératifs sur un fond d'évolution atrophique (hyperplasie glandulo-kystique, polypes) [2] ;

• *une excitation hypothalamo-hypophysaire* qui se reflète dans des associations pathologiques : obésité, diabète, hypertension, fréquentes, toujours les mêmes, particulièrement évocatrices de désordres au niveau des centres hypothalamo-hypophysaires de l'appétit, de la régulation des sucres ou de la pression sanguine [3].

Cette hormono-dépendance est encore confirmée par deux caractéristiques thérapeutiques :

— le cancer de l'utérus est remarquablement docile à un traitement hormonal à base de progestatifs ;

— *il diminue, au point de disparaître de certaines statistiques, chez les femmes traitées systématiquement depuis la pré-ménopause.*

On peut donc le considérer comme une véritable complication de ménopause.

---

1. D'où le danger d'ostrogénothérapie isolée, sans progestérone.

2. D'où l'impérieuse nécessité de faire régulièrement desquamer l'utérus (règles).

3. D'où l'importance de freiner l'hypophyse. *Cf.* « Complications d'entraînement », p. 261 et « Approche étiologique », p. 392.

Il faut donc retenir à son sujet :

— qu'il est curable car son évolution lente permet un traitement efficace, à condition qu'il soit précoce ;

— qu'il doit être dépisté systématiquement, car son début insidieux risque de faire manquer les meilleures chances thérapeutiques ;

— qu'il *peut* et *doit* être prévenu, puisque une hormonothérapie substitutive précoce (avec desquamation) l'empêche presque sûrement, ainsi que les facteurs qui lui sont favorables.

LES CAUSES CERVICALES [1]

Les lésions du col sont rarement fonctionnelles. A peu près également bénignes ou malignes.

∗∗

Les lésions bénignes sont le plus souvent le fait de :

— *Polypes,* du col (évident) ou de l'isthme utérin (et cachés dans la profondeur mais parfois accouchés par le col).

Ils donnent des hémorragies, légères irrégulières, et il faut toujours y penser devant des hémorragies menstruelles ou intermenstruelles, inexplicables au début d'un traitement équilibré.

— *Cervicites,* inflammations du col, peu hémorragisantes et qui colorent seulement des pertes blanches anciennes.

— *Pessaires* souvent causes d'érosions ou d'ulcérations qui font saigner.

— Enfin chez une femme âgée, ou castrée depuis très longtemps, *l'atrophie vaginale* profonde qui peut saigner au moindre contact.

Le cancer du col de l'utérus est le plus fréquent des cancers génitaux de la femme.

Il débute au niveau de la surface de la muqueuse, et presque toujours à la jonction, entre la muqueuse utérine de l'endocol et la muqueuse vaginale de l'exocol [2].

Lui aussi provoque des petites pertes hémorragiques, mais elles ont une caractéristique très significative : elles sont souvent *provoquées,* à l'occasion de toilette ou de rapports sexuels, et c'est un signe très important, qui doit alerter sans délais.

Les *frottis* sont un renseignement précieux d'abord parce qu'ils peuvent être faits à l'endroit précis, ensuite parce qu'une tumeur épithéliale desquame beaucoup et donne un matériel histologique important. Le frottis sera donc beaucoup plus éloquent qu'un frottis de l'utérus. La biopsie est pour les mêmes raisons, précise et aisément praticable.

---

1. Ou du col.
2. *Cf.* « Involution du col », p. 84.

Réussie suffisamment tôt, alors que les cellules anormales sont encore uniquement superficielles, l'intervention peut être d'autant plus limitée que la surveillance ultérieure est facile. Plus tard, suivant le degré d'extension, l'intervention chirurgicale sera plus importante, assortie de tous les moyens modernes de la radiologie.

Il y a :

— 100 % de guérison, avec le plus souvent une intervention strictement locale, lorsqu'on intervient au premier stade (uniquement superficiel) ;

— 80 % lorsque la tumeur a gagné des tissus sous-jacents, mais reste strictement limitée au col ;

— mais seulement 30 à 40 % de guérisons lorsqu'il s'étend à l'extérieur, mais sans atteindre les organes voisins.

Je crois que ces notions doivent être connues, pour que chaque femme comprenne son degré de responsabilité, et les possibilités qu'elle a en main pour sa sauvegarde et sa préservation.

Le col est aisément visible et accessible. Le dépistage est donc particulièrement facile à réaliser. Or, il est tout à fait essentiel.

Un cancer du col à l'extrême début a 100 % de chances de guérison pour une intervention minime, alors que tardivement le voisinage étroit avec d'importantes chaînes ganglionnaires et des organes aussi essentiels que la vessie et le rectum représente un danger, rapidement mortel si l'on n'intervient pas (fig. 9, p. 426).

Le cancer du col bénéficie d'un autre avantage. Plus précoce (vers 40-50 ans) que celui de l'utérus, très peu hormono-dépendant, il semble bien par contre qu'il soit très franchement favorisé par des facteurs que l'on retrouve presque toujours avec lui et qui, tous, comportent une altération, un remaniement du col :

— des traces de traumatismes (accouchements, avortements, électro-coagulations répétées ou exagérées, infections...) ;

— des lésions variées (érosions ou ulcérations de la muqueuse) ;

— des remaniements tissulaires anormaux, d'origine hormonale (petites anomalies tissulaires dystrophiques, qui correspondent à l'antagonisme hyper-prolifération/atrophie de la pré-ménopause)...

Enfin, il semble exister un rapport certain avec la présence d'un virus herpétique dont l'action se retrouve dans la fréquence de cancer du pénis chez l'homme.

Toutes ces notions permettent d'envisager une véritable possi-

bilité de prévention tout au long de la vie, et, qui sait, peut-être, un jour, de vaccination.

Mais déjà, à l'heure actuelle on ne devrait plus mourir de cancer du col.

Bien que peu hormono-dépendant son taux de fréquence diminue fortement chez les femmes traitées... et, examinées régulièrement, montrant l'efficacité d'un dépistage systématique, trop souvent, bien trop souvent, ignorée ou négligée.

Fantaisies ou drames, les hémorragies sont un classique de la ménopause.

Elles concernent 40 % des femmes.

Or, un tiers d'entre elles ne tiennent aucun compte d'un risque éventuel et ne jugent pas nécessaire (« tant que ce n'est pas plus grave !... ») de se faire examiner.

Pourtant ces hémorragies ou de simples pertes rouges — et il ne faut pas oublier que les plus légères ne sont pas les moins dangereuses — peuvent aussi bien masquer que signaler des pathologies bénignes ou plus redoutablement malignes.

Elles posent donc un problème diagnostique complexe qui exige des investigations aisément réalisables et dont aucune à l'heure actuelle, n'est pénible, traumatisante ou mutilante.

Les négliger est une marque d'irresponsabilité impardonnable.

Avec les possibilités illimitées qui leur sont offertes, les femmes n'ont aucune excuse à ne pas recourir au dépistage systématique, ou, lorsqu'il est pratiqué, à ne pas donner suite aux examens demandés ou aux traitements conseillés.

Enfin, il est bon de savoir que la surveillance régulière, méthodique, la conservation de l'intégrité tissulaire, l'absence d'évolutions prolifératives bénignes, la diminution des proliférations malignes, et la quasi-disparition des cancers de l'utérus ou de la vulve, font de l'hormonothérapie substitutive bien équilibrée une technique préventive d'une efficacité si considérable que ce chapitre disparaît pratiquement de la pathologie.

3

CANCER DU SEIN

Il nous faut maintenant aborder un sujet pénible. Mais il est important de le faire et à fond. Car il s'agit d'un danger grave. Et, comme toujours, en cas de danger, le plus grand risque est l'ignorance, la négligence ou la lâcheté.

Il nous faudra ressasser une fois encore l'importance d'un diagnostic précoce, et les examens systématiques qu'il exige. Mais en ayant à l'esprit qu'il ne s'agit plus ici d'hygiène, ou de conservation trophique, mais de la différence entre un pronostic de vie... ou de mort à plus ou moins brève échéance !

Alors, il ne faut pas avoir peur des chiffres, même les plus impressionnants, il ne faut pas avoir peur des faits, même les plus cruels, car personne n'est sans défense et le monstre n'est pas invincible. Mais il faut savoir se battre car la partie ne peut se jouer que de trois façons :

— elle peut être *totalement gagnée avec le minimum de traumatismes* ;

— gagnée chèrement — et pas dans tous les cas — au prix de longs traitements et d'interventions mutilantes ;

— irrémédiablement perdue, malgré les batailles les plus acharnées et dans des délais désespérément brefs.

Cela ne dépend pas de la fatalité.

Toute femme peut être protégée pourvu qu'elle sache ce qu'il faut faire, et qu'elle le fasse à temps. Mais il faut pour cela un minimum de connaissances précises, seules garanties d'une prévention intelligente et efficace, d'une action positive déterminante.

Le cancer du sein est composé de cellules malignes qui se multiplient par *doublement* de chaque cellule.

Après une longue période de développement microscopique, cela finit par former une petite tuméfaction qui, au fur et à mesure de sa croissance, va devenir bientôt palpable.

Lorsque la tumeur a atteint un certain développement, certaines de ses cellules migrent dans le reste du corps.

Elles se déplacent d'abord vers les ganglions lymphatiques de voisinage. Si le tissu lymphatique est capable de les rejeter, il ne se passe rien. Sinon, certaines se fixent et il y a *invasion ganglionnaire*.

Les cellules atteignent ensuite certains organes. Electivement : l'autre sein, la colonne vertébrale, le tissu osseux, le poumon, l'utérus. Si l'organe les rejette, il ne se passe rien. Mais s'il n'est pas capable de se défendre, certaines cellules, souvent les plus dynamiques, s'installent et entreprennent à leur tour le développement d'une tumeur nouvelle. C'est la *métastase*, c'est-à-dire un deuxième cancer qui, constitué à bas bruit, peut passer longtemps inaperçu, puis éclore à son tour alors que le premier a été réellement guéri. C'est la cause la plus fréquente d'échec, après guérison apparente.

Dans le même temps, la tumeur envahit les tissus voisins créant des adhérences, à la peau en surface, et au muscle grand pectoral en profondeur. Puis elle finit par s'ulcérer.

La classification des cancers du sein se fait par ordre de gravité, d'après le volume de la tumeur (de T1 à T4), et suivant qu'il existe ou non une atteinte ganglionnaire ou des métastases.

Il y a un stade infra-clinique : *la tumeur* (moins de 1 cm) *n'est pas encore palpable.* Mais elle commence à donner une image radiologique particulière reconnaissable, et une augmentation de vascularisation ou de chaleur décelable à la thermographie. *L'évolution infra-clinique est longue : elle représente environ les quatre cinquièmes de la durée totale d'évolution. A ce stade, sauf en cas d'intensité maligne exceptionnelle* [1], *tout peut être sauvé avec le minimum d'intervention.*

Le stade T1 est celui d'une tumeur *non invasive* de moins de 2 cm. Elle est *palpable.* La femme peut la découvrir seule, et elle échapperait en tout cas difficilement à un médecin. *70 % des diagnostics seraient possibles à ce stade où une simple tumorectomie* [2],

---

1. Il y a des cellules et des tumeurs « virulentes » et d'autres « calmes ».
2. Ablation limitée exclusivement à la tumeur.

*suivie d'irradiations, est souvent suffisante avec au moins 90 à 95 %
de guérison totale.*

Au stade T2, la tumeur ne peut passer inaperçue, elle dépasse
2 cm :

• s'il n'y a pas d'atteinte ganglionnaire, ni de métastases, on a
encore de grandes chances ;

• avec atteinte ganglionnaire, le pourcentage de survie est encore
de 48 % (à condition qu'il n'y ait pas de métastases) ;

Avec métastase se pose le problème d'un nouveau cancer avec
des caractéristiques inhérentes à son siège et la précocité de sa découverte. Ce n'est pas une condamnation absolue, mais l'ouverture d'un
2ᵉ front avec tout ce que cela suppose de difficultés thérapeutiques
accrues et de risques d'autres métastases.

Les deux stades suivants T3-T4 caractérisent une lésion importante dont l'aspect est inquiétant par son volume, son caractère
adhérent, rétractile, parfois ulcéré, les ganglions évidents qui l'accompagnent. *Il n'y a plus (au prix de grandes interventions et de traitements prolongés) que 20 % de chances de survie à 5 ans.*

Ce tableau en lui-même n'est pas si terrifiant. La marge de sécurité et d'action est appréciable. Largement aussi grande, sinon plus,
que celle que réservent bien d'autres maladies, inexplicablement
beaucoup moins redoutées.

Et pourtant, le cancer du sein est un véritable fléau social :

— *par sa fréquence relative :* c'est le plus fréquent des cancers
génitaux, il fait à lui seul le quart de tous les cancers féminins ;

— *par sa fréquence absolue :* il frappe une feme sur 14.

— *par sa gravité :* c'est le plus meurtrier. A tout âge. En
France, on compte 7 000 décès par an dont la moitié survient à
moins de 5 ans d'évolution [1].

C'est le seul des cancers génitaux qui ne laisse que 25 % seulement de femmes survivant en bonne santé, 10 ans après le diagnostic !

Comment cela est-il possible, malgré les progrès modernes, alors
que tous les autres taux de cancers génitaux régressent sensiblement ?

---

1. En Europe, sur les 67 000 cas, il y aura 29 000 décès. Aux Etats-
Unis, en 1970, 70 070 décès.

Pourquoi, malgré les progrès de la chirurgie, de la radiothérapie, de la chimiothérapie, le taux de survie terriblement bas : 55 %, n'a-t-il pas changé de façon significative depuis 35 ans ?

Il existe une explication évidente, incroyable et pourtant statistiquement mesurée :

10 %..., 10 % seulement, des patientes se présentent ou sont dépistées au stade T1, où la guérison est certaine pour 90 à 95 % des cas [1] *!*

40 % se signalent au stade T2 où la tumeur a déjà un diamètre supérieur à 2 cm et ne peut donc passer inaperçue.

Mais 50 % de femmes sont assez ignorantes, assez folles, assez bêtes ou assez lâches pour ne se présenter qu'au stade T3 ou T4 (12 % où les lésions sont telles que personne ne peut douter de leur gravité).

*
**

Il y a de multiples raisons à cette attitude néfaste :

Raisons physiologiques

Si pour tous les cancers un diagnostic précoce est le facteur essentiel de guérison certaine, il l'est ici plus encore que pour tout autre. Jugez-en :

Il faut des années pour qu'une tumeur cancéreuse passe du stade mono-cellulaire à un diamètre d'environ 1 cm, qui la rend cliniquement perceptible. 5 à 8 ans, c'est extrêmement long, surtout quand cela représente la distance entre le début de la maladie et son diagnostic. L'évolution à partir de la découverte semble s'accélérer tragiquement, mais il n'en est rien en réalité. La progression est régulière pour une tumeur donnée. Chacune a un *rythme de doublement* [2] qui lui est propre, et reste régulier tout au long de l'évolution [3].

Imaginons un rythme de doublement de 6 mois par exemple. S'il faut 6 mois pour passer de 1 cellule à 2... de 20 à 40, etc., on comprend que l'évolution microscopique soit très longue. Mais lorsque la tumeur atteint environ 0,5 cm, elle fera 1 cm 6 mois après, 2 cm

---

1. GUÉRIN.
2. Lié au mode de reproduction cellulaire : chaque cellule se divise pour en donner deux.
3. On peut ainsi, après quelque temps d'observation, calculer le « tempo » d'une tumeur cancéreuse donnée, et en tirer la conclusion pour son évolution.

1 an plus tard, 4 cm 18 mois plus tard, etc. Après des années d'évolution silencieuse et bien limitée, en quelques mois, l'extension devient considérable (voisinage, ganglions, métastases). A 3 mois, 6 mois, 1 an près, on passe d'une tumeur presque bénigne à la grande invasion et au danger mortel.

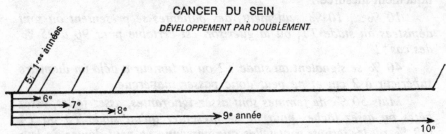

CANCER DU SEIN

DÉVELOPPEMENT PAR DOUBLEMENT

Or, que se passe-t-il ? 95 % des cancers du sein sont diagnostiqués par les femmes elles-mêmes, *et par hasard*. Donc presque toujours au delà de 1 et même 2 cm.

Ensuite, à partir du moment où la tumeur est décelée, la femme peut laisser passer un délai de plusieurs mois avant de consulter son médecin, inconsciente du fait qu'elle joue ce retard — non pas sur la longue et lente période d'ébauche — *mais sur les courtes années terminales* de la tumeur, et que le moindre retard peut engager une invasion ganglionnaire ou des métastases irréversibles. *Elle prend donc sans bien le comprendre, un risque insensé.*

Raisons anatomiques

Presque tous les récits sont ceux d'une découverte de hasard. Mais comment s'en étonner ?

La plupart des femmes ont une texture mammaire assez irrégulière, avec des condensations ou de petites tumeurs bénignes. Et puis, au stade essentiel pour le dépistage et la guérison, une tumeur mammaire attire peu l'attention. Pour déceler un grain, une boule, une induration ou une condensation quelconque d'environ 1 cm, il faut palper le sein en *profondeur,* centimètre par centimètre, en le pressant entre deux doigts ou en l'aplatissant contre les côtes. Ce n'est pas un geste machinal. Il est parfaitement inhabituel pour une femme qui évite toujours de malmener ses seins, non seulement parce que ce n'est ni commode, ni agréable, mais parce qu'elle craint instinctivement, en les froissant, des les distendre. Pratiquement, aucune ne fait ce geste, si elle n'a pas été entraînée à le faire [1].

---

1. Le cancer du sein est peut-être le seul qui soit assez fréquemment remarqué par un tiers, mari, mère ou amie, avant l'intéressée elle-même.

De ce fait, soit par confusion au début avec d'autres petites condensations familières, soit parce que la femme est tout bonnement ignorante de sa présence, ne l'ayant ni perçue, ni recherchée, une tumeur peut atteindre un développement dangereux, sans être découverte, sauf si une douleur légère, un tiraillement occasionnel attirent la main dans la région atteinte. Ces raisons évidentes de découverte trop tardive font mieux comprendre la nécessité absolue d'un DEPISTAGE systématique.

Raisons psychologiques

Irrationnelle, viscérale, la peur du cancer domine notre époque et celle du cancer du sein plus que toute autre, au point d'ignorer dans un refus aveugle et obstiné les progrès accomplis et les notions acquises qui permettent de combattre et de négocier la menace.

« Je ne veux pas savoir... Je ne veux même pas en parler... Si j'entends parler d'irradiation (?) je deviens folle !... Je n'irai sûrement pas à cette consultation, supposez qu'ils trouvent quelque chose !... J'ai une amie qui a été opérée, donc ne me parlez jamais de dépistage !... »

Cet obscurantisme désespéré est aussi navrant par l'intensité d'angoisses inutiles qu'il laisse entrevoir que par l'absurde énormité des risques qu'il fait prendre et l'étendue de l'ignorance qu'il révèle.

Les patientes se font une idée beaucoup trop tragique de ce que peut être un cancer... et une idée beaucoup trop légère des mesures à prendre, préventives ou thérapeutiques, pour s'en défendre. Elles n'ont pas assez peur... et bien trop peur en même temps.

— Pas assez peur, car elles ne se sentent pas d'avance concernées. Or, elles le sont. Quand une maladie menace 1 femme sur 15, *toutes* les femmes sont concernées.

— Bien trop peur, mais à contretemps et de ce qui devrait sécuriser, au lieu d'effrayer : les investigations, dont aucune n'est seulement désagréable, le diagnostic qui, s'il est précoce, n'est pas une condamnation mais, au contraire un sauvetage, la thérapeutique qui est bien plus nuancée et efficace qu'on imagine.

• *En raison de l'urgence, la peur d'être ridicule peut avoir des conséquences irréparables.* Ne haussez pas les épaules ! Naïve, réelle ou dissimulant un arrière-plan complexe de fuite ou d'autodestruction, la crainte de paraître « alarmiste » ou « cancérophobe » a conduit bien des femmes (souvent les plus cultivées : scientifiques ou médecins) à une mort, pourtant largement évitable.

• *La peur de l'ablation totale du sein* est la cause majeure de presque tous les retards de consultation. Les femmes sont persuadées qu'un diagnostic cancéreux s'assortit irrévocablement d'une décision opératoire mutilante, inacceptable et humiliante et, *pire encore,* elles croient cette opération inutile, incapable d'éviter une issue fatale à brève ou à longue échéance.

Mais la fréquence des grandes interventions, comme la fatalité de l'évolution, témoignent seulement d'une mise en train thérapeutique trop tardive, sur des lésions déjà très étendues, invasives ou dont les métastases déjà silencieusement ébauchées éclatent à leur tour après guérison de la tumeur initiale. *Elles donnent donc une image faussement pessimiste des modes et des possibilités réelles de la thérapeutique.*

*
**

Celle-ci est beaucoup plus vaste et variée que ce qu'on imagine. Le médecin dispose de plusieurs moyens dont il joue différemment, séparés ou associés, suivant les cas.

La radiothérapie a remarquablement développé ses méthodes, leur finesse, leur précision et leur efficacité [1] ;

La chimie et l'hormonothérapie sont loin d'avoir donné toutes leurs possibilités ;

des interventions comportent des degrés d'importance très différents. Si tout est mis en œuvre en même temps dans les cas particulièrement malins, ou trop avancés, la thérapeutique s'allège et s'assouplit considérablement pour des tumeurs débutantes. Dans le cas de dépistage infra-clinique, une petite intervention locale (tumorectomie) avec irradiation peut être suffisante.

La recherche en matière de cancer est en train de déboucher sur des faits précis. Il est vraisemblable qu'il sera possible, dans un avenir assez proche :

a) *d'analyser le mécanisme naturel du rejet de la cellule cancéreuse* (qui est tout de même la règle naturelle et la situation, de loin la plus fréquente), ce qui le favorise, et surtout ce qui, dans certains cas, l'empêche ;

b) *de mettre au point un traitement spécifique à action (directe ou indirecte) mais déterminante,* par destructions de l'un des moyens de reproduction ou de survie de la cellule cancéreuse ou de ce qui lui permet d'échapper au rejet ;

---

1. En particulier la cobaltothérapie dont les effets secondaires (asthénie, malaises) sont considérablement atténués par rapport aux anciens traitements.

c) *d'isoler des virus spécifiques* [2] *à partir desquels on pourra envisager la fabrication de vaccins.* On pourrait alors détruire d'avance ce virus chez les filles dont les mères ont été atteintes, et même vacciner systématiquement toutes les femmes dans leur jeunesse.

Tout cela représente déjà un progrès considérable sur les 20 années passées et il est vraisemblable que des thérapeutiques directement efficaces pourront être mises en œuvre dans les années qui viennent.

Mais en ce qui concerne l'immédiat, il faudrait comprendre qu'on ne peut faire tant de recherches et réaliser tant de progrès, sans en tirer des éléments positifs, des possibilités d'action intéressantes. Or, la grande majorité des gens continuent de se comporter comme si nous étions aussi impuissants, et désarmés, qu'il y a 20 ou 30 ans.

Pourtant l'amélioration des connaissances permet déjà une action statistiquement efficace à 2 niveaux essentiels :

— un dépistage poussé à son plus haut point d'efficacité, garantie presque absolue contre les évolutions dramatiques ;

— une prévention réelle, démontrée, qui démantèle les facteurs de risques au point de rendre ceux qui restent inopérants.

C'est cela les moyens actuels, et s'ils ne sont pas aussi satisfaisants pour nos exigences modernes que des antibiotiques contre une infection, ils existent, ils sont utilisables, efficaces. Il faut les employer et pour cela les connaître.

Dès maintenant, les grandes interventions mutilantes pourraient et devraient être l'exception. Il suffirait d'un diagnostic suffisamment précoce.

Presque tous les diagnostics pourraient être faits au stade infraclinique ou au stade I ou II sans invasion ni métastases, *et à ce stade, presque tous les traitements (plus de 90 %) seraient à la fois limités et couronnés d'une guérison définitive.* (En effet, les cancers occultes évoluant silencieusement et sans signes caractéristiques, les tumeurs hautement malignes, dont l'évolution exceptionnellement rapide déjoue tous les pronostics, sont extrêmement rares.)

Donc, avec un dépistage précoce, une femme est pratiquement assurée de l'impunité et d'un traitement aussi acceptable (et souvent plus court) que celui de bien des maladies fort banales... mais à condition d'avoir compris que, étant données les caractéristiques du cancer du sein, seul le *dépistage systématique* est assuré d'être suffisamment précoce.

---

2. Certains ont déjà été mis en évidence chez plusieurs mammifères.

8

Il n'y a aucune excuse à y manquer, lorsqu'on est suffisamment informée : il est facile, sans aucun désagrément et ne demande qu'un minimum de discipline. Ce n'est rien au regard du danger et de l'angoisse évités.

**

Le dépistage systématique repose sur plusieurs moyens qui gagnent à être énoncés, car ils se complètent et se recoupent admirablement.

Une investigation personnelle

Il faut prendre l'habitude de pratiquer un palper manuel, systématique, méthodique et consciencieux, aussitôt après les règles, car le sein est dégonflé, moins sensible. C'est le moment où une tumeur maligne, indépendante des variations menstruelles, se distinguera le mieux des tissus environnants.

Pour déceler un grain, une boule, une induration ou une condensation quelconque dans une glande mammaire, *il faut palper le sein très minutieusement en profondeur.*

Cet examen doit être pratiqué une première fois assise et penchée en avant. Il faut explorer chaque centimètre, quartier par quartier, en roulant doucement l'épaisseur entre les doigts. Insister particulièrement sur le pourtour et la région rétro-aréolaire, éprouver la souplesse et la mobilité de l'insertion du mammelon, puis remonter le long du muscle pectoral jusqu'à la racine du bras. Enfin, il faut explorer le creux de l'aisselle, à l'aide de la main opposée, à la recherche d'un ou plusieurs ganglions, bras levé, bras baissé, en fouillant bien derrière les muscles qui le limitent, à l'avant et à l'arrière.

Ensuite, couchée sur le dos, la main à plat doit éprouver l'homogénéité et la souplesse de la glande en l'aplatissant, région par région, contre la cage thoracique et en la faisant glisser un peu dans tous les sens.

• La moindre petite masse, le moindre petit grain, une résistance, un épaississement, une adhérence doivent attirer l'attention.

• Le mammelon doit être libre du plan profond. Il y a des invaginations, des rétractions naturelles, connues depuis longtemps et non pathologiques. Mais une modification tardive exige une vérification médicale.

• La peau ne doit tenir, coller, bomber ou creuser nulle part. Une fluxion, des rides, dépressions, un aspect de « capiton » et surtout une *vraie* « peau d'orange » [1] doivent immédiatement alerter. Il faut pouvoir la pincer légèrement en surface et la sentir libre et mobile : un point d'adhérence, même sans masse perceptible au-dessous, doit être signalé.

Mais attention, « alerter » ne veut pas dire affoler. D'abord parce qu'un cancer n'est pas une condamnation, nous ne le répéterons jamais assez, mais aussi parce que ces signes peuvent accompagner des phénomènes tout à fait bénins. Alerter veut dire *qu'il faut impérativement et dans les plus brefs délais, consulter un médecin,* parce qu'un diagnostic précis demande un spécialiste, et même pour celui-ci, l'utilisation de moyens techniques complémentaires indispensables.

Personne donc ne vous reprochera jamais de déranger pour rien, bien au contraire, et il faut le faire, sans hésiter aussi souvent que cela vous paraît nécessaire.

Mais il y a mieux à faire encore.

Une investigation médicale

Il faut consulter un médecin *systématiquement* à intervalles périodiques. *Une fois par an au moins.* Pour un praticien entraîné, 70 % des dépistages avant extension et invasion ganglionnaire sont possibles à la simple palpation manuelle.

Cependant, une tumeur du sein vraiment très petite est difficilement décelable et même pour un médecin, se distingue mal d'une tumeur bénigne ou de simples condensations. Certains cancers (rarissimes) ne donnent presque pas de signes. Enfin, nous l'avons vu, toute cette partie clinique n'est évidente que vers la fin de l'évolution, après *plusieurs années* de constitution microscopique, silencieuse, donc, de toute façon, tardivement.

Or, la médecine s'est enrichie depuis quelques années de méthodes de diagnostic extraordinaires.

Examens complémentaires

La mammographie

Le milieu mammaire est constitué de tissus mous, glandulaires conjonctifs et graisseux, infiniment moins radiovisibles que le système osseux ou des organes que l'on peut opacifier comme le tube digestif

---

1. Adhérence irrégulière, qu'on ne peut ni pincer ni décoller et qui semble adhérer par les pores (essayez vraiment de soulever la peau d'une orange non entamée entre deux doigts pour comprendre). Cela n'a rien à voir avec l'idée fausse que s'en font la plupart des femmes.

ou l'utérus. On a pourtant réussi à obtenir des photos détaillées de toute la constitution intérieure de la glande et cela sans aucun traumatisme.

C'est un immense progrès par rapport aux insuffisances et aux limitations de l'examen clinique. On peut déceler une formation cancéreuse, bien avant qu'elle ne soit palpable, analyser toutes les altérations (isolées, complexes, en placards ou diffuses), bien différencier tumeurs bénignes ou malignes, même dans les cas les plus douteux. On peut, en étudiant les réactions tissulaires, apprécier la rapidité évolutive, et calculer les risques d'extension, suivre l'effet d'une radiothérapie et, enfin, après traitement, déceler l'apparition d'une récidive éventuelle avant tout signe extérieur [1].

Mais cet examen peut être dans certains cas limité par la nature du sein. Autant un sein graisseux, est radio-transparent, donc facile à explorer, autant un sein fibreux peut être radio-opaque, et donner de mauvaises images radiologiques.

La thermographie est alors un précieux complément.

En effet, un cancer, même débutant, provoque une hypervascularisation locale et une production de chaleur qui émet une longueur d'onde spécifique.

Cela donne une image de couleur particulière, différente du voisinage, et différente de l'autre côté.

La thermographie confirme, quand mammographie et examen clinique concordent, tranche lorsqu'ils sont discordants.

Elle fait une évaluation de l'intensité d'extension et des limites de la zone d'activité parfois plus précises que le palper ou la mammographie, et permet de surveiller et de contrôler par la suite d'éventuels « rallumages » d'activité.

La cyto-ponction, dans le doute, permet de trancher. D'une simplicité et d'une facilité extraordinaire, elle se pratique avec une aiguille excessivement fine sur les zones indiquées par la mammographie ou la thermographie. Le prélèvement d'une simple sérosité, donne quelques cellules suffisantes pour, ou confirmer, ou nier un diagnostic, préciser la personnalité histologique de la tumeur et son caractère plus ou moins malin et invasif.

Associés à l'examen clinique, *ce remarquable ensemble d'examens non sanglants, non traumatiques et sans aucun inconvénient* donnent des chances de diagnostic tellement supérieures, que le

---

1. Willemin.

pourcentage de dépistages et de guérisons est plus de deux fois supérieur dans les statistiques les plus sévères [1].

**

Mais dès maintenant, une action encore plus précoce que le dépistage le plus soigneux est déjà réalisable.

Il devient de plus en plus évident qu'il n'y a sans doute pas *une* mais *plusieurs* causes de cancer du sein, et que tout un ensemble de facteurs concourrent à sa constitution. Pour que des facteurs de cause : *virus* ou *agents cancérigènes* puissent agir, il faut la présence de *plusieurs* facteurs favorisants ou déclenchants. Cette multiplicité même est un élément favorable, en multipliant les points d'action possibles.

Les facteurs favorisants sont, d'après les statistiques actuelles :

— *des facteurs écologiques,* incontestables, pour l'instant, mal définis. Ils semblent en tous cas démontrer une action importante du milieu plutôt qu'une transmission génétique. Les femmes jaunes (chinoises, japonaises) ont, dans leurs pays respectifs, le taux le plus bas du monde : le pourcentage des cancers du sein est presque nul. Mais ce pourcentage augmente dès qu'elles sont transplantées aux U.S.A. et rejoint celui de la population locale [2] ;

— *des facteurs héréditaires.* C'est le seul cancer où le rapport mère-fille soit statistiquement démontrable, et le risque est plus grand, si, en plus de la mère, une sœur a été atteinte. Mais comme pour les facteurs écologiques, il ne semble pas que cela se fasse par transmission génétique, mais plutôt par passage d'un virus dans le lait. En l'absence de facteurs favorisants, ce virus serait le plus souvent éliminé ou inactivé. Dans le cas inverse, il reste presque toujours en sommeil, des dizaines d'années, et il faut l'accumulation brutale de facteurs multiples pour lui permettre de s'éveiller et d'exercer son action pernicieuse.

---

1. C'est cette association qui donne les meilleurs résultats statistiques. Mais il faut noter qu'elles ont été pratiquées sur d'importants échantillons de femmes, mais âgées de *45 à 64 ans.* La même statistique pratiquée pendant 20 ans sur des femmes surveillées *depuis leurs 45 ans,* serait sans doute encore bien plus favorable.

2. Contamination, pollution ? Différence d'équilibre atmosphérique, alimentaire, biologique ? Cela rejoint, sans être tout à fait comparable, l'augmentation de fréquence des cancers digestifs dans les pays sur-développés (alimentation).

Les facteurs déclenchants connus sont de trois ordres, tous peuvent être contrôlés ou influencés :

— *des facteurs gravidiques* suivant le cas : *défavorisants* (la stérilité ou une première grossesse tardive) ou au contraire *protecteurs* (une première grossesse précoce, le nombre de grossesses et la lactation...) ;

— *des facteurs hormonaux* de deux types bien définis.

· Une fois de plus *le déséquilibre œstrogène (+)/progestérone(—)* comme dans d'autres cancers génitaux, soit parce que l'œstrogène isolé est trop hyperprolifératif, soit parce que l'absence de progestérone enlève un effet de protection directe, soit encore parce que c'est elle qui freine le mieux la LH ou la prolactine hypophysaire.

· *L'excitation hypophysaire* semble jouer un rôle prépondérant et spécifique. Mais il est vrai que c'est le seul organe sur lequel l'hypophyse ait une action conjuguée, indirecte par les hormones ovariennes, mais aussi directe par la prolactine [1]. Or, prolactine et LH sont très proches chez l'homme (et carrément confondues chez l'animal où leur administration à dose forte est très favorisante pour un développement cancéreux, alors qu'à l'inverse, il est impossible de déclencher un cancer expérimental sur un animal privé de son hypophyse). Il semble de plus plus certain, que les grandes bouffées de LH et de prolactine soient, sur une longue durée, et lorsqu'elles rencontrent un tissu en voie d'atrophie, le climat hormonal *le plus fâcheusement favorable* au cancer du sein ; on a pu le prouver chez plusieurs animaux et cela semble de plus en plus vraisemblable chez la femme.

— *Les facteurs tissulaires* sont de même ordre que dans les autres cancers génitaux. En effet, les lésions bénignes du sein ne sont pas précancéreuses (kystes, mastoses, etc.). Pourtant, leur présence semble multiplier le coefficient de probabilité.

On retrouve donc la notion d'amoindrissement de défense locale dans une zone tissulaire perturbée, comme on retrouve le déséquilibre œstro-progestatif ou le dérèglement hypophysaire qui les provoquent.

En somme, il n'y a guère que deux situations hormono-tissulaires apparemment fâcheuses. Et elles correspondent aux chronologies de fréquence :

— Les perturbations métaboliques, liquidiennes ou prolifératives

---

1. Stimuline hypophysaire qui **commande** la sécrétion lactée.

(tumeurs bénignes) du déséquilibre œstro-progestatif. C'est le clocher de 45 ans.

— L'opposition entre une carence ovarienne qui rend les tissus atrophiques et une stimulation hypophysaire proliférative d'autant plus sensible que son action sur le tissu mammaire est considérable, étant donné la sensibilité particulière du sein, aux moindres variations hormonales, et sa dépendance privilégiée vis-à-vis de l'hypophyse à cause de la lactation [1].

Toutes deux peuvent être modifiées, corrigées et mieux encore, prévenues : *on peut nuancer l'équilibre œstro-progestatif. En l'assurant, on maintient le calme hypophysaire.*

Ainsi, au lieu de faire craindre une hormonothérapie substitutive [2], le cancer du sein pose une de ses plus sérieuses indications et dans le même temps, pour qu'elle soit efficace, quelque-unes de ses règles les plus importantes :

— jamais d'œstrogènes sans progestérone, et contrôle rigoureux de leur rapport : quand il est bon, les mastoses disparaissent [3] ;

— début précoce de la thérapeutique, pour éviter les désordres métaboliques et prolifératifs de la pré-ménopause ;

— maintien prolongé pour éviter les désordres hypophysaires ;

— constance et régularité du traitement, car chaque interruption entraîne le désordre classique et provoque une décharge « rebond » des gonadotrophines, et particulièrement de la LH hypophysaire.

*
**

Le monstre n'est-il pas moins terrifiant d'être lucidement examiné ? La plupart de ses armes peuvent, par des moyens simples et sûrs, lui être retirées.

Une action efficace peut empêcher les « désordres déclenchants » — dont tous les autres effets sur d'autres appareils concernés par la ménopause sont *également* et *seulement* favorables Cette action préventive est capable de réduire de façon considérable (même dans les cas de facteurs héréditaires ou écologiques défavorables) le coefficient de probabilités. Il y en a déjà des preuves statistiques.

---

1. Peut-être faudrait-il classer le cancer du sein parmi les complications hormonales d'entraînement, et même « d'emballement » ?

2. *Cf.* « Risques cancérigènes », p. 319.

3. Ceci devrait d'ailleurs être fait à tout âge.

Si la prévention est débordée ou mise en train trop tard, rien n'est perdu.

A part quelques cas rarissimes sur le nombre total de cancers, toute évolution maligne découverte assez tôt est curable.

De nombreux cas sont dépistés et traités « a minima », et guéris, qu'on ne soupçonne même pas, tant tout s'est déroulé sans drame mais, malheureusement, sans la moindre publicité contrairement à celle, dramatisée, qui entoure les cas désespérés.

Le cancer du sein peut être ramené au même rang que la tuberculose, la diphtérie ou les méningites modernes. Il peut être guéri, pourvu que vous vous présentiez à temps...

... Mais cela, personne au monde ne peut le faire à votre place.

4

PROLAPSUS

« Descente de matrice », « descente d'organes ». Connues depuis la plus haute Antiquité[1], il n'y a pas un, mais plusieurs types de prolapsus. Ils consistent en une tendance à l'abaissement, et même l'extériorisation des organes du petit bassin et principalement des organes génitaux.

Le prolapsus est une maladie exclusivement féminine car, contrairement à l'homme, chez la femme, le bassin s'ouvre directement vers le bas pour permettre l'accouchement.

La suspension de l'utérus est, quoique très solide, soumise à des impératifs si contradictoires et des variations si extrêmes qu'il n'est pas étonnant qu'elle soit déformable.

Ce n'est pas un système rigide. Il doit être très malléable pour permettre l'évolution de la grossesse, en subir toutes les modifications anatomiques, s'adapter aux distensions les plus extrêmes, assumer en somme deux fonctions parfaitement contradictoires de fixation et de liberté.

Ce n'est pas un système simple. La suspension utérine est assurée par deux mécanismes.

La disposition des organes eux-mêmes. En effet :

• *les conduits* d'évacuation : urètre pour la vessie, vagin pour l'utérus et rectum pour l'intestin, s'élèvent d'avant en arrière (Fig. 4, p. 424) ;

• *les organes* dont ils sont issus s'inclinent en sens inverse de l'arrière vers l'avant.

---

1. *Cf.* « Approche historique », p. 379.

Il y a donc dispersion et contrariété des axes de poussée et de pesée. De plus, grâce à cette disposition : l'utérus repose sur la vessie, qui repose sur le vagin, qui repose sur le plancher constitué par le périnée, chacun jouant pour l'autre le rôle de soutien et d'amortisseur (fig. 4, p. 424). Le tout étant retenu à la base par le faisceau *des muscles releveurs* de l'anus qui ramassent l'ensemble en s'élevant d'arrière en avant, presque perpendiculairement au vagin [1].

L'intégrité et la qualité de ce système éminemment adaptable et mobile dépendent de plusieurs éléments :

— intégrité et tonicité du vagin, du périnée et des releveurs de l'anus ;

— intégrité de la sangle abdominale pour maintenir une cavité resserrée et dont les organes étroitement ajustés ne puissent se déplacer et glisser les uns par rapport aux autres ;

— bonne posture du bassin. Chez une femme trop cambrée dont l'axe du bassin bascule vers l'avant, tout le système perd le bénéfice de ses axes contraires et se verticalise. La poussée devient alors directe et trop lourde, l'effet d'amortissement disparaît.

Un ensemble de fixations complexes qui assure l'arrimage de l'ensemble, la fixation et l'orientation des organes (Fig. 5, p. 424) :

a) des prolongations musculaires unissent le vagin à la vessie vers l'avant et au rectum vers l'arrière ;

b) des faisceaux de fibres s'élèvent vers les vertèbres lombaires pour fixer le col en arrière et en haut, assurant l'extension et l'obliquité du vagin. D'autres limitent sur les côtés les déplacements latéraux.

c) à l'avant, d'autres fibres assurent la contrariété des axes en tirant le dôme utérin vers l'avant (ligament rond).

Ce système complexe et astucieux est malheureusement soumis à très rude épreuve au cours des maternités. Certaines fibres sont relâchées, d'autres terriblement distendues. Le poids du fœtus accuse vers l'avant une bascule du bassin déjà fréquente chez trop de femmes dès la puberté. L'horizontalisation de sacrum caractéristique de cette posture relâche la fixation en haut et en arrière, accentuant la poussée, en avant et en bas, des organes abdominaux.

Chez une femme à posture verticale, la posture de l'utérus et partant du fœtus, accentue la poussée directe de la tête fœtale et se traduit par une dilatation du col efficace et rapide.

Dans les bassins basculés en avant, la dilatation du col, moins franchement sollicitée, est plus longue à réaliser, avec tous les phé-

---

1. Comme une embrasse de rideau.

nomènes de contraction ou d'œdème qui caractérisent un travail prolongé et le ralentissent encore davantage. La poussée se fait long-temps et inutilement sur des ligaments suspenseurs qui n'en peuvent mais... et se remettent difficilement de cette distension forcée et prolongée.

A l'occasion d'accouchements laborieux, de manœuvres obstétri-cales d'urgence [1], brutales ou maladroites, de nombreux dégâts sont possibles :

• déchirure vulvaire mal recousue, qui ouvre la vulve en bas et en arrière, annulant l'obliquité du vagin ;

• délabrement du périnée ; relâché, distendu, il ne joue plus son rôle de hamac sustenteur ; rétracté, rétréci par une cicatrice fibreuse, il attire fortement la vulve vers l'arrière en verticalisant le vagin ;

• arrachement ou désinsertion partielle des releveurs de l'anus ;

• étirement ou dilacération de la musculature vaginale et des ligaments supérieurs de fixation et d'orientation [2].

Après les maternités, et au fur et à mesure que l'âge avance, la sédentarité, une atonie croissante aggravent progressivement le défaut de posture, les défauts de contension et de suspension physiolo-gique et les séquelles éventuelles de délabrement.

A tout cela, la ménopause va ajouter deux actions défavorables.

L'atrophie tissulaire achève de faire perdre toute efficacité à la suspension active par réduction des volumes et de l'élasticité.

L'altération de la tonicité musculaire, particulièrement sen-sible sur la musculature lisse qui n'a pas de moyens de récupération, détend et affaiblit considérablement tous les ligaments suspenseurs.

Tout se relâche à la fois, la fermeté des enveloppes et des systè-mes de suspension, la position des organes dans le bassin, leurs positions respectives, et leur propre tonicité ; ainsi, plus rien n'assure une sangle abdominale, une suspension ligamentaire ou un plancher périnéal suffisant.

Suivant l'organe le plus touché, le prolapsus prend des caractères différents. Mais souvent tous sont concernés ensemble, à plus ou moins longue échéance (Fig. 8, p. 425) :

La vessie descend souvent la première. Elle glisse le long de la

---

1. Souffrance du fœtus, ou malformation maternelle.
2. Souvent accompagné de syndromes douloureux chroniques du bas ventre ou des reins.

paroi antérieure du vagin qu'elle fait bomber. C'est la *cystocèle*.

En arrière, un étalement du rectum, la *rectocèle*, peut descendre très bas dans le périnée et renfle la paroi postérieure du vagin. Parfois, c'est tout un paquet intestinal qui descend entre vagin et rectum.

A la partie centrale, le col utérin s'abaisse et retourne peu à peu le vagin comme un doigt de gant.

**
*

Cette affection, apparemment bénigne, est loin d'être négligeable :

— par ses causes, délabrements ou atonie musculaire qui provoquent, ailleurs, d'autres dégâts ;

— parce qu'il concerne non pas l'utérus seul, mais aussi les autres organes du petit bassin, vessie et rectum ;

— à cause de la gravité de ses complications.

Comme on peut l'imaginer, une de ses causes essentielles, la *grande atonie musculaire* n'est pas limitée au petit bassin ou au plancher périnéal. Elle se traduit par toutes sortes de relâchements à différents niveaux : lombalgies chroniques, lumbagos, sciatiques, éventrations, hernies, etc.

Certaines complications relèvent directement de *l'atrophie ménopausique*. La muqueuse n'est pas faite pour être extériorisée. Amincie à l'extrême, desséchée, souvent crevassée, fragilisée au point de saigner au moindre contact, elle supporte particulièrement mal les irritations constantes auxquelles elle est soumise. Exposée à toutes les infections du fait de son atrophie, mais aussi de son extériorisation anormale, et plus encore par la coexistence fréquente du prolapsus vésical, ou rectal qui ajoutent aux risques d'infections de la zone génito-urinaire, elle devient souvent le siège de pertes blanches et de petites hémorragies. Cela peut dangereusement *masquer* ou au contraire *induire* une évolution tardive cancéreuse.

Les complications urinaires sont les plus fréquentes, parfois les seules. Cystocèle, urétrocèle, accompagnent pratiquement toujours le prolapsus utérin. Elles entraînent des phénomènes d'incontinence urinaire à l'effort, dans certaines positions, ou par fuites inattendues et incontrôlables, parfois légères, parfois aussi importantes qu'une véritable émission. Ce problème urinaire est un des plus pressants parmi les complications infectieuses qui en sont la conséquence habituelle et peuvent créer des problèmes fonctionnels de premier ordre.

Les troubles intestinaux de la rectocèle causent presque toujours une constipation terminale et des difficultés d'exonération constantes, parfois presque insurmontables.

Ces deux conséquences fonctionnelles, prises trop souvent à la légère à leur début, peuvent par évolution naturelle aboutir, chez un sujet, au départ totalement sain, à un état de déchéance extrême et de pathologies graves. La crainte d'un effort aggravant augmente rapidement la sédentarité et l'atonie, engendrant un cercle vicieux irréversible.

Les troubles physiologiques d'incontinence urinaire ou de constipation opiniâtre, créent un état d'asservissement insupportable et dégradant. L'incommodité considérable, les soucis quotidiens et permanents d'hygiène, le dégoût de soi-même, sont souvent à l'origine d'un sentiment de déchéance insurmontable sans doute plus important à lui seul que toutes les gênes accumulées.

Chez certaines femmes très âgées, l'extériorisation des viscères pelviens peut être incroyable et tout à fait insupportable. C'est le prolapsus du troisième degré, extrêmement pénible et extrêmement dangereux sur le plan fonctionnel, infectieux et dégénératif.

Ainsi, totalement bénin au départ, le prolapsus peut, dans la vieillesse, devenir une redoutable infirmité. *C'est un exemple parfait de la précocité de l'ébauche et de l'évolution (à partir d'éléments tour à tour négligés) d'une infirmité de vieillesse. La musculature, et la posture d'une jeune fille, les négligences ou la passivité d'une jeune femme après ses grossesses, la sédentarité abusive admise au fil des ans, tout cela prépare la faiblesse de tout un système que la ménopause brutalement décompense et rend pathologique.*

C'est aussi une démonstration de la multiplicité d'action et de la conjugaison des différents effets atrophiques de la ménopause. Mais dans ces cas particuliers, si la thérapeutique hormonale a un rôle important de tonification musculaire et de préservation tissulaire, elle ne peut tout assurer, ni tout réparer.

Alors que faire ?

Il faut éviter le pessaire, solution peu efficace et cause d'irritations dangereuses.

Tous les prolapsus de premier stade, pris à temps, sont susceptibles, avec un appui hormonal, de répondre avec un réel succès à la rééducation posturale et ses techniques particulières de changement de synergie musculaire pour obtenir de façon constante l'avalement du bas-ventre, le soulèvement du périnée et la verticalisation du sacrum. Elle seule est susceptible d'avoir une action efficace. Et beaucoup de déceptions et de désillusions sont uniquement dues à l'utilisation de techniques non adaptées ou sans efficacité.

Les seules difficultés rencontrées sont, comme toujours dans ce domaine... ethnographiques ! A quelques rares exceptions près, les femmes latines n'acceptent que rarement, contraintes et forcées, ce qui paraît aussi naturel qu'une hygiène à leurs sœurs germaniques, scandinaves et anglo-saxonnes.

Quand les lésions sont trop avancées et que la rééducation n'est pas suffisante, soit parce qu'il n'y a pas de résultats visibles au bout de trois mois, soit que la patiente est atteinte d'aboulie invincible, il faut décider l'intervention chirurgicale[1].

Chez une femme très âgée, devant un très mauvais état général on peut se contenter d'interventions de consolidation, surtout vésico-rectales, en éliminant les organes génitaux. Mais plus la femme est jeune, et plus les interventions doivent être soigneusement préparées et calculées. C'est le seul moyen d'empêcher des difficultés ou des impossibilités sexuelles, des dégradations physiologiques tardives, causes non seulement de grandes gênes, mais dans l'extrême vieillesse, de véritables infirmités fonctionnelles qui posent de terribles problèmes familiaux ou hospitaliers[2]. Souvent causes de complications graves de décubitus à la moindre maladie (surinfections, escarres, etc.), elles sont capables, à elles seules, de créer l'état pathologique qui conduira à la mort.

*

Mais il serait tellement plus sûr de prévenir.

Il y a une prédisposition au prolapsus, presque toujours décelable dès la puberté, dès les premières grossesses, bien avant la ménopause.

Or, dans ce domaine, la prévention peut être toute-puissante.

Car les prédisposées sont précocement décelables et curables.

— Elles ont (congénitalement) un tonus musculaire lâche et doivent s'astreindre pour un développement et une conservation musculaire égale, tout au long de leur vie et particulièrement aux époques d'altération musculaire, puberté, grossesse, ménopause, convalescences, à une discipline un peu plus stricte que les autres.

— Elles ont un défaut de posture (asymétrie, poussée pubienne

---

1. Que les Latines acceptent souvent (aussi incroyable que cela paraisse) plus facilement que la rééducation.

2. L'incapacité de contrôle des émonctoires est une des causes majeures de refus d'admission dans la plupart des cliniques et maisons de vieillards ; inutile de dire à quel point cette incapacité peut créer de problèmes familiaux et des astreintes intolérables.

en avant avec cambrure de redressement) qui va se dessiner parfois avant, mais à peu près sûrement à la puberté, s'aggraver à
chaque grossesse et se dégrader définitivement à la ménopause [1].

Toutes peuvent se corriger et se préserver indéfiniment, d'autant
mieux que la prévention aura joué plus tôt.

Au niveau obstétrical, la lourde responsabilité de délivrance
exige des précautions considérables qui ne sont malheureusement
qu'assez peu respectées, sur le moment, dans une optique où l'urgence
ou la commodité immédiate priment trop souvent sur le respect de
l'avenir. Lorsqu'il y a des dégâts, il ne faut jamais se contenter de
réparations grossières, même si elles semblent provisoirement ou
approximativement satisfaisantes. Il faut toujours rechercher la plus
extrême perfection, ne pas hésiter à accepter une intervention dès
après la dernière grossesse, et si possible bien avant la ménopause.

A partir de la ménopause, il ne faut pas négliger le dépistage...
Il vaut mieux consulter pour rien que consulter trop tard, d'autant
qu'il est bien évident que l'importance des traitements varie considérablement suivant les degrés atteints. Une impression de masse
inhabituelle à l'intérieur du vagin, et particulièrement à l'effort ou
en fin de journée doit conduire en consultation gynécologique.

L'ensemble de ces attitudes successives et, de la part du médecin
et de la patiente, leur continuité sans relâchement au seuil de la
ménopause — il reste, ne l'oublions pas, encore 30 ans à vivre —
devraient éliminer totalement de la post-ménopause et de la sénescence
féminine, cette affection inacceptable dans un monde moderne car :

— les maternités dépassent rarement un rythme et un nombre
raisonnables et n'occupent guère que les deux premiers cinquièmes
de la vie adulte.

— les progrès techniques : préparation ou réparation musculaire, possibilités obstétricales ou chirurgicales, thérapeutique hormonale substitutive, permettent, si on le veut vraiment, de l'éviter ou
de la contrôler de façon efficace.

---

1. Sur 610 femmes, dans nos statistiques, les défauts de posture représentent 61 % du total des cas, 77 % des prolapsus précoces et 89 % des prolapsus sans délabrements obstétricaux.

5

OSTÉOPOROSE

La physiologie ovarienne donne une certaine idée des systèmes compliqués qui assurent le bon fonctionnement et l'équilibre de l'organisme. Il en existe des centaines et leur complexité, leur « personnalité » ne le cèdent en rien à ceux qui régissent les fonctions sexuelles. Ils sont reliés entre eux par des mécanismes délicats et compliqués qui leur permettent des interactions d'équilibre, de freination, d'excitation, d'adaptation ou de compensation.

Tout se passe comme si l'organisme était composé d'un extraordinaire système de régulateurs (neurostats, barostats, thermostats, hormonostats, protidostats, calciostats, etc.) tous chargés grâce à de multiples mécanismes, parfois inimaginablement complexes, d'assurer une fonction tout en l'accordant aux autres, et aux variations des conditions ambiantes.

Parmi eux, le système osseux n'est pas un des moindres. En effet, le squelette n'est pas une sorte de mannequin inerte, destiné seulement à soutenir et fixer l'incroyable assemblage de muscles et d'organes qui composent un corps. Il a une autre fonction encore plus importante : celle de *réservoir* chimique minéral.

Le squelette en effet n'est pas le seul consommateur de minéraux dans l'organisme. Le phosphore et surtout le calcium ont un rôle essentiel à jouer dans l'équilibre du milieu intérieur. Or, il est évident qu'aucune forme d'alimentation, ni l'utilisation, éminemment variable, qu'en fait le tube digestif ne peuvent garantir cette stabilité. Il faut donc un réservoir, capable de céder le calcium dès qu'il est nécessaire à l'équilibre sanguin, et d'en reconstituer aussitôt très rapidement la réserve.

Ce rôle est dévolu à la substance osseuse.

L'os est constitué de travées de tissu protéique : *l'astéoïde*. Cette trame est très riche en cellules spécialisées : *les ostéoblastes,* capables de capter, de cristalliser et de fixer le calcium et le phosphore. Mais malgré son apparence l'os n'est pas une matière dure, constituée une fois pour toutes, immobile et inerte. Il est le siège de remaniements constants, d'un renouvellement perpétuel, dans un équilibre sans cesse remis en cause. Car à chaque minute :

— il s'en forme un peu : *c'est l'ostéogénèse* qui échafaude la réserve minérale et assure son intégrité ;

— il s'en détruit un peu : *c'est l'ostéolyse,* destruction physiologique qui fournit à chaque instant au sang les quantités nécessaires à son équilibre.

Certaines hormones jouent un rôle essentiel sur la constitution et l'équilibration minérale du tissu osseux : les unes stimulent la construction : ce sont les hormones sexuelles, les autres, antagonistes, activent la destruction (hormones parathyroïdiennes).

Il est facile d'imaginer les différents troubles qui menacent chaque étape du mécanisme, réalisant à chaque fois une maladie différente, par excès ou appauvrissement de la minéralisation, et le dangereux déséquilibre causé à la ménopause par la disparition d'un seul adversaire.

L'appauvrissement minéral peut avoir deux causes opposées : un excès de destruction ou une insuffisance de construction. A son tour l'insuffisance de construction relève de deux mécanismes distincts :

— la minéralisation se fait mal, bien que la trame protéique soit normale : c'est le cas de la plupart des décalcifications séniles ;

— la minéralisation est normale, mais ne trouve plus un support suffisant, car les travées protéiques de l'ostéoïde et les ostéoblastes chargées de la fixation minérale ont beaucoup diminué. Ce n'est pas une décalcification mais une *raréfaction osseuse* [1] : *l'ostéoporose.*

Les hormones sexuelles, mâles ou femelles, jouent un rôle considérable dans la constitution et la richesse du tissu osseux. Elles stimulent la formation et le développement des travées protéiques de soutien, le nombre et l'activité des ostéoblastes, cellules chargées de fixer le calcium et le phosphore sur ces travées protéiques, l'absorption du calcium et de la vitamine D. A l'opposé, elles contribuent à freiner le phénomène inverse de destruction osseuse, l'ostéolyse.

---

1. *Cf.* **fig. 13, p. 429.**

Ce rôle des hormones sexuelles est souligné par les différences caractéristiques qui existent entre homme et femme.

Alors que les hormones femelles subissent une extinction brutale et définitive à la ménopause, les hormones mâles ne diminuent que très lentement, très progressivement, suivant une courbe régulière dont le niveau est encore élevé, même à 70 ans. Or, les différences d'involution osseuse sont strictement parallèles à ces deux involutions :

La masse osseuse est à son niveau maximum vers 19 ans. C'est le même pour les deux sexes. Elle diminue ensuite régulièrement avec l'âge. Mais, chez la femme, elle accuse à partir de la ménopause un fléchissement accéléré qui la situe à 60 ans à des niveaux bien plus bas que ceux d'un homme de plus de 70 ans.

L'épaisseur de la courbe osseuse diminue chez la femme aussitôt après la ménopause, alors que chez l'homme, cet amincissement est trois fois moindre, ne survient que 10 à 15 ans plus tard, et évolue beaucoup plus lentement.

Comparativement, l'ostéoporose frappe moitié moins d'hommes que de femmes, 15 à 20 ans plus tard, et — contrairement à l'altération féminine, précoce et brutale — de façon lentement progressive, parallèle à la lenteur de l'involution hormonale masculine.

La fréquence et la gravité d'ostéoporoses précoces et particulièrement graves chez des femmes castrées jeunes confirme le rôle déterminant de la privation hormonale sur la dégradation osseuse.

La ménopause a donc une très lourde responsabilité dans cette dégradation du système osseux féminin : elle est responsable :

— par sa précocité, d'une apparition également précoce de l'ostéoporose,

— par sa brutalité et la variété des troubles métaboliques et trophiques qu'elle engendre, d'une généralisation impressionnante de l'affection.

1 femme sur 4 est atteinte d'ostéoporose à 60 ans ;

presque 2 sur 3 à 70 ans, et parmi celles-ci presque la moitié très gravement.

Etant donné l'action particulière des hormones sexuelles sur l'ostéogénèse, l'effet de privation hormonale se fait surtout sentir sur le premier stade de la constitution osseuse : les travées de support protéiques se dégradent et se raréfient et, avec elles, les ostéoblastes. Quelle que soit la richesse de l'apport alimentaire, ou la perfection du mécanisme, *la fixation minérale, faute de support, est de plus en plus réduite.*

Or, tandis que la construction osseuse devient de plus en plus faible, la destruction (ostéolyse) non seulement ne diminue pas le moins du monde, mais au contraire, assez souvent, s'accélère, l'hormone parathyroïdienne qui la stimule reflétant une partie de l'excitation hypothalamo-hypophysaire [1]. L'équilibre est rompu à la source. *Il se fabrique de moins en moins de tissu calcifiable, il s'en détruit autant ou davantage.*

La différence entre une colonne vertébrale jeune et une colonne ostéoporotique est évidente, même à l'œil nu. La première a un aspect lisse, poli, uniforme ; la colonne âgée est au contraire poreuse, se délite sous les doigts. On comprend tout de suite que les vertèbres se tassent ou se fracturent avec une facilité anormale.

***

L'ostéoporose est généralement signalée 5 ou 10 ans après la ménopause. Mais c'est une évaluation trompeuse.

Lente, silencieuse, elle débute en réalité avec les premières défaillances de la progestérone [2] donc à l'extrême début de la préménopause, parfois longtemps avant l'arrêt des règles.

Lorsqu'elle attire enfin l'attention, ce n'est pas sur des signes de début, mais déjà malheureusement par la manifestation de ses premières complications. Comme, lorsque dans une maison silencieusement rongée par des termites, quelque chose s'effondre révélant brusquement l'étendue, insoupçonnée, des dégâts. Malheureusement jusqu'à ce stade, la maladie évolue à l'insu de tous et ce n'est, bien souvent, qu'une découverte de hasard à l'occasion d'un examen radiologique quelconque.

Les manifestations cliniques débutent de façon insidieuse ou brutale par n'importe laquelle des complications : douleurs, déformations, parfois même fractures.

Les *douleurs* ne sont généralement pas très violentes au début. Mais tenaces, ininterrompues, elles ne cèdent guère au repos allongé. Elles ont un caractère très particulier. Il est impossible à la patiente de définir un point précis, ou au médecin d'en trouver à la palpation.

Diffuses, imprécises, erratiques, mais tenaces, lancinantes, inces-

---

1. *Cf.* « Complications hormonales d'entraînement », p. 261.
2. Comme l'ont mis en relief des études portant sur l'étude comparative de l'épaisseur de la couche osseuse et des dosages hormonaux, *cf. La ménopause en gérontologie* (ouv. techn. sous presse).

santes, les douleurs de l'ostéoporose sont capables de moments de violence extrême.

Les crises paroxystiques sont intolérables, paralysantes et obligent à un séjour au lit en immobilisation totale de plusieurs jours à plusieurs semaines.

Des *déformations* s'établissent.

La malade se tasse, toutes les courbures physiologiques ou pathologiques, cambrure, voussure, scoliose s'exagèrent de façon caricaturale et la taille diminue de façon spectaculaire, de 2 à 10 ou 15 cm. La démarche devient difficile, en canard, genoux légèrement fléchis, aggravée par une sédentarité à peu près totale [1].

Les vertèbres, autrefois incomparablement solides, cèdent peu à peu sous des pressions de plus en plus inégales et mal réparties. Elles se laissent déformer à leurs face inférieure et supérieure par la pression des disques, et prennent une forme caractéristique en bilboquet ou bien s'aplatissent en coin, aux points d'écrasement, à l'intérieur des courbes. (Fig. 12, p. 427.)

Mais la destruction osseuse physiologique se poursuit, sans être compensée par une reconstitution équivalente, et les travées de support osseux s'amenuisent au point de disparaître par endroits. L'os devient tellement poreux que des fractures (fémur, poignet, épaules, côtes, vertèbres) se multiplient, au moindre choc, parfois spontanément, dévoilant dans toute sa gravité l'importance de la raréfaction osseuse. (Fig. 12, p. 428.)

En dehors d'un état douloureux continuel, particulièrement pénible, et sans repos, la maladie entraîne progressivement une gêne fonctionnelle considérable. Chaque poussée paroxystique aiguë, signe de tassement ou de fracture, non seulement cloue au lit pour plusieurs semaines, mais laisse derrière elle, en s'apaisant, des séquelles douloureuses parfois considérables et une aggravation des déformations. Un nouveau trouble de posture, un nouveau porte-à-faux vertébral, local et général, est chaque fois recréé, aggravant les conditions précédentes. Et si les fractures ne sont plus une cause directe de mortalité [2], leur répétition, mais surtout la difficulté de réparation et de contention, sur un os délité et sans aucune résistance, conduisent rapidement à différents degrés d'impotence.

---

1. Nous verrons d'ailleurs un peu plus loin le rôle plus directement néfaste du non fonctionnement musculaire.
2. Elles l'étaient avant les antibiotiques. Un séjour au lit pour une femme âgée entraînait presque infailliblement une broncho-pneumonie mortelle.

Une femme atteinte d'ostéoporose a souvent un aspect de sénescence précoce : pâleur, flétrissement tissulaire avec amincissement considérable du pli cutané et multiplication des rides, relâchement musculaire et ligamentaire... L'involution osseuse n'est donc pas isolée. Il semble bien qu'elle soit au centre d'un phénomène d'atrophie conjonctive générale.

Or, nous savons que tous les autres éléments de cette atrophie sont favorablement influencés par l'hormonothérapie.

On pouvait espérer qu'il en soit de même pour le tissu osseux. *Malheureusement les limites d'action sont ici plus étroites car les possibilités de réversibilité du remaniement tissulaire sont infiniment moins souples que pour d'autres tissus.* La réversibilité d'une atrophie dépend en effet :

— de l'importance de la destruction : il y a des points de « nonretour » tissulaire ;

— du rapport plus ou moins étroit entre le tissu et l'hormone. La réversibilité est plus grande si le tissu est très hormono-dépendant, moins, s'il l'est peu.

L'os (comme l'œil ou l'oreille) ne supporte pas de grands remaniements, et les dégradations, soit par fragilité, soit par limitation des échanges, y sont très rapidement irréversibles.

Nous ne possédons aucun moyen de remettre en route la fabrication du tissu protéique ostéoïde sans lequel aucune véritable restauration n'est possible. Les tentatives d'hypercalcification n'ont qu'un effet relatif, suppléant aux besoins de l'organisme en général, mais pas à la fixation osseuse, puisque le socle manque.

Différents moyens dont certains, très modernes[1], donnent des espoirs un peu plus sérieux.

Depuis fort longtemps (c'est peut-être même le premier domaine où, devant l'ampleur des dégâts, on n'ait pas hésité à le faire) on utilise des hormones sexuelles (œstrogènes et androgènes) dans le traitement de l'ostéoporose. Elles apportent un soulagement incontestable, améliorent l'état général et toute la trophicité. Sur le plan local, elles limitent la destruction du tissu protéique (le ravivent même parfois un peu dans les ostéoporoses débutantes) et freinent la résorption calcique.

Mais cette action reste pourtant bien limitée.

Et pour cause !

---

1. Thyrocalcitonine.

La genèse de l'ostéoporose, montre à l'évidence que les traitements, lorsqu'ils sont entrepris, *sont toujours trop tardifs, de 10 ou 15 ans,* si ce n'est plus ! Tous, quels qu'ils soient, ne sont que palliatifs. Employés le plus précocement possible avec vigueur et méthode, ils n'ont permis que des stabilisations relatives, mais jusqu'à présent aucune guérison. L'atrophie ménopausique s'est attaquée au cœur même du métabolisme osseux, là où aucune compensation n'est possible.

Ainsi, contre l'ostéoporose, à l'heure actuelle, la seule véritable défense, c'est l'empêcher de se constituer. Pour cela, il n'y a qu'un moyen : prévenir la moindre défaillance hormonale. Et la prévenir sans attendre :

— les manifestations d'ostéoporose — car lorsqu'elles apparaissent, elle est déjà irréversible ;

— ou les premiers signes de défaillance ovarienne — car lorsqu'ils deviennent évidents, des dégâts irrémédiables sont déjà silencieusement engagés.

Tout cela est parfaitement logique. Confirmé, depuis des années, dans la pratique. Il n'y a pas d'ostéoporose évolutive chez les femmes correctement traitées. Il n'y a pas d'ébauche de dégénérescence chez celles qui sont passées sans transition des contraceptifs à l'hormonothérapie substitutive. Et pourtant, aussi incroyable que cela puisse paraître et malgré les travaux les plus formels sur ce sujet, il existe encore des hésitations, sinon pour le principe, du moins pour les conditions du traitement.

On propose, par exemple, de ne traiter l'ostéoporose que lorsqu'elle devient « douloureuse, gênante »... ou « si la radiologie confirme les phénomènes douloureux »...

En somme, laisser le désastre s'établir et ne le traiter que lorsqu'il est accompli et irréversible !

Tout ceci serait absolument incompréhensible, si on ne connaissait l'attitude systématiquement négative vis-à-vis de l'utilisation des hormones, et du traitement de la ménopause en général. Mais l'ostéoporose est-elle si peu de choses qu'on trouve plus naturel de vacciner contre la poliomyélite qui menace une femme sur neuf, que de traiter préventivement une affection qui en menace une sur deux ?

Qui peut se permettre de prendre un tel risque ?

Il existe un moyen de déceler le début approximatif de la dégradation osseuse.

Pendant plus de 10 ans, sur un nombre considérable de femmes, on a fait la preuve d'un *parallélisme étroit entre substance osseuse et progestérone.* Quand la progestérone diminue, l'os se raréfie. Quand la progestérone remonte, sous l'effet d'un apport thérapeutique, l'os se stabilise ou s'enrichit légèrement.

Donc à la première baisse de progestérone au plus tard, un traitement compensateur doit être immédiatement entrepris. Mais les premières défaillances progestatives sont souvent très précoces, dès 35 ou 40 ans. Alors il faut choisir entre 10 ou 15 ans d'examens répétés, ou une thérapeutique préventive systématique au moindre doute.

Celle-ci concerne particulièrement certaines femmes. *Il y a des terrains prédisposés, des facteurs de risque certain.* Leur connaissance permet et doit déterminer une surveillance plus précoce, une équilibration hormonale systématique et rigoureuse, mais aussi, car elle est possible, une action préventive beaucoup plus précoce et plus large. Quels sont ces facteurs de risque ?

— *Un terrain héréditaire* est particulièrement défavorable. Il doit toujours alerter et renforcer, à priori, la vigilance et l'action thérapeutique.

— *Toute pauvreté hormonale,* congénitale, chronique ou secondaire, progressive ou subite, est à tout âge un facteur de mauvaise ossification. Et celle-ci sera d'autant plus grave que les travées osseuses auront été mal constituées et peu nombreuses au départ. L'ostéoporose est déjà jouée en partie dans la première enfance et à la puberté.

— *Les déformations de posture,* si elles ne sont pas causes d'ostéoporose, l'aggravent dangereusement. Elles déséquilibrent la statique vertébrale, et concentrent en certains points des pressions anormales que l'os poreux, fragilisé, ne pourra supporter. Une scoliose juvénile, une cambrure, une voussure de l'enfance ou de l'adolescence acquises ou aggravées lors des grossesses, favorisent et aggravent très rapidement les déformations de l'ostéoporose.

— *Une insuffisance musculaire,* ancienne ou récente, déclenchée ou aggravée par le ramollissement musculaire hormonal de la ménopause, joue un rôle considérable et bien trop négligé. Elle accentue les troubles de postures et, faussant les équilibres et les appuis, augmente les risques de déformation et de tassement. Mais ce n'est pas tout. La sédentarité est formellement reconnue comme un facteur direct de l'ostéoporose *car la stimulation musculaire est indispensable à l'activation des ostéoblastes.* Toutes les études faites sur des grabataires ou même sur les astronautes, montrent que *l'immo-bilité musculaire s'assortit d'une décharge calcique et d'un défaut de refixation, évidents dès les premiers jours, et rapidement inquiétants.* Enfin, l'os a besoin, pour sa propre vascularisation, d'une activité vasculaire périphérique intense.

Parler de conservation du tonus et de la qualité des fonctions musculaires, dans leur ensemble et dans leurs rapports entre elles, insister sur *le besoin essentiel d'un exercice, continu, à tout âge,* définir la sédentarité comme un facteur invalidant réel, ne sont pas des vues de l'esprit ou des marottes d'hygiénistes ou de sportifs, mais la conclusion de faits, techniquement mesurables et dangereusement méprisés ou négligés.

Ainsi donc, dès la plus tendre enfance et tout au long de la vie, une action est possible. Les deux premiers facteurs peuvent être en grande partie éliminés dans la petite enfance et l'adolescence par une thérapeutique adéquate. Les deux derniers demandent tout au long de la vie, un certain contrôle et un exercice qui n'exigent guère qu'un minimum de bon sens et d'autodiscipline.

*
* *

L'ostéoporose n'est pas une maladie légère ou rare.

C'est une affection redoutable qui grève lourdement l'avenir de la femme âgée :

Elle est redoutable par sa fréquence : une femme sur 4 à 60 ans, plus d'une femme sur 2 à 70 ans, dont la moitié très gravement atteintes, soit 27 % de la pathologie des femmes ménopausées.

Elle est redoutable par sa gravité et ses conséquences douloureu-ses, au point de détériorer complètement la joie de vivre, *déformantes* et *dangereusement invalidantes,* au point de faire perdre toute autonomie.

Elle est redoutable aussi par son action indirecte sur tout l'avenir locomoteur de la femme, dont les décalcifications séniles sont deux fois plus fréquentes que chez l'homme, ainsi que les atteintes arti-culaires, inflammatoires ou dégénératives.

L'ostéoporose est une complication directe de la privation hor-monale ovarienne. L'assimiler aux troubles caractéristiques de vieillis-sement, au lieu de la rattacher à sa cause exacte pour prendre à temps les mesures qui s'imposent est une erreur irréparable. Car si malgré les plus récentes découvertes, elle reste impossible à guérir, difficile à freiner et à soulager, elle peut, et dans une large mesure, être prévenue. Mais ici, plus peut-être que pour toute autre complication de la ménopause, un diagnostic, seulement précoce, est déjà trop tardif. Il faut donc impérieusement une prévention exigeante, rigoureuse et précoce.

Le diagnostic de l'ostéoporose, même en période de complications, exige un médecin, car seule une analyse rigoureuse des contrôles radiographiques, chimio-biologiques, parfois histologiques, permet de la différencier d'autres affections ostéo-articulaires dont les manifestations cliniques ne diffèrent pas sensiblement, et d'en évaluer le degré et l'évolutivité. Mais il est essentiel pour une femme de connaître les conditions d'apparition, l'époque où le désordre commence à s'établir silencieusement, et si, prédisposée, elle doit se faire plus particulièrement et plus précocement surveiller. Car elle seule est responsable et maîtresse des précautions et disciplines de toute la vie, et d'un contact médical systématique à l'âge concerné, *avant* toute manifestation.

Tout cela méritait une étude particulière, exceptionnellement détaillée, du mécanisme de cette affection. Seul moyen de bien comprendre sa genèse, sa gravité, la difficulté extrême qu'il peut y avoir à la guérir, lorsqu'elle est vraiment installée et surtout pourquoi et comment il faut, et il est possible, de s'en défendre.

Car l'ostéoporose est exemplaire à plus d'un titre :

La précocité du début démontre le mécanisme des premières perturbations silencieuses de la pré-ménopause, et les raisons impératives d'une thérapeutique plutôt trop précoce — *car elle seule est sans risque* — qu'irrémédiablement trop tardive.

Son mécanisme est une remarquable illustration des systèmes d'atrophie dont la ménopause peut être responsable, de l'étendue des conséquences d'une atrophie.

Ses effets placent la ménopause à son véritable niveau pathologique.

Par sa gravité, sa fréquence, l'obligation d'une prévention rigoureuse et précoce, l'ostéoporose constitue, à elle seule, une raison majeure, indiscutable, de traitement systématique de la privation hormonale ovarienne.

6

COMPLICATIONS VASCULAIRES

HYPERTENSION

L'hypertension à la ménopause est un phénomène tellement fréquent, qu'on pourrait la classer dans les troubles, si elle ne représentait en fait une complication dangereuse.

Elle apparaît dans 65 à 66 % des cas, entre le 6ᵉ et le 24ᵉ mois après l'arrêt des règles. Mais ces chiffres sont certainement en dessous de la réalité, car un très grand nombre d'hypertensions restent insoupçonnés de nombreuses années, jusqu'à la première pathologie sérieuse, ou à l'occasion d'un bilan systématique pour une tout autre cause.

Elle survient en dehors de tout antécédent, comme si elle était « entraînée » par le dérèglement hypothalamo-hypophysaire libérant dans l'ante-hypophyse des bouffées de vaso-pressine [1] (fig. 3, p. 423).

Elle a surtout au début, un caractère particulièrement labile avec de brusques variations et une sensibilité anormale, au moindre stress émotif, ou effort physique, tension nerveuse soutenue.

Elle atteint avec une facilité typiquement neuro-végétative des chiffres très rapidement élevés qui ne touchent, au début, que la maxima (17-19/9).

Sans traitement, non seulement elle ne guérit pas spontanément, mais, malgré quelques fugaces régressions, se stabilise et s'organise dans la chronicité, à des chiffres très élevés. 19 à 23 de maxima, 10 à 13 de minima ne sont pas rares. Mais contrairement aux hyperten-

---

1. Hormone hypertensive sécrétée par stimulation hypothalamique par l'ante-hypophyse et dont la formule est très proche de celle de l'ACTH voisine.

sions essentielles, elle répond docilement et très rapidement à de simples calmants avec hypocenseurs légers.

L'hypertension artérielle est, à la ménopause, dangereusement sous-estimée.

Elle est en effet le plus souvent ignorée parce que non prévue. S'il n'y a pas d'examen systématique, de nombreuses années s'écoulent, après la ménopause, sans aucun contrôle. La découverte tardive d'une tension, significativement très élevée, sera alors rattachée à des troubles cardio-vasculaires et à la sénescence.

Il est fréquent lors de la découverte que la femme scandalisée ne puisse y croire et déclare, avec étonnement, qu'elle a toujours été, au contraire, hypotendue. Or, il semble bien que ce soit électivement les femmes à tension labile, autrefois victimes des grandes périodes hypotensives, qui basculent le plus facilement dans la labilité inverse, avec bouffées hypertensives.

Les femmes semblent se raccrocher au fait que cette tension n'est pas constante, est augmentée par l'exercice ou l'émotion, et a « déjà été beaucoup plus forte, j'étais montée à 22 il y a trois ou quatre ans... » Tous ces arguments, dont pas un seul ne justifie l'absence de traitement, bien au contraire, leur font ignorer superbement un danger réel aux conséquences les plus graves.

Le diagnostic de l'hypertension a des exigences particulières :

a) *Il doit être d'une extrême rigueur dans l'établissement de la cause,* parce que la probabilité d'une origine neuro-végétative ou hypothalamique n'exclut pas d'autres possibilités et particulièrement des causes pathologiques plus ou moins graves[1] qui exigent un traitement spécifique.

b) *Il doit être précoce.* Mais pour une raison particulière, différente de celle des autres complications de ménopause. Parce que *l'hypertension artérielle, quelle que soit son origine, fait les mêmes dégâts d'hyperpression vasculaire ; il faut à tout prix tenter d'intervenir avant qu'elle ait pu exercer les ravages irréversibles, dont elle est capable, au niveau d'appareils essentiels.*

— *Le rein,* où elle cause une insuffisance qui évolue vers l'urémie,

— *Le cœur,* qui subit une dilatation progressive, causée par les résistances périphériques à l'augmentation de débit. *L'hypertension*

---

1. Lésion rénale, tumeur surrénale, etc.

est la cause majeure de l'insuffisance ventriculaire gauche (atteinte cardiaque élective de la femme) et de ses complications [1]. Elles sont d'autant plus fréquentes que la femme est souvent atteinte de troubles circulatoires des membres inférieurs qui augmentent les résistances périphériques et les difficultés des retours circulatoires.

— *Et enfin les vaisseaux périphériques* où elles provoquent des hémorragies fréquentes et toujours redoutables :
  · *cérébrales,* avec paralysies transitoires ou irréversibles ;
  · *rétiniennes,* susceptibles de provoquer une limitation du champ visuel et secondairement (glaucome avancé ou rétinite proliférante) une cécité complète ;
  · *labyrinthiques* [2], causes fréquentes des vertiges de Mesnière.

Il faut donc que la recherche de tension artérielle fasse partie des examens systématiques rigoureux de la pré et la post-ménopause, au même titre, dans la liste impérative des bilans annuels et même bisannuels, que le frottis vaginal.

Elle doit être d'autant plus rigoureusement recherchée qu'il existe des antécédents :
  — héréditaires (attaques, paralysies, œdèmes aigus du poumon, hypertension reconnue) ;
  — personnels : hypotension — accident gravidique (type éclampsie ou même hypertension légère de grossesse, néphrite, etc.) qui signalent une tendance hypertensive éventuelle.

Il ne faut jamais se servir de la notion de ménopause comme excuse à la passivité et l'indifférence. *Toute tension dépassant 16 de maxima et 9 1/2 de minima exige :*
  — *Une recherche immédiate et rigoureuse de l'origine,* même s'il est rare qu'une hypertension essentielle ne se soit pas manifestée plus tôt. La ménopause peut créer une hypertension physiologique mais aussi décompenser (ou masquer) une cause organique latente jusque-là bien tolérée, et qui ne peut, sans risques graves, être négligée [3].
  — *Un traitement,* parce que, au début simplement fonction-nelle, elle crée rapidement des dégâts organiques et évolue sponta-

---

1. Oedème, angine du poumon, angine de poitrine, grande insuffisance cardiaque.
2. Centre de l'équilibre dans l'oreille.
3. Aussi bien en elle-même, que dans la décision ou les nuances de la thérapeutique hormonale éventuelle.

nément vers la chronicité. A partir du moment où par ses effets elle encourt les mêmes responsabilités qu'une tension organique, elle obéit aussi aux mêmes exigences : *une hypertension traitée cause un nombre statistiquement beaucoup moins élevé de complications et d'accidents.* Enfin parce que son traitement, surtout s'il est précoce, est aisé, efficace, sans effet secondaire, et les choses rentrent rapidement dans la norme.

La mise en place d'une hormonothérapie substitutive en rétablissant et en maintenant le calme hypothalamique et hypophysaire empêche alors dans la plupart des cas toute récidive [1].

Trouble neuro-humoral beaucoup plus fréquent qu'on n'imagine, considéré à tort sans importance, l'hypertension de ménopause s'engage, dans un temps plus ou moins court (suivant la sensibilité congénitale ou acquise et la fragilité des différents organes du sujet), dans la grande pathologie. Il est profondément regrettable que l'ignorance du facteur ménopausique fasse accepter comme fatalité inévitable l'énorme fréquence des hypertensions féminines dans la vieillesse, dont la plupart auraient pu être évitées.

Est-il besoin d'ajouter que dans les hormonothérapies substitutives précoces systématiques, l'hypertension est très rare. Seules quelques bouffées légères, isolées, aisément jugulées révèlent pendant quelques années la « nervosité » hypothalamique contrôlée.

ATHÉROSCLÉROSE

La femme, jusqu'à la ménopause, jouit d'une immunité exceptionnelle contre l'athérosclérose. Moins d'1 cas féminin sur 200 cas masculins environ. Au moment du plus fort coefficient d'atteintes pathologiques, vers 50-55 ans, la différence entre les deux sexes est énorme.

Par contre, après la ménopause, le pourcentage s'élève rapidement. Vers la soixantaine les fréquences tendent à s'égaliser et après 70 ans, comme pour l'infarctus, les taux masculins et féminins deviennent à peu près identiques. Mais à un moment où le taux de fréquence masculine est déjà très abaissé, de nombreux décès ont éclairci les rangs des sujets atteints, tandis que le nombre de sujets indemnes est infiniment mieux préservé.

---

1. Sauf dans quelques cas très particuliers. Cf. Traitement : Risques d'hypertension, p. 328.

Il y a donc plusieurs certitudes :

— Un taux étonnamment bas, chez les femmes normalement hormonées, même en cas d'obésité.

— Une augmentation de fréquence et de gravité considérable après ménopause précoce ou castration bilatérale, où sont atteints rapidement les mêmes taux pathologiques que les hommes.

— Sur l'ensemble des femmes, le maximum de fréquences pathologiques se situe en post-ménopause, 10 à 15 ans plus tard que chez les hommes.

— Même à ce moment, et de façon évidente sur l'ensemble de la vie, le taux global est tout à fait inférieur à celui du sexe mâle (environ 18 % des cas globaux, contre 82 % chez l'homme).

La femme est donc clairement protégée pendant toute la durée de sa fonction ovarienne. Elle est si fragilisée à la perte de cette fonction. Le rapport chronologique est significatif. Mais même après la ménopause, elle semble encore bénéficier d'un avantage lié à la durée de cette protection.

Contre-preuve démonstrative, l'augmentation du taux d'athéroscléroses féminines ne se produit pas chez les femmes sous thérapeutiques hormonales.

Enfin, dans les athéroscléroses féminines avérées, l'adjonction d'une thérapeutique hormonale même longtemps après la ménopause démontre plusieurs effets favorables significatifs :

— une amélioration clinique sensible ;

— la sédation de phénomènes douloureux (angine de poitrine) ;

— une diminution appréciable du taux d'accidents ;

— un allongement de la survie ;

— une diminution du cholestérol ;

— un effet de dilatation vasculaire périphérique avec amélioration circulatoire métabolique et trophique.

Mais le fait que les hormones protègent de façon évidente contre l'athérosclérose ne veut pas dire qu'elles puissent la guérir.

Cette différence entre protection et guérison expliquerait :

— les différentes statistiques entre l'homme et la femme pour la date d'apparition, mais non pour l'évolution de la maladie déclarée ;

— et les différences de résultats suivant que la thérapeutique hormonale est précoce ou tardive.

254

COMPLICATIONS VASCULAIRES

Comme dans les complications de la ménopause, l'athérosclérose est un risque probable sinon certain, elle constitue donc une nécessité raisonnable d'hormonothérapie substitutive et une nécessité impérieuse de la commencer précocement, c'est-à-dire d'équilibrer les déficiences hormonales au fur et à mesure qu'elles se produisent.

7

COMPLICATIONS OCULAIRES

A la ménopause l'intégrité de l'œil est mise en cause de plusieurs façons qui se recoupent ou s'additionnent dangereusement [1].

Le ralentissement métabolique et trophique général exerce une influence défavorable sur les sécrétions, les muqueuses, les muscles et tout particulièrement le cristallin, de même origine embryologique que la peau, et, comme elle hypersensible à la carence hormonale.

Mais ce sont les troubles vasculaires qui mènent la ronde. Plus une fonction est spécialisée, complexe, plus elle nécessite une vascularisation extrêmement riche et fine : les fonctions sensorielles plus que les autres et l'œil plus que tout autre organe des sens. La choroïde, enveloppe qui entoure la rétine (fig. 14, p. 430) est un véritable tissu de vaisseaux sanguins qui entretient les cellules sensorielles spécialisées de celle-ci.

Cette action est si importante que c'est le plus souvent par le biais de troubles vasculaires, que de grandes pathologies générales, comme le diabète, l'hypertension, interviennent dans la fonction oculaire, pour y créer des pathologies irrémédiables.

La vascularisation et tout particulièrement les micro-capillaires sont hypersensibles aux variations de constriction, de pression, de débit et de viscosité, propres au désordre hormonal.

Ainsi des dizaines de micro-accidents se multiplient, cyanoses, spasmes, hémorragies, nécroses, et chaque fois une portion de la rétine s'est abîmée, l'équilibre des liquides a été perturbé, leur viscosité modifiée, leurs voies d'évacuation sclérosées, la perméabilité des membranes cellulaires altérée.

---

1. *Cf.* Constitution de l'œil, p. 136.

256

Mais il y a aussi un effet sensoriel direct.

Il semble évident, d'après les phénomènes constatés, qu'il y ait au-delà des troubles vasculaires, un effet sur la vision elle-même. Mais cette atrophie comporte des caractères particuliers. Contrairement à l'atrophie sénile, elle ne semble pas porter sur tous les tissus : cornée, iris, paupières, ne semblent que peu touchés. Ceci rend d'autant plus notables certaines perturbations directes de la sensibilité des tissus sensoriels. La sensibilité à l'éblouissement est plus grande, la récupération qui le suit plus lente, et la vision nocturne ou crépusculaire devient de plus en plus médiocre.

CATARACTE

Le cristallin joue dans l'œil le rôle d'une lentille optique (fig. 14, p. 430). Il est situé juste derrière l'iris, en arrière de la chambre antérieure qui contient l'humeur acqueuse dont il se nourrit, car il n'a aucun vaisseau. Grâce à elle, il se renouvelle et poursuit sa croissance tout au long de la vie.

La cataracte est une maladie dégénérative qui fait apparaître dans la masse du cristallin des opacités qui détruisent progressivement sa transparence.

C'est, en principe, une maladie de l'extrême vieillesse. Or, cette affection apparaît, parfois très précocement, chez certaines femmes (alors que rien dans leur organisme ne montre le moindre signe de dégénérescence scléreuse) ou avec une fréquence significative après castration.

La cataracte, parmi bien d'autres causes [1], peut avoir une origine métabolique générale :

a) Les troubles de la régulation des sucres constituent une des principales causes. Un diabète est capable à tout âge de provoquer une cataracte, particulièrement dangereuse et rapide.

b) Il y a aussi une relation certaine entre cataracte et *insuffisance du calcium tissulaire.* Toutes les fois qu'il y a une mobilisation, une captation importante de ce calcium (c'est le cas à la puberté et en cours de grossesse), des opacités congénitales peuvent s'aggraver ou des nouvelles se constituer, même dans la jeunesse. Or, la ménopause est une époque de perturbation particulièrement aiguë du métabo-

---

1. Liées à l'état de l'œil : traumatique, toxique sur myopie intense, etc.

lisme calcique. L'os qui sert de réservoir calcique se construit de plus en plus mal, s'appauvrit dangereusement [1]. Le calcium cellulaire des autres tissus a de fortes chances de s'appauvrir à son tour, pour préserver le taux de calcium sanguin, protégé impérativement le premier.

c) Plus encore que l'un ou l'autre de ces troubles, leur association est dangereuse. En effet, l'œil a un grand besoin de glucose. C'est le support énergétique indispensable à la rénovation du cristallin. Or il ne peut pénétrer à l'intérieur de la capsule qui entoure le cristallin que s'il y a un taux suffisant de calcium tissulaire.

Une insuffisance de calcium dans les cellules peut inhiber ou même bloquer la pénétration du glucose indispensable. *Ainsi, calcium et sucre sont également nécessaires, et ensemble, à l'intégrité du cristallin.*

La ménopause va donc intervenir à plus d'un titre, et par des facteurs multiples, dans la création d'un climat favorable à une cataracte.

— La privation hormonale joue un rôle certain : il y a une fréquence anormale de cataractes précoces après castration ou après ménopause (particulièrement quand les troubles de privation, atrophie ou ostéoporose, sont brutalement accusés).

— Mais il se trouve que le cristallin a la même origine embryonnaire que la peau. Il se constitue à partir de la même souche tissulaire [2]. Aussi n'est-il pas étonnant qu'il soit particulièrement sensible à l'atrophie tégumentaire générale, conséquence de la ménopause.

— En dehors de cette action directe, la privation hormonale provoque, entre autres troubles, ceux qui sont particulièrement défavorables au cristallin : de fréquentes variations de la glycémie, des perturbations calciques, parfois fort graves et très souvent les deux en même temps [3].

Sans attendre des signes d'alertes : éblouissements, besoin instinctif de mettre la main en visière au moindre excès d'éclairage solaire ou électrique, vision plus confortable le soir en éclairage faible, diminution progressive de l'acuité visuelle avec une impression de

---

1. *Cf.* « Ostéoporose », p. 240. Diabète, p. 263.
2. Il existe d'ailleurs une affection commune à ces deux tissus apparemment si différents.
3. *Cf.* « Ostéoporose », « Diabète », p. 263.

brouillard, une femme doit consulter préventivement un ophtalmologue dès la pré-ménopause et particulièrement lorsqu'elle se sait des antécédents :

— d'insuffisance calcique de la puberté ou de la grossesse (tétanie) ;
— d'insuffisance hormonale (puberté tardive, troubles des règles) ;
— de diabète ou d'obésité (familiale ou personnelle, gros bébés).

Il faut se donner beaucoup de mal pour éviter la cataracte. Son évolution redoutable vers la cécité, très lente dans la vieillesse, peut être dangereusement rapide chez un sujet plus jeune et, comme on peut l'imaginer, il ne s'agit pas de lésions réversibles.

Hormones, vitaminothérapie énergique, calcium, magnésium, sels d'adénosine, rien de tout cela n'est capable d'obtenir mieux qu'une stabilisation relative. Et encore, faut-il les mettre tous en jeu.

Seule une prévention hormonale rigoureuse semble vraiment intéressante, par son action trophique directe, mais surtout parce qu'elle empêche les troubles favorisants.

Lorsque la cataracte et la ménopause ne sont pas traitées, ou bien que le traitement est sans effet, ou encore contre-indiqué, une seule issue est possible : la chirurgie. Elle a fait des progrès considérables ces dernières années. Les moyens et les matériaux de plus en plus perfectionnés permettent des interventions de plus en plus fines. Mais le port de verres est indispensable ensuite pour remplacer le cristallin qu'il a fallu enlever, et la récupération visuelle est toujours relative.

Complication rare, mais particulièrement grave, précocement causée ou seulement tardivement favorisée, la cataracte fait partie des risques qu'il n'est pas pensable de courir si une prévention, une équilibration, peuvent en préserver, en empêchant la constitution des causes principales.

DÉCOLLEMENT DE RÉTINE

L'attention est alertée par l'apparition d'images dans le champ visuel, mouches volantes en nuées, pluie noire comme de la suie, voile sombre flottant devant l'œil ou éclair lumineux. Le champ visuel se rétrécit, l'acuité visuelle diminue.

Un clivage anormal s'est produit, certaines portions de rétine se soulèvent et finissent par se briser plus ou moins (fig. 18, p. 431).

Or, la rétine est entièrement composée de cellules sensorielles dont elle tapisse en nappe le fond du globe oculaire. Elle a besoin d'un intense apport sanguin qui lui est fourni par la deuxième enveloppe de l'œil, la choroïde, véritable éponge nourricière. Elle est donc particulièrement exposée au moindre trouble vasculaire.

C'est ainsi que la ménopause, qui ne devrait pas être concernée, se trouve parfois responsable, par le biais de toutes les perturbations spasmodiques ou cyanotiques qu'elle peut provoquer, mais aussi par sa responsabilité dans l'apparition d'hypertension ou de diabète qui sont parmi les causes les plus fréquentes de cette affection.

Complication redoutable qui met la vision en danger, le décollement de rétine ne cède que devant des moyens chirurgicaux raffinés. Et il faut intervenir le plus précocement possible et souvent à plusieurs reprises pour obtenir la guérison.

GLAUCOME

Le glaucome résulte d'un déséquilibre entre le débit de sécrétion de l'humeur aqueuse et la résistance à l'écoulement (fig. 14, p. 430).

Plus fréquent qu'on ne pense (4 % d'une population normale), plus dangereux qu'on ne croit (non traité il conduit à la cécité), le glaucome est une affection redoutable, généralement liée à la deuxième partie de la vie.

Le processus habituel est le suivant : l'humeur aqueuse qui nourrit le cristallin est sécrétée au rythme où elle est éliminée pour garder une pression constante. Cette évacuation se fait dans la chambre antérieure de l'œil par une sorte de soupirail percé de pores situé dans l'angle de l'iris et de la cornée : le « trabéculum » (fig. 17, p. 431). Elle est proportionnée aux taux de sécrétion car une pression normale est indispensable au bon métabolisme de l'œil. Si pour une raison ou une autre l'élimination se fait mal[1], la pression augmente dans la chambre antérieure de l'œil. Les vaisseaux nourriciers de la papille (cercle de Haller) font une hypotonie de compensation puis s'atrophient. Les fibres optiques dégénèrent. La pupille s'élargit, forme une véritable excavation. Des altérations caractéristiques du champ visuel apparaissent puis après des années d'évolution une cécité complète s'établit.

Lorsque ce phénomène se produit tard dans la vie il est assez longtemps compensé par la diminution sécrétoire sénile. Mais lorsque la ménopause est seule cause d'une atrophie, d'une imperméabili-

---

1. Imperméabilisation du trabéculum ou blocage-compression par fermeture de l'angle iris-cornée (fig. 17, p. 431).

sation ou du blocage du trabéculum, il n'y a aucune diminution du débit sécrétoire. La pression oculaire monte rapidement.

La ménopause peut aussi agir de façon plus indirecte par les pathologies qu'elle provoque, par exemple l'hypertension artérielle. Les modifications de la tension artérielle ont une répercussion immédiate sur le tonus oculaire. Mais normalement, cette action n'est que faible et passagère. Dilatation en cas d'hypertension ou vasoconstriction en cas d'hypotension, sont vite compensées par des variations de la quantité d'humeur aqueuse éliminée. Mais lorsque l'évacuation n'est plus possible, l'hypertension artérielle peut devenir un élément rapidement aggravant.

Le glaucome a un début dangereusement insidieux. L'hyperpression peut rester longtemps méconnue et l'excavation papillaire par atrophie vasculaire est souvent déjà ébauchée lorsque paraissent les premiers signes cliniques.

Ainsi un bilan ophtalmique de principe devrait être pratiqué périodiquement à partir de 45 ans, la tension artérielle rigoureusement contrôlée.

Inutile de préciser que la thérapeutique hormonale semble avoir une action préventive très efficace. Il faut y recourir car le traitement du glaucome déclaré ne peut jamais être abandonné. La pression oculaire doit être normalisée avec une rigueur extrême (qui exige parfois au début un séjour hospitalier) pour éviter la redoutable excavation papillaire. En cas d'échec, on est parfois contraint de recourir à une chirurgie délicate.

COMPLICATIONS, HORMONES COLLATÉRALES
PHÉNOMÈNE D'ENTRAÎNEMENT

De nombreux auteurs signalent de fréquentes associations hormonales au dérèglement ovarien : troubles de la régulation des sucres, obésité, excès surrénalien (hypercorticisme), hyperthyroïdie, hypertension.

Bien que les interactions hormonales le rendent plausible, le rôle direct de l'extinction ovarienne sur les autres glandes endocrines semble beaucoup moins responsable que les perturbations au niveau des commandes supérieures : dans l'hypophyse et l'hypothalamus. En effet la diminution du taux d'hormones ovariennes circulant dans le sang alerte l'hypothalamus qui, pour y suppléer, excite l'hypophyse. Cette stimulation entraîne une hypersécrétion bien connue de FSH et LH, gonadotrophines hypophysaires qui tentent de raviver la sécrétion ovarienne.

L'hypophyse de la femme ménopausée se trouve ainsi dans un état d'hyperactivité permanente qui touche à des degrés divers pratiquement toutes ses fonctions, dans un véritable phénomène « d'entraînement » [1].

On ne sait pas en expliquer exactement le mécanisme. Mais il est difficile devant certaines coexistences de troubles, sans liaisons apparentes entre eux, de n'être pas frappé par le rapprochement anatomique des centres qui les dirigent, ou des systèmes circulatoires qui les véhiculent.

Bien sûr, l'extrême proximité n'est pas un obstacle à l'isolement

---

1. KLOTZ

parfait de certaines fonctions, mais dans le domaine hypothalamo-hypophysaire, cet isolement ne semble pas étanche.

Les sécrétions des différentes neuro-hormones et de gonadotrophines ne dépend pas de points anatomiques très définis et limités, mais plutôt des « zones d'influence » qui empiètent un peu les unes sur les autres.

Presque tous les messages chimiques à destination de l'hypophyse sont envoyés par un courant vasculaire commun : *le système porte hypothalamo-hypophysaire* (fig. 3, p. 423).

Le siège de sécrétion des neuro-hormones qui stimuleront dans l'hypophyse FSH et LH, se trouve au point de jonction entre la fin des fibres neuro-sécrétoires venant des différentes zones de l'hypothalamus, et le début du courant vasculaire.

Enfin les différents messagers chimiques (neuro-hormones ou neuro-sécrétats) ont des formules extrêmement proches, presque semblables, au point que dans certains cas on n'est pas sûr qu'ils ne s'adressent à plusieurs stimulines à la fois.

Tout cela met en évidence de multiples possibilités d'invasions, d'interpénétration, ou d'influences directes sur les différentes stimulines hypophysaires.

Parfois, plus que d'entraînement, il s'agit d'un véritable phénomène « *d'emballement* ». Certains sujets prédisposés peuvent se trouver atteints d'une hyperthyroïdie franche, d'une obésité avec hypercorticisme [1], d'un diabète, de l'association de certains d'entre eux, ou de tous ensemble.

Tout au long de la vie sexuelle, il y a d'étroites relations entre les **troubles fonctionnels thyroïdiens** et ovariens : à la puberté, pendant les grossesses, mais surtout dans les bouleversements hypothalamo-hypophysaires de la ménopause.

On sait depuis longtemps qu'une hyperthyroïdie peut apparaître en période d'émotion ou de tension nerveuse. Mais elle peut être provoquée soit indirectement par des dérèglements neuro-végétatifs d'origine chimique, soit directement par stimulation de la TSH [2].

Faible ou forte, elle est caractérisée par des signes neuro-végétatifs accusés (tachycardie, tremblements) et des troubles psychiques, souvent confondus avec les troubles de ménopauses proprement dits tandis que les signes métaboliques (amaigrissement, exophtalmie) sont moins marqués que dans les hyperthyroïdies séniles.

---

1. Effets virilisants des excès surrénaliens.
2. Stimuline hypophysaire qui est à la thyroïde ce que FSH et LH sont à l'ovaire.

Les formes graves, type maladie de Basedow, sont évidentes, mais la notion de ménopause fait parfois négliger des formes frustes. Une fébrilité électrique, une impression de frémissement généralisé (même à la surface de la peau), des yeux trop brillants doivent conduire à un examen de contrôle.

Aucun signe d'hyperthyroïdie léger ou grave, aucun cas de maladie de Basedow, ne sont signalés chez des femmes sous hormonothérapie substitutive.

On assiste à la ménopause à des **dérèglements glycémiques** certains ; la STH [1] est couramment augmentée de plus du double ce qui est énorme.

Les statistiques montrent la coïncidence à un an près entre l'âge moyen de la ménopause et celui d'apparition du diabète de la femme, 15 ans avant celui de l'homme. Beaucoup plus nombreux, ces diabètes féminins augmentent jusqu'à atteindre le double des diabètes masculins vers 60 ans.

Les surrénales sont parfois suractivées par une sécrétion anormale d'ACTH [2] occasionnant une obésité et un syndrome viriloïde.

L'arthrose ménopausique fait suite à une phase d'hyperactivité cartilagineuse qui peut bien être causée par la STH et la TSH. Après cette hypertrophie cartilagineuse apparaît une dégénérescence secondaire à la déficience de nutrition de ces tissus.

Presque toutes les sécrétions de voisinage : *aldostérone* (rétention d'eau), *médiateurs chimiques* (troubles neuro-végétatifs), *vasopressine* (hypertension), peuvent être excitées (fig. 3, p. 423).

Enfin, nombre de complications de la ménopause et *particulièrement certains cancers,* se développent dans *un climat pathologique typiquement hypophysaire, avec : diabète + obésité + hypertension.*

Comme presque toutes les autres complications, les complications d'entraînement ne sont pas caractérisées au début par une véritable organicité. Mais cela ne les empêche pas de pouvoir atteindre une gravité extrême. Par ailleurs, l'extrême complexité des interac-

---

1. Stimuline de la croissance et de la régulation des sucres par l'insuline du pancréas.
2. Stimuline hypophysaire des surrénales.

tions hormonales tend à empêcher tout retour spontané à la normale et favorise au contraire le passage à une chronicité redoutable.

La ménopause peut jouer ici le rôle d'inducteur de pathologies graves.

Une thérapeutique œstro-progestative préventive ou précoce peut, à leur début, stopper ces dérèglements en freinant l'excitation hypothalamo-hypophysaire, et de fait les femmes traitées correctement et dont l'hypothalamus est maintenu au calme ne voient jamais apparaître ce type de désordres.

9

Il est bien évident qu'à la ménopause il y a intrication des troubles spécifiques et des phénomènes de vieillissement proprement dits.

Mais on peut de mieux en mieux, d'une part les séparer, d'autre part analyser le retentissement de l'un sur l'autre.

Avec l'âge, l'organisme devient moins apte à se défendre ou à s'adapter. Certaines fonctions métaboliques : sensorielle, locomotrice, respiratoire, circulatoire, diminuent et subissent des perturbations aussi bien par sénescence pure que par défaut progressif d'exercice.

Mais l'insuffisance ovarienne agit sur ces phénomènes, les exagère ou les précipite. En déséquilibrant les échanges et les commandes neuro-humorales, elle crée, artificiellement, des dégradations tissulaires (téguments, muscles, os), ou fonctionnelles (vasculaires, métaboliques) :

— un syndrome tissulaire atrophique, génital ou général peut être à la ménopause aussi grave que dans l'extrême sénilité ;

— un syndrome ostéo-articulaire : arthrose, ostéopose ou trouble postural, silencieux ou très douloureux, peut conduire à l'impotence ;

— l'athérosclérose, dont la femme était protégée jusque-là, rejoint le taux de fréquence masculine ;

— le désordre hypothalamo-hypophysaire entraîne à des degrés divers des pathologies endocriniennes de voisinage ;

— par le biais de l'atrophie et de l'hypertension, l'œil et la vision, l'oreille et l'audition, sont menacés, parfois très dangereusement...

Tout cela représente une somme de dégradations et de pathologies qui simulent, précipitent et aggravent les phénomènes généraux du vieillissement, et méritent les plus grands soins et une prévention exigeante.

Ce sont donc les complications qui donnent à la ménopause sa vraie personnalité, sa véritable dimension pathologique.

S'il existe quelques ménopauses sans troubles, il n'en existe pratiquement pas sans une pathologie secondaire, précoce ou tardive, légère, ou grave au point d'être cause de l'évolution finale.

Epoque reine des apparitions cancéreuses, des grands troubles métaboliques, de pathologie dégénératives, imputées à tort au vieillissement, la ménopause et toute la post-ménopause sont grevées de désordres métaboliques et humoraux, de dérèglements prolifératifs ou dégénératifs *qui, tous, modifient défavorablement ou créent de toutes pièces les trois quarts des pathologies de l'âge mûr et de la vieillesse féminine, et tous, directement ou indirectemnt relèvent de la privation hormonale.*

Alors que pour presque toutes les autres fonctions, les relations de cause à effet sont à peu près semblables dans les deux sexes, chez la femme, une première fois à cause de certaines grossesses (et là, il s'agit presque toujours d'accidents qui auraient pu être évités), une deuxième fois à partir de presque toutes les ménopauses (et là il ne s'agit plus d'accident, mais de fatalité), certaines pathologies sont déterminées, de gravités inégales, associées ou juxtaposées, qui transforment les années à venir et font près de 70 % des pathologies de vieillesse.

Si le moindre trouble physiologique, la moindre anomalie anatomique de l'enfance, toutes les mauvaises habitudes et les intoxications de l'âge adulte trouvent leur écho dans la pathologie de sénescence, la ménopause, à elle seule, joue un rôle si essentiel et si déterminant que dans l'esprit des médecins le terme « ménopausée » désigne un terrain morbide particulier, que l'on a pris l'habitude d'entériner sans discussion à partir de 50 ans.

Mais est-il logique, équitable, d'admettre comme normal après 50 ans (et pour la femme seule) ce qui 5 ou 10 ans avant aurait été considéré pathologique ? Et cela sans qu'aucune maladie, aucun accident, aucune modification de la vie et des habitudes soient intervenus à l'exception de l'extinction ovarienne ?

Il n'est pas pathologique de devenir pubère, il n'est pas pathologique de devenir féconde ou de faire des enfants, *il n'est pas normal qu'il soit pathologique de devenir ménopausée.*

Ou alors il faut bien admettre que la ménopause n'est pas un phénomène normal mais une insuffisance pathologique, et que accident ou erreur biologique, dans ses manifestations, mais plus encore dans ses conséquences, et peut-être dans son principe même, l'extinction ovarienne mérite d'être traitée et compensée, au même titre que toute autre insuffisance hormonale.

LA MÉNOPAUSE EFFACÉE

L'INFORMATION NÉCESSAIRE

1

UN ÉTAT MANIFESTEMENT PATHOLOGIQUE...

D'après les statistiques, 75 à 80 % des ménopauses sont
accompagnées de troubles pathologiques.

Est-il normal d'abandonner quelqu'un pendant plusieurs années
à un état de malaises physiques et psychiques, parfois intenses, sans
tenter d'y prêter assistance ?

Quoique insuffisante et très inférieure aux possibilités techniques
existantes et surtout à l'importance qu'il faudrait lui donner, la
surveillance médicale de la puberté existe, pour assurer l'épanouissement fonctionnel de la jeune adulte.

De l'intervention médicale à la ménopause, dépendent la conservation ou la dégénérescence, l'équilibre ou les désordres, la salubrité
ou la maladie, la validité ou l'impotence de la seconde moitié de la
vie adulte. Est-ce de moindre importance ?

La « transition climatérique » dure plusieurs années. 3 à 5 ans
le plus souvent, parfois bien davantage. C'est un temps bien suffisant
pour perdre irrémédiablement des habitudes et des aptitudes intellectuelles et physiques [1] que même la « ressource » biologique de la
post-ménopause ne peut toujours récupérer. On voit souvent des
femmes vivoter péniblement 5 ou 10 ans, souffreteuses, inactives,
désorientées qui, après quelques années d'incertitude, se réveillent
peu à peu, osant à peine y croire, et retrouvant après 60 ou 65 ans,
et malgré de compréhensibles dégradations, une activité physique et
intellectuelle, une vivacité, un dynamisme qui ne paraissent étonnants
que parce qu'on avait jugé à tort naturelle la morbidité précédente.

1. *Les longs chemins de la vieillesse*, tome 1, « La Différence » (en
préparation).

Que seraient les capacités de cette période si elles n'avaient été altérées par les 10 ou 15 ans de limitation et de dégradation climatériques qui l'ont précédée ?

Il ne faut pas majorer le côté le plus accessoire de la motivation thérapeutique. Bien qu'ils ne soient pas négligeables, l'importance exclusive accordée aux troubles du climatère justifie à tort une attitude médicale désinvolte, distraite, parfois même désapprobatrice, et masque trop souvent la réalité redoutable de problèmes pathologiques plus graves. Mais il n'est pas pardonnable de laisser perturber et léser de façon irréversible un être humain qui a encore 25 ou 30 ans à vivre.

Un traitement substitutif précoce et systématique, a des buts précis :

— Compenser le déséquilibre ovarien pré-ménopausique et les proliférations (hyperplasie, fibromyomes, etc.) qu'il suscite, les perturbations métaboliques profondes qu'il entraîne.

— Mettre des structures essentielles (cerveau, bulbe, rétine, oreille interne) à l'abri de micro-hémorragies, cyanoses, nécroses ou dégénérescences irréparables.

— Compenser la disparition hormonale ovarienne ;
   • en empêchant ses conséquences atrophiques invalidantes (génitales, osseuses, oculaires) ;
   • en protégeant l'organisme de perturbations métaboliques, chimiques (athérosclérose) ou enzymatiques (polyarthrite évolutive, etc.).

— Empêcher les désordres des centres de commande supérieure (inhibition mais surtout hyperexcitabilité du système cortico-hypo-thalomo-hypophysaire) et leurs répercussions :
   • immédiates : dérèglements des médiateurs chimiques (et de tous les phénomènes vasculaires ou sécrétoires qu'ils commandent), hypertension artérielle, obscurcissement...
   • à long terme : pathologies d'entraînement des autres régulations hormonales, hyperthyroïdie, diabétisation, etc.

— Assurer, grâce à ces différentes actions, une prévention statistiquement efficace de tous les cancers génitaux.

— Enfin, éviter les « malaises » du climatère et les conséquences psychologiques et sociales d'un flétrissement prématuré.

L'intervention précoce est pratiquement essentielle, première-

ment parce qu'elle est biologiquement justifiée, deuxièmement parce qu'elle est possible et efficace.

Les symptômes légers ou envahissants, bénins ou graves, de la perturbation hormonale profonde, cèdent en même temps qu'elle, au traitement causal.

Aussi, à l'heure actuelle, une ménopause peut-elle et doit-elle être franchie dans l'ignorance absolue de ce qui se passe, et dans l'absence totale de troubles.

Mais, dans le même temps, le traitement assure l'équilibre trophique métabolique dont dépend en grande partie la salubrité des 30 années suivantes.

La nécessité d'une prévention systématique toutes les fois qu'elle est possible, son efficacité..., et la démesure de sa rentabilité par rapport à la modicité des dépenses qu'elle entraîne, sur ces trois points la ménopause est exemplaire et pourtant ses implications financières, sociales et politiques sont absurdement méconnues ou systématiquement refusées, contre toute évidence statistique, « au défi de tout bon sens et de l'évolution des structures médicales [1] ». A tel point qu'elle pose à l'heure actuelle des problèmes d'information plutôt que des problèmes scientifiques.

_____

1. Dr ESCOFFIER-LAMBIOTTE, *Le Monde.*

2

IL Y A SEULEMENT QUINZE ANS

En dehors de grandes hémorragies, les consultations de ménopause étaient toujours tardives, à partir de 50-55 ans, à force de malaises, d'insomnies, de fatigue, et surtout des apparences de pathologies cardio-vasculaires. Les femmes consultaient pour ce qu'elles croyaient être une maladie, pas pour la ménopause.

Ces dix dernières années ont tout changé.

De plus en plus de femmes se présentent dès 40 ou 45 ans, sans attendre l'apparition de troubles : règles, malaises ou modifications morphologiques.

Elles viennent pour savoir d'avance ce qu'il faudra faire, a quel moment le faire. Elles pensent qu'il est temps de se « surveiller » et au fond demandent à être *dirigées* avant d'être *soignées*.

Cette attitude de prévoyance et de gestion intelligente, efficace [1] est peut-être un des éléments les plus positifs de l'information donnée par la presse féminine. Elle est malheureusement encore beaucoup trop rare et très insuffisante.

La position « attendre et voir venir » est le contraire même de la logique et de l'efficacité dans ce domaine.

Malheureusement, en dehors de quelques spécialistes ou généralistes particulièrement avertis, de quelques femmes énergiques et batailleuses, le plus souvent, par ignorance ou passivité, personne ne prend la ménopause suffisamment au sérieux.

---

1. Tellement souhaitable qu'il est navrant que la plupart aient été plus ou moins rabrouées comme si pour certains médecins, prévenir, atténuer ou comprendre la ménopause était une incongruité futile ou anti-naturelle.

Moins de la moitié des femmes atteintes de troubles songent à consulter un médecin. Pourtant le nombre de celles qui sont informées de possibilités thérapeutiques est nettement plus élevé. Mais les unes semblent les trouver tolérables ou les croient « normaux », au même titre que les maux de ventre menstruels ou les nausées de grossesse, et les autres les croient passagers, sans conséquences.

Aucune ne soupçonne la possibilité de conséquences pathologiques directes !

Aussi ne faut-il pas s'étonner que parmi celles à qui on demande si elles consulteraient un médecin en cas d'aggravation, 10 % d'irréductibles continuent de penser que, même dans ce cas, « il ne faut pas forcer la nature ! ».

Ceux des praticiens qui prennent la ménopause à la légère ne prêtent attention qu'à des manifestations psychosomatiques superficielles et semblent ignorer les bouleversements profonds dont la survenue est, pourtant, autrement redoutable. Ceux qui cherchent à faire quelque chose, attendent presque toujours la sacro-sainte bouffée de chaleur, premier signe vraiment gênant et universellement reconnu, alors que les signes préliminaires, parfois plus précoces, d'altération hormonale n'attirent pas l'attention, ou ne sont même pas connus et recherchés comme ils devraient l'être. Et pourtant l'attitude qui consiste à attendre des malaises pour réagir n'est pas raisonnable. Cela revient à attendre l'installation de dégradations pour tenter d'y remédier.

Aucun système social, aucun organisme de santé, ne semble concevoir les éléments aisément mesurables et chiffrables d'une comparaison valable. D'un côté, l'extraordinaire modicité des examens et des traitements que demande la prévention, de l'autre l'extravagante dépense en consultations, examens, médicaments, soins, interventions, incapacité de travail, obligation d'assistance, journées, semaines et années d'hospitalisation, longues maladies, invalidités... qu'exigent les traitements tardifs.

L'importance de la prévention sur les conséquences pathologiques tardives de la ménopause est toujours difficilement imaginable pour un patient, souvent insuffisamment présente à l'esprit du praticien, et apparemment complètement insoupçonnée par les organismes de santé.

Il est pourtant facile de s'en faire une idée.

Prenons un seul exemple, l'ostéoporose :

— *Sa prévention* représente :

• un examen annuel à partir de 40 ans (dont l'utilité est également appréciable dans bien d'autres domaines) ;

• une surveillance tri ou semestrielle, dans certains cas seulement annuelle ;

• la prise d'environ 20 comprimés par mois d'hormones et de quelques vitamines.

Il est facile d'imaginer la modicité du coût et combien le traitement est peu astreignant. Or cette prévention, facile et légère, peut être totalement efficace et ne jamais demander davantage. Au pire, il faudra peut-être renforcer à certains moments, les facteurs de métabolisme osseux et la vitaminothérapie.

— *Une thérapeutique tardive* nécessite :

• d'énormes quantités de produits contre la douleur (par dizaine, par jour) dont beaucoup sont irritants pour le tube digestif, dangereux pour les reins ou dérèglent l'équilibre hormonal ;

• des laxatifs, des somnifères ;

• des piqûres répétées ;

• des cannes, des sièges, des transports spéciaux ;

• des massages, des rééducations, des cures ;

• des journées et des journées d'alitement ou d'hospitalisation ;

• tous les besoins entraînés par une invalidité partielle ou totale ;

• des interventions chirurgicales importantes, difficiles, aux suites interminables.

Tout cela pendant des années avec toutes les servitudes médicales, ménagères, financières que cela comporte, le coût énorme pour la société de chaque patient de ce genre... et tout cela *pour, tout au plus, freiner, parfois (mais pas toujours), stopper, et, rarissimement, inverser l'évolution pathologique.*

*
**

Mais comment s'étonner de semblable ignorance ? Toutes les enquêtes faites dans le monde occidental montrent que les informations sur la ménopause sont extraordinairement rares et peu étoffées.

Il n'existe aucune information technique.

— Pour les jeunes filles, la ménopause est un phénomène mystérieux et très mal défini, avec des troubles vagues, de type prémenstruel.

Le monde des adultes est à peine mieux informé.

— Pour les hommes, c'est très vaguement l'époque où « la femme, délaissée, devient plus acariâtre » (!)... « a des humeurs dues à ses organes (?...) », « cesse d'être une femme (?...!) », a des « petits troubles psychologiques parce qu'elle « se voit vieillir [1] »...

Et on ne trouve pas plus de 25 % des femmes ayant lu ou entendu une information technique.

La première source d'information, la seule dans plus de la moitié des cas, vient des mères. Etant donné leur ignorance technique, inévitable, la transmission héréditaire traditionnelle d'erreurs, de tabous ou de fatalisme [2], comment s'étonner que la ménopause garde un aspect flou où dominent les signes neuro-végétatifs, spectaculaires, mais où phénomènes physiologiques et pathologiques sont complètement ignorés. Comment s'étonner aussi de la façon exceptionnellement rétrograde dont le problème est abordé, défini, et assumé, alors que tout enseignement traditionnel est toujours entaché d'un décalage extrême de connaissances par rapport à la réalité scientifique contemporaine.

Il est aussi nuancé d'une charge émotive considérable où la voix, les conditions de la description laissent une empreinte bien au delà des faits. C'est vrai pour l'accouchement, mais aussi pour la ménopause. Avec une nuance particulière : comme pour tout ce qui touche à la vieillesse, celles qui sont concernées, ont tendance à majorer certains phénomènes pour apitoyer, et à en minimiser ou dissimuler d'autres, qui leur paraissent dégradants [3]. Celles qui sont beaucoup plus jeunes, ne se sentant pas concernées et ne voulant pas l'être, consciemment ou non, refusent de savoir.

La deuxième source d'information, médicale, vient malheureusement très loin derrière par ordre de fréquence : dans 20 % des cas c'est le médecin de famille ; dans 8 % seulement un gynécologue.

Le médecin de famille a donc comme toujours un rôle de surveillant, d'informateur, de conseiller absolument majeur. Mais pour l'assumer, encore faut-il que lui-même, submergé de problèmes d'urgences, de modifications continuelles de l'appareil thérapeutique, puisse dans un domaine, dans l'immédiat moins pressant, être suffisamment à jour...

---

1. Cette prodigieuse ignorance de la *réalité* et de la *généralité* du phénomène doit être bougrement responsable de drames d'intolérance conjugale.
2. Il faut songer que les femmes n'osant « toucher l'eau » pendant leurs règles ne disparaissent des clientèles que depuis une dizaine d'années.
3. Les modifications pileuses pubiennes, le kraurosis ou les prolapsus sont très rarement décrits.

*
**

Il n'est donc pas possible de s'occuper valablement de la ménopause sans envisager un très grand effort d'information.

Une information générale est nécessaire pour la société, au niveau des décisions politiques, économiques et sociales, des tendances patronales, des revendications syndicales, dont aucune des décisions, aucune des orientations ne correspond jamais à la réalité des besoins, des capacités ou des possibilités.

Il faut définir de façon claire, la ménopause :

— *la réalité de ses problèmes,* la nécessité de s'en occuper, qui se heurtent sans cesse à une négligence, une ignorance (souvent voulues) de la gravité des phénomènes ;

— *mais aussi ses limites.* Car à l'opposé, étrangement, on en déduit des conséquences d'exclusion, d'invalidité, tout à fait exagérées même chez des femmes non traitées, et tout à fait inacceptables lorsqu'il s'agit de femmes traitées.

La réalité du problème exige des mesures d'information, de prévention, de dépistage et de traitement sérieux... après quoi il n'y a plus de problème !

La connaissance des limites implique que l'on cesse de calculer et d'organiser une vie comme si elle finissait à 50 ans. Mais ce n'est pas un problème exclusivement féminin, *dans l'optique gérontologique, toutes les conceptions actuelles sont inadaptées à ce que la vie humaine est devenue. Aussi bien à sa prolongation qu'à sa conservation.*

L'information des femmes est, bien sûr, essentielle. Comment faire réaliser cette prise de conscience si les intéressés ne la réalisent pas elles-mêmes.

Trop, beaucoup trop de femmes ne songent pas à consulter ou n'osent le faire, croyant leurs troubles trop ordinaires ou inévitables et incurables. N'est-ce pas navrant au regard des possibilités médicales actuelles [1] ? La plus grande partie d'entre elles ignorent complètement aussi bien l'aspect ou les conséquences pathologiques de la ménopause que les progrès de la thérapeutique, à quel moment

---

1. 54 % seulement des Françaises savent qu'il existe un traitement médical de la ménopause. 39 % connaissent la nature hormonale et seulement 40 % vont consulter un médecin. Les Allemandes, plus nombreuses à connaître l'existence de traitements, sont aussi les moins nombreuses à considérer la ménopause pénible sur le plan physique et psychique », enquête internationale Health Foundation.

celle-ci doit être sollicitée et, préventive, substitutive ou réparatrice, quelles sont ses possibilités réelles.

Il faut le leur apprendre comme on l'a fait pour les vaccinations, les dépistages...

Cela leur permettrait une organisation de leur vie plus judicieuse et profitable, une lutte sereine et motivée, techniquement orientée et autrement efficace. Comment sinon leur faire comprendre l'intérêt de certaines précautions de jeunesse, de surveillance, de discipline, à l'âge adulte, plus tard de dépistage et de traitement systématique.

Mais une contre-information sera, aussi, vraisemblablement nécessaire.

Bien ou mal informées, trop, beaucoup trop de femmes ont été inhibées par l'avalanche de campagnes alarmistes, de théories contradictoires. Il faut dépassionner le problème, rétablir le calme dans les esprits. Mais pour cela l'information devra obligatoirement (comme pour la contraception) inclure non seulement l'exposé des connaissances actuelles, mais aussi *une remise en cause loyale et claire de toutes les erreurs et divagations passées.*

L'information, si elle est seulement morale ne sera jamais suffisante.

Ce qui est sain et raisonnable frappe beaucoup moins que l'acharnement, la véhémence fanatique, hystérique et irrationnelle. Il faut tenir compte de ce fait, reprendre une à une les proclamations tendancieuses ou erronées. Car aussi longtemps qu'elles n'auront pas été dénoncées (aussi fortement, aussi souvent et avec autant d'insistance qu'elles avaient été énoncées) une inquiétude, une angoisse, persisteront qui retiendront la plupart, et empêcheront les autres d'agir sereinement sans arrière-pensées.

Il y a une tendance instinctive devant une épreuve inéluctable : puberté, accouchement, ménopause, cancer... à vouloir l'ignorer le plus longtemps possible, refuser, jusqu'à l'absurdité, de se sentir concerné.

Il est très difficile, de convaincre une femme de la nécessité de dépistages rigoureux pour une ostéoporose, un état pré-diabétique, ou un cancer éventuel. Elle préfère penser qu'il n'y a pas de raison pour que cela lui arrive à elle. Comme si s'en soucier risquait de matérialiser ses craintes et d'attirer sur elle l'attention d'un sort aveugle et malveillant.

Et pourtant quel médecin s'amuserait à divulguer un risque impressionnant s'il n'y avait pas de solutions de défense à lui opposer. Les médecins ont peu tendance à parler de ce qui ne peut être combattu. Ça ne les amuse pas de terrifier les gens. Complications, éventualités dramatiques, pour lesquelles la science est encore désarmée, restent un domaine réservé dont ils ne parlent jamais qu'entre eux. Et une très grande partie de leur vigilance et de leurs actions exploratrices ou thérapeutiques se déploient dans un domaine inconnu du patient et à son insu.

Pendant très longtemps, il aurait été cruel et inutile de décrire en détails la ménopause dans la mesure où on ne pouvait que la subir. Mais maintenant, la situation est tout autre : la ménopause peut être prévenue, elle peut être traitée dans ses plus extrêmes conséquences.

Enfin il ne faut pas que des jeunes filles se disent : « si c'est cela vieillir, je préfère mourir à 45 ans » (comme nous l'avons entendu), mais qu'elles pensent paisiblement « ah, bon, ce n'est que ça ? Il faudra prendre des précautions... ».

Mais pour défendre valablement dans la vie, dans la société, dans la famille, leur existence, pas seulement de procréatrices mais aussi d'êtres humains à part entière, il faut qu'elles sachent, les premières, qu'il y a du temps à vivre et bien vivre, au delà des maternités et de la ménopause, qu'il faut y croire, qu'il faut s'y préparer, qu'il faut en profiter et ne pas admettre que les choses, les autres ou soi-même, volontairement ou non, risquent d'en masquer ou d'en limiter les bénéfices et la jouissance.

3

LES MULTIPLES PEURS

Malheureusement de multiples peurs limitent terriblement toutes possibilités d'action auprès des femmes.

La peur d'être rabrouée est très grande. Presque toutes, dans leur tentative d'obtenir un traitement, surtout un traitement préventif, ont été, une fois ou l'autre, ironiquement renvoyées, sévèrement admonestées, parfois grossièrement traitées. Les médecins femmes ont une grande habitude de patientes dont la première phrase est : « Je ne peux pas parler de cela à un homme, il m'enverrait promener », ou : « Je suis fatiguée d'être renvoyée par les médecins qui ne me prennent pas au sérieux. » Il est regrettable que, soit par conviction ancienne, soit par désir d'identification à leur confrère mâle, beaucoup de femmes gynécologues aient également joué ce rôle, dans un passé encore récent.

Mais les vrais spécialistes hommes ou femmes existent, ils ont toujours existé, il suffit de chercher un peu... et que les femmes soient exigeantes.

La peur d'un diagnostic (et pour elles pathologique = cancéreux) est un motif fréquent d'abstention. Beaucoup évitent gynécologues, endocrinologues, gérontologues, tous ceux qui peuvent les conduire à un examen susceptible de matérialiser une angoisse insoutenable.

Ainsi les campagnes anti-cancéreuses, par leur tendance dramatisante, à l'excès, ont souvent créé un effet bien involontaire, de peur panique du dépistage et du diagnostic, sans réussir à généraliser la conviction de son extrême nécessité et *de ses effets positifs.*

S'il faut arriver à supprimer la peur des conséquences diagnostiques de l'examen, il est évident que *la peur de l'examen lui-même est un élément presque aussi important,* particulièrement pour les personnes âgées, pour qui il est souvent psychologiquement et physiquement insupportable.

La désinvolture de bien des médecins, de certains laboratoires, hospitaliers ou libres, vis-à-vis de l'examen gynécologique est extrêmement regrettable. La plupart continuent de ne tenir aucun compte du désagrément éventuel de tels examens, et il est extraordinaire qu'aucune tentative ne soit faite avec les moyens modernes pour les rendre plus faciles et moins déplaisants aux femmes.

Tables et positions gynécologiques, forme et constitution du spéculum, maladresse du manipulateur, tout prête à critiques, et pourrait être amélioré. Les femmes détestent ce genre d'examen.

Les médecins ont beau dire que c'est faire beaucoup d'embarras pour peu de choses, *la réticence existe, et elle est considérable. On n'en mesure pas assez les conséquences sur le peu de dispositions des femmes aux investigations et la limitation consécutive considérable de dépistages si nécessaires.*

Avec la diminution de la vie sexuelle et des hormones œstrogéniques, la pénétration et la dilatation vaginale deviennent de plus en plus pénibles et franchement douloureuses. *Il est toujours très difficile d'arriver à convaincre des femmes déjà âgées de faire ces examens, et, les ayant fait, de les refaire.*

Vaincre à l'arraché les réticences d'une femme pour parvenir à le pratiquer n'est qu'une piètre victoire, si elle doit, comme c'est souvent le cas, lui faire éviter par la suite tout simplement toute occasion d'avoir à le répéter. *Ceci est très fréquent. C'est le cas d'un très grand nombre de femmes et, quelle que soit la validité de leurs raisons, l'efficacité veut que l'on rende un examen aussi indispensable toujours acceptable.* Quant aux femmes, là encore il suffit qu'elles soient exigeantes. Il vaut mieux renoncer à un milieu habituel ou un laboratoire connu, qu'à un examen essentiel.

La dernière peur, c'est la peur du traitement. Elle est parfois irréductible.

Chez les femmes qui voudraient consulter à la ménopause, elle prend deux aspects différents :

a) Séquelle d'une période thérapeutique qui n'a duré que trop longtemps : *la peur des hormones mâles.* Car pour beaucoup d'entre elles, à la ménopause, traitement hormonal veut dire hormones mâles.

Pendant des années, totalement insoucieux d'un effet néfaste éventuel ou d'effets secondaires (les uns comme les autres à leurs yeux peu concevables ou négligeables !), certains praticiens en ont généreusement administré dans tous les troubles féminins, de la puberté à la ménopause ! Comme si l'effacement d'une féminité nocive et le retour à une neutralité ou aux avantages indiscutés, sinon indiscutables, de l'hormone mâle, source de tous les biens, devaient obligatoirement tout arranger.

Cette attitude plus archaïque et plus sexuelle que scientifique a joué souvent le rôle de pavé de l'ours dans des troubles qu'une régulation des hormones féminines aurait réglé dans la norme, et sans ennuis.

Aux yeux des femmes les phénomènes de virilisation même superficiels et sans gravité *sont toujours très mal acceptés*. Elles sont encore nombreuses à demander la promesse de n'utiliser en aucun cas des hormones mâles, ou même de n'en utiliser d'aucune espèce, car elles ne font pas bien la différence (surtout pour la progestérone) entre les hormones mâles et femelles, et craignent indifféremment des deux : peau et cheveux gras, changement de voix, apparition de système pileux, fonte mammaire, etc.

b) L'autre peur, c'est bien sûr *la peur des hormones femelles*. Si violemment, si universellement répandue qu'elle sera longue à effacer. L'étrange phobie séculaire des hommes à cet égard, son invraisemblable persistance à notre époque, que l'actualité fait périodiquement ressurgir, resteront longtemps un phénomène psychologique extraordinaire ! Mais plusieurs générations de femmes [1] ne guériront jamais de leur peur des œstrogènes. Après l'avoir créée de toutes pièces, on n'a rien fait pour l'apaiser. Mais peut-être eût-il fallu se dédire trop ouvertement après tant de véhémence.

La responsabilité médicale a été lourde, dans cette obstination arbitraire et fort peu scientifique. Mais chercheurs, praticiens et presse scientifique ont tout de même suivi peu à peu l'évolution des recherches, les progrès et les résultats acquis, même lorsqu'il a fallu contredire des opinions encore récentes.

Il en a été autrement de l'information publique. La presse a une tendance notoire à majorer, de façon très contraire à l'objectivité scientifique toutes les nouvelles qui font « drame », et à ignorer les autres. La dramatisation est peut-être payante, encore que le niveau des lecteurs semble souvent sous-estimé, mais le résultat de ce phénomène est terriblement grave. Nous l'avons vu récemment

---

1. ... et de médecins !

à propos de contraceptifs. Après avoir fait la première des journaux à la période de sinistrose aiguë, depuis qu'on ne peut décemment plus prétendre (encore que la décence, scientifique ou autre, ait été dans ce domaine bien malmenée) qu'ils soient à l'origine d'accidents spectaculaires, le silence est tombé sur eux. Et le public est resté dans l'ignorance de l'évolution des connaissances et des techniques.

Dans ces outrances, comme dans ces silences, il semble bien qu'il y ait aussi, au delà de la déformation professionnelle, un substratum profond et incontrôlable, semblable à celui qui a fait perdre aux médecins eux-mêmes à ce sujet, l'esprit scientifique, l'objectivité et le sens de la mesure.

A cause de cela « la peur hormonale » a été, *reste encore* une chose grave.

Elle a nui au progrès de la médecine.

Elle a fait longtemps échouer une contraception nécessaire et, sinon idéale, valable.

Pendant des années, consultation par consultation, il a fallu, non seulement enseigner des faits, mais désapprendre des notions fausses, terrifiantes, dans un contexte émotif pénible.

A l'occasion de tables rondes récentes à propos de l'avortement, certaines personnalités médicales et politiques se sont indignées comme d'une inconvenance que la contraception ne soit pas normalement appliquée et suffisante. Mais cette contraception simple et évidente pour eux qui avaient tant fait pour la défendre, étaient-ils bien conscients du fait que *c'est une des premières fois que le public en entendait officiellement parler, comme d'une chose non nocive, et même souhaitable ?*

C'est tout à l'honneur de la science d'avoir osé revenir sur ses pas, de défendre ouvertement et clairement des choses proscrites il y a seulement 40 ans. Mais la psychose collective a joué et joue encore chez le plus grand nombre de patientes et, hélas, chez bien des médecins.

On ne peut conclure cette étude sur l'attitude de la femme devant le traitement sans signaler qu'en dehors de quelques tendances anciennes ou névrotiques bien caractéristiques, les femmes, à l'opposé des hommes, ont été extraordinairement aptes, au cours des 20 dernières années, à comprendre les explications qu'on leur donnait, à en être rassurées, et à accepter franchement, sans arrière-pensée, le traitement.

S'il n'y a plus guère de mérite depuis quelques récentes années, il faut rendre hommage à celles qui, il y a 15 ou 20 ans, ont eu le courage de s'engager dans un traitement contraceptif ou une hormonothérapie substitutive de ménopause et qui, malgré les oppositions véhémentes d'amis ou de certains médecins, ont eu la fermeté de continuer.

Il faut aussi souligner le fait que pour la plupart (71 % de cas), la motivation résidait dans le désir de conservation d'équilibre et d'aptitudes, 11 % seulement avaient des motivations esthétiques, et les 18 % restants un mélange des deux.

Les affolements tardifs, les retours en arrière ont été rarissimes, et toujours le fait de sujets chez qui l'anxiété ou le refus névrotique étaient perceptibles dès le début. (Cette constante d'ailleurs nous amène à ne plus jamais chercher à convaincre, parfois aux premiers contacts, parfois définitivement, une femme qui présente ces caractéristiques.)

Il faut témoigner aussi chez elles d'une discipline d'ensemble remarquable dans la régularité et la durée du traitement. Cette continuité, témoin supplémentaire de l'équilibre des intéressées, mais aussi caractéristique de l'âge, a toutefois été consolidée de leur propre aveu, par l'évidence des résultats. On peut donc en déduire qu'ils sont suffisants pour objectiver une discipline qui n'est pas toujours dans la nature de certaines patientes.

4

LA QUESTION LE PLUS SOUVENT POSÉE
À UN GÉRONTOLOGUE

A quel âge faut-il commencer à se préoccuper du vieillissement ?

C'est une question intelligente. Elle implique une parfaite
conscience de la notion de prévention. Et la prévention est la
motivation et le but essentiel en gérontologie.

Mais cette question montre dans le même temps une grande
ignorance des mécanismes de sénescence et la réponse est difficile.

Répondre : « avant de naître » n'est pas une boutade mais
en tant que conseil, il est trop rétroactif pour être applicable,
sauf pour de futurs enfants.

Mais si on ne peut choisir ses ancêtres, il est déjà certain
que bien des choses se jouent pendant la *vie fœtale* et que, à travers
la mère, avant, pendant sa grossesse, on peut déjà atténuer ou supprimer certaines filières pathologiques, favoriser certaines qualités
biologiques du petit d'homme à naître.

L'équilibre hormonal, tout l'avenir circulatoire, respiratoire,
osseux et vertébral, sont joués à la puberté, parfois même avant.
C'est alors qu'ils devraient être stimulés et, si nécessaire, corrigés.

L'intégrité physique dépend des conditions de vie et de travail,
auxquelles s'ajoutent, chez les femmes, l'influence profonde des
maternités. Cela exigerait :

• certaines rigueurs hygiéniques ou thérapeutiques dès le début
de l'âge adulte ;

• une surveillance et des corrections rigoureuses au fur et à
mesure des dégradations quotidiennes, des incidents ou des accidents
de la vie courante, du travail et des grossesses.

QUESTION À UN GÉRONTOLOGUE

L'intégrité chimique et fonctionnelle devrait être contrôlée et rigoureusement entretenue à partir de 40-45 ans.

Mais ces notions sont encore peu connues et, dans la pratique, en ordre de fréquence et en ordre d'importance, si les premières perturbations inquiétantes conduisent les hommes à consulter un gérontologue aux moments de tension, des difficultés, des angoisses de leurs dernières années de travail, ou devant les dévastations des premières années de retraite, les femmes en bloc, bougent à la ménopause : après, pendant, avant. Et ce décalage de 10 à 15 ans entre les soucis des deux sexes correspond bien à quelque chose.

Ces femmes, destinées à vivre 5 à 8 ans de plus que les hommes, se sentent agressées, dangereusement fragilisées, 10 bonnes années avant eux.

Et s'il est vrai que les problèmes de ménopause constituent, depuis le tout début de la gérontologie un des motifs majeurs de consultation, *c'est parce qu'il est vrai qu'elle joue un rôle de frontière au delà duquel tout peut ne plus jamais être pareil.*

Une certaine fragilisation, la diminution d'adaptation de l'organisme, la proximité de la vieillesse, font de cette ultime métamorphose féminine, la seule à ne pas porter de fruit, mais seulement amertume et déchéance, le début de pathologies, de décompensations, parfois de véritables catastrophes.

C'est donc non seulement une entité physio-pathologique extrêmement importante mais aussi un phénomène essentiel.

Pour le gérontologue qui découvre sans cesse, dans des statistiques péniblement significatives, que les trois quarts des maladies des femmes, à partir de 50 ans, se sont jouées : lors de pubertés mal écloses, dans des suites de grossesse ou d'accouchement sabotés ou négligés, et surtout, *surtout,* à cause de la ménopause et à partir d'elle, le sentiment de gâchis va parfois jusqu'au scandale.

L'information sur ce sujet si controversé doit commencer par une mise au point.

Il faut détruire plusieurs mythes, si absurdement illogiques et contradictoires que leur pérennité semble incompréhensible. Leitmotive pseudo-scientifiques, vous les reconnaîtrez aisément.

1. *La ménopause, phénomène physiologique, est, dans la norme, sans problème.*

Or, nous l'avons vu, pour 80 % des femmes il y a des problèmes, et des problèmes sérieux.

C'est l'absence de troubles qui est exceptionnelle, et elle n'est jamais, à longue échéance, tout à fait vraie. Car l'absence de troubles climatériques neuro-végétatifs ou autres ne préserve en rien l'avenir de complications osseuses vasculaires, sensorielles ou cérébrales.

2. *Le mythe de la nature.*

Celui-là est extraordinaire ! Pourquoi ce qui est naturel serait-il obligatoirement considéré comme bénéfique et intouchable ?

Il ne faut pas considérer que « parce qu'une carence hormonale est naturelle, elle doit être respectée et qu'on ne saurait rien changer à l'ordre de la nature [1] ». La nature ne fait-elle donc jamais d'erreurs, jamais rien de nuisible ? Champignons vénéneux, orties, poisons, stupéfiants, toxiques, épidémies, inondations, sécheresses, tremblements de terre, ou typhons sont pourtant éminemment naturels.

Et pourquoi définirait-on comme naturel à 50 ans ce qui est considéré comme tout à fait pathologique à 40 ?

La plus grande gloire de la science est d'avoir domestiqué la nature, la fonction essentielle de la médecine est d'en vaincre les lois ou les erreurs défavorables.

3. *Le mythe de la punition,* d'effets qui s'émoussent au bout d'un certain temps, ou qui peut-être même s'inversent précipitant une dégradation plus grande que celle à laquelle on croyait échapper.

Toutes les légendes de rajeunissement miraculeux ont toujours été accompagnées d'une chute plus ou moins terrifiante, où le sujet rattrape en un instant, en une nuit, avec usure, de façon dramatique et à des moments particulièrement mal choisis, les années dérobées au temps. Comme s'il fallait payer très cher le prix d'une conservation exceptionnelle.

4. *Le mythe du cancer* [2].

« C'est une époque dangereuse, car elle est dominée par la menace redoutable du cancer... »

Brr !... La nature est-elle si cruelle, ou bien si maladroite ? Et ce phénomène « physiologique et naturel » peut donc avoir des inconvénients si sérieux ?

Cette crainte si répandue révèle bien une notion de la nature pathologique du climatère, mais aussi combien elle est en réalité méconnue. Car si c'est la période la plus fâcheusement privilégiée

---

1. Klotz.
2. *Cf.* Risques cancérigènes, pp. 319-326.

pour l'apparition des cancers, ceux-ci sont loin de tenir le premier rang. Ils ne viennent qu'après les proliférations et les tumeurs bénignes, et hypertensions artérielles, ostéoporoses, etc., sont bien plus fréquentes.

5.   *Enfin, le mythe de l'hormone maléfique,* le plus illogique de tous [1].

Cancérigène, hypertensive, athérosclérosante, diabétisante, embolisante... probalités fâcheuses systématiquement soulevées les unes après les autres, au fur et à mesure que l'accusation précédente était éventée.

On sait maintenant qu'il ne s'agit que de légères modifications, dans les limites physiologiques et que seuls certains sujets porteurs de tares ou d'insuffisance sont incapables de s'adapter sans dommage à ces modifications.

Mais qui s'embarrasse de logique pour :

— impliquer en même temps et contradictoirement dans l'apparition de cancer :

   • la disparition des hormones ovariennes : ménopause ;
   • et leur action : thérapeutique ;

— refuser :

   • les risques minimes presque toujours très contrôlables de la contraception qui pourtant protègent contre ceux, pour les mêmes sujets, infiniment plus dangereux, de la grossesse ;
   • les risques insignifiants ou inexistants de l'hormonothérapie substitutive de ménopause et qui protègent contre les complications pathologiques infiniment plus graves de la privation hormonale.

6.   *La ménopause = fin de la vie active, début de la vieillesse.*

A l'occasion d'une étude comparative sur la capacité de travail de la femme avant et après 45 ans, nous avons été amenés à poser des questions subsidiaires qui reçurent des réponses étonnantes.

A la question : jusqu'à quel âge croyez-vous pouvoir travailler et jusqu'à quel âge croyez-vous pouvoir vivre ? Les femmes de 65 ans et plus répondent :

— à la première question : « Tant que je ne change pas... »
— à la deuxième : « Je ne sais pas » !

Une espèce de curieuse pudeur les retient de faire des pronostics trop optimistes. Mais il semble évident, et certaines le disent tout

---

1.   *Cf.* La querelle des Anciens et des Modernes.

uniment, qu'elles ne trouvent en elles aucun signe annonciateur de la fin ou d'une déchéance.

Or, les autres, toutes les autres, de 20 à 45 ans, *pensent pouvoir travailler jusqu'à 55 ans au plus, et mourir quelque 10 ans après* [1]!...

Il semble extravagant que, avec une telle unanimité, à l'encontre de vie, particulièrement depuis la dernière guerre, est un des phéfausse de leur propre vie.

L'incroyable et brusque allongement de la moyenne de durée de toutes les données modernes, les femmes se fassent une idée aussi nomènes dominants de notre époque. Au premier plan de l'actualité, il est des plus vulgarisés. Personne ne peut l'ignorer. Or, c'est par centaines que les réponses à notre enquête montrent qu'au lieu de réviser leurs attitudes et l'organisation de leur vie, contre toute évidence statistique et scientifique, la masse des femmes continue à tous les niveaux, à se référer à des concepts qui étaient valables pour leurs grands-mères, et à faire dépendre d'eux leurs sentiments, leurs craintes et leur comportement.

De la ménopause à la probabilité de mort il y a de 25 à 35 ans. Largement autant que la durée sur laquelle les jeunes filles bâtissent tout leur avenir — puisqu'elles ne projettent jamais rien au delà de 50 ans [2].

Dès qu'il s'agit du temps après la cinquantaine, au lieu d'entamer et d'organiser une deuxième existence différente de la première, elles se comportent comme s'il s'agissait de quelques pauvres années sans intérêt dans une attente plus ou moins végétative de la vieillesse et de la mort.

Comme si au delà de l'ignorance, il existait chez des femmes un refus assez curieux de tout ce qui vient après la ménopause et que pour elles, tout intérêt soit perdu avec l'âge de la séduction physique.

Et elles ne s'embarrassent pas d'illogisme à réclamer désespérément dans leur jeunesse, le droit à d'autres intérêts que ceux dérivés de l'amour et de la famille, pour s'y refuser obstinément à l'âge où l'amour et la famille n'absorbent plus la totalité de leur attention et de leur activité.

---

1. Dr. A. DENARD-TOULET, *Esprit*, n° 5, 1961.
2. Evelyne SULLEROT.

5

CES EXAMENS AUX NOMS BARBARES

Ce n'est pas l'arrêt des règles qui fait la ménopause, ni les bouffées de chaleur qu'il est indispensable de traiter. Quoique spectaculaires, ce sont là peut-être les troubles aux conséquences les plus minimes.

Il y a, par carence ovarienne, des pathologies autrement importantes et qui sont parfois engagées bien avant l'arrêt des règles ou les premiers signes subjectifs d'alerte. Le début de cette carence ne peut donc être rigoureusement contrôlé que par des bilans périodiques systématiques, car les premières modifications sont toujours silencieuses et parfois très précoces.

Il est très difficile de fixer une date et d'établir des règles absolues car les variations personnelles sont assez grandes. Toutefois, on peut faire une sorte de planning raisonnable.

A partir de 40 ans, il faut :
un *dosage hormonal* sécrétion ovarienne, sécrétion surrénale ;
un *frottis* complet (avec : examen microbien, dépistage cancéreux, contrôle et pourcentage détaillé des différentes couches cellulaires de la muqueuse) [1].

Si tout est normal, on recommence le dosage tous les 2 ans, le frottis tous les ans. Sinon, on commence la complémentation hormonale soit en faisant l'apport nécessaire, soit en nuançant la reprise de contraceptifs d'après les résultats. Et jusqu'à normalisation stable, un frottis semestriel et même trimestriel est nécessaire.

---

1. *Cf.* La fonction ovarienne. p. 55.

Un examen gynécologique doit être pratiqué au moins tous les 2 ans, et si possible tous les ans. Il doit comporter *un examen mammaire très soigneux.*

Il est bon de faire au moins une fois *une radiographie complète (full spine) de la colonne vertébrale,* de façon à apprécier d'avance la qualité de l'ossification, les déformations ou défauts de posture, de la colonne ou des articulations de la hanche, susceptibles de s'aggraver brusquement lors des premières perturbations osseuses.

Un bilan de pré-ménopause devrait être pratiqué au moins à 45 ans. Il comporte un interrogatoire détaillé. C'est lui qui permettra au médecin de découvrir la personnalité hormonale de la patiente, ses fragilités ou ses tendances pathologiques.

Si l'on veut avoir une action vraiment efficace, il faut concevoir la ménopause non comme une période de malaises, mais comme l'équivalent pour la deuxième moitié de la vie féminine de ce que la puberté est à la première.

Une sorte de préparation dont dépendra tout l'avenir.

Pour cela, il faut s'intéresser à bien plus que les simples problèmes du moment.

Il faut connaître la personnalité gynécologique hormonale et pathologique de la femme. De nombreux moyens sont donnés. Le premier, le plus important, toujours indispensable malgré les moyens techniques modernes, reste un interrogatoire soigneux sur toute la vie, et si possible sur l'hérédité de la patiente.

La longévité, la fécondité des parents directs ou collatéraux, tous les antécédents familiaux d'athérosclérose, thrombo-embolies, phlébites, hypertension, acide urique, diabète, obésité, cancers — nombre d'enfants de la mère — âge de sa ménopause.

Dans l'enfance, l'existence :
— d'un léger rachitisme : genoux en dedans, jambes de longueur différente, scoliose ou cambrure exagérée ;
— des troubles circulatoires des extrémités avec engelures ;
— la notion de maigreur ou d'obésité avant 7 ans.

On est ainsi conduit à rechercher et éventuellement évaluer :
— une pauvreté hormonale surtout progestative, initiatrice de ménopause précoce, d'ostéoporose,
— une insuffisance circulatoire périphérique,
— ou une tendance à l'obésité ou à la dégénérescence graisseuse. Toutes choses qu'il ne faudra pas oublier dans le choix du traitement.

La puberté, son mode d'installation, le type de règles de l'adolescente, une tendance aux maux de tête, aux troubles digestifs, à l'acné.

Les grossesses, comme elles se sont déroulées, avec ou sans nausées, avec ou sans obésité, avec ou sans troubles circulatoires, avec ou sans hypertension (éclampsie).

Les accouchements faciles, ou difficiles et longs (forceps-épisiotomie, déchirures et leurs suites), le poids du bébé, une dépression post-partum ou une grande fatigue de plusieurs mois, les accidents phlébitiques.

L'allaitement, s'il a eu lieu, et surtout comment il a été interrompu.

Enfin, *les règles,* leur mode, leur rythme à l'âge adulte et leur modification actuelle par rapport à la période moyenne. Par exemple chez une femme dont les règles durent de 4 jours en période préménopausique, le diagnostic est orienté dans des directions totalement inverses selon qu'elles ont diminué ou augmenté par rapport au flot habituel.

Tout renseignement gynécologique est utile au thérapeute, frottis, dosages, biopsies s'il y a lieu. S'il y a eu intervention chirurgicale, le compte rendu opératoire et surtout l'examen histologique de l'organe enlevé, peuvent donner des renseignements essentiels sur la personnalité hormonale de la patiente.

Il faudrait pouvoir indiquer les traitements hormonaux antérieurs. Or, il est rare qu'une femme se souvienne des noms de médicaments. Toutes confondent allégrement hormones mâles et femelles. Il serait utile de les noter pour pouvoir les signaler au médecin.

Il faut aussi signaler tout traitement hormonal, non ovarien : thyroïdien ou surrénal qui peut avoir une influence sur la sphère génitale et ne pas s'étonner de questions sur diverses pathologies.

L'évolution physiologique génitale d'une femme a souvent un type propre à chaque femme. Ces renseignements successifs permettent d'établir *un profil* dont l'importance n'est pas négligeable pour estimer la valeur du bilan à faire et les domaines à explorer particulièrement, nuancer les indications de traitement, prévoir l'évolution future. *Bref, établir un planning des surveillances, des particularités ou des dominantes thérapeutiques à prévoir.*

Le détail des investigations relève du domaine technique. Il suffit, sur ce point, de suivre les prescriptions du médecin consulté.

Mais il semble qu'il soit très important de donner quelques précisions sur les différents types d'examens qui peuvent être demandés.

En effet, leur connaissance est bien moins répandue qu'on imagine. Il est tout à fait courant de rencontrer des personnes qui invraisemblablement craignent beaucoup plus une hystérographie que par exemple un curetage sans anesthésie.

Tout examen au nom bizarre est toujours imaginé sous un aspect chirurgical et douloureux. C'est dangereux, car c'est une très grande cause d'abstentionnisme, et désolant car justement la médecine moderne met à la disposition des femmes une extraordinaire palette d'examens qui tous sont : *non sanglants, non traumatisants, non douloureux, faciles à faire, et sans inconvénients.*

Parmi ceux-ci, *le frottis vaginal* consiste simplement à prélever un peu de mucosité au fond du vagin à l'aide d'un petit goupillon, afin de pouvoir l'étaler sur une lame, le colorer, et l'observer au microscope. (Dans certains cas à l'aide d'une canule aspiratrice on pompe la mucosité qui descend de l'utérus par le col. C'est le frottis de l'endocol par aspiration.)

Si les femmes savaient faire un étalement sur lame, elles pourraient exécuter seules le prélèvement.

Tous les examens qui portent sur le col, *coloration* ou même *ponction biopsique,* sont parfaitement indolores, car le col est très peu riche en fibres sensitives. La prise biopsique est minuscule et passe presque toujours inaperçue. Il en est de même évidemment pour une ponction biopsique de l'utérus.

L'hystérographie. Est-ce à cause de son nom [1] ? Est-ce à cause d'histoires loufoques, colportées on ne sait pourquoi ? Elle jouit d'un prestige terrifiant sans pareil. Et c'est tragiquement dommage. Nous avons vu souvent des femmes retarder dangereusement l'examen demandé car elles s'en faisaient une idée invraisemblable.

L'hystérographie consiste à introduire un liquide opaque, radiovisible, dans l'utérus, afin de pouvoir radiographier la cavité et ses contours, ainsi que les trompes jusqu'aux ovaires. C'est l'équivalent exact de la prise de baryte pour une radio d'estomac ou d'intestin. Ce n'est en aucun cas plus terrible, et il n'y a même pas la corvée d'avaler une bouillie au goût douteux.

C'est une intervention non sanglante. La plupart des hystérographies se font à l'heure actuelle en aspirant légèrement le col vers la

---

1. Il semble qu'on l'associe confusément à l'hystérectomie.

base du vagin à l'aide d'une ventouse. Ceci permet sans blesser de voir clairement ce qu'on fait et d'introduire paisiblement par le canal naturel, le produit opacifiant. C'est somme toute infiniment moins désagréable qu'un simple lavement [1].

Des examens plus compliqués, tel qu'un *curetage biopsique* (qui n'est qu'un curetage dont on garde les lambeaux tissulaires ramenés pour examen microscopique) et la *cœlioscopie* se font toujours sous anesthésie. Ils ne sont donc pas douloureux, ils ne sont pas traumatisants. Les 24 heures de clinique exigées le sont, de règle, à cause de l'anesthésie, pas à cause de l'intervention.

La *cœlioscopie* consiste à introduire par une minuscule boutonnière camouflée (dans une ancienne cicatrice, les poils pubiens, les replis de l'ombilic), une sonde lumineuse très fine. Elle permet d'observer sans dommages et avec précision, l'extérieur des trompes, et les ovaires, inaccessibles à d'autres examens, et l'ensemble du péritoine. Elle permet également de faire un prélèvement du liquide péritonéal pour voir s'il existe des cellules cancéreuses. C'est un moyen d'examen remarquable qui remplace dans de nombreux cas les anciennes laparotomies exploratrices.

Les examens de la glande mammaire sont, quant à eux, un véritable luxe [2].

La mammographie est une radio, une simple photographie ni incommode, ni désagréable, et qui permet d'examiner le sein jusque dans ses structures les plus profondes. Elle montre tout le détail de la structure du sein et peut révéler l'existence d'une évolution cancéreuse de moins de 5 mm de diamètre, longtemps avant qu'elle soit palpable.

La téléthermographie, tout aussi aisée, révèle la plus minime activité inflammatoire ou vasculaire, avant même que se précise une condensation ou une modification tissulaire radiovisible.

Ces deux examens, qui se complètent admirablement, permettent, de *la façon la plus aisée,* un dépistage admirablement précoce.

L'ancienne biopsie a été commodément remplacée dans bien des cas par la *cyto-ponction.* C'est une ponction dans la zone douteuse exécutée à l'aide d'une aiguille ultra-fine, suivant les indications

---

1. Il doit y avoir dans les récits de femmes à femmes des confusions avec certaines insuflations tubaires en cours de stérilité qui peuvent dans certains cas être pénibles.
2. *Cf.* Cancer du sein, pp. 227-228.

de la radiologie. Il suffit de quelques gouttes de sérosité pour faire la preuve ou la négation de cellules cancéreuses.

Cet éventail d'examens est capable d'assurer une surveillance presque sans failles, une garantie et une sécurité prodigieuses, sans dommages et sans peine.

6

ET SI NOUS PARLIONS DE CANCER...

... Puisque, aussi bien, personne ne parle de ménopause sans penser aussitôt : cancer. Avec deux hantises équivalentes :
— celle d'un risque latent à partir de l'extinction ovarienne ;
— celle d'un effet cancérigène des hormones.

Toutes deux également fausses, et parfaitement contradictoires. Car il n'est pas très logique d'attribuer un effet semblable aux hormones d'une part... et au manque d'hormones d'autre part. Mais nous avons étudié ailleurs [1] l'effet... non cancérigène des hormones. Et la logique n'a que de bien pâles rapports avec ce sujet !

Mais, il est vrai que la ménopause est une époque tristement privilégiée en fait de cancer... comme il est tout aussi vrai que lésions ou tumeurs cancéreuses sont loin de dominer la pathologie climatérique, mais viennent assez loin derrière les proliférations bénignes et d'autres complications plus générales, comme l'hypertension ou l'ostéoporose.

Alors pourquoi associer si instinctivement ménopause et cancer ?

Il existe un malentendu permanent entre profanes et scientifiques à ce sujet.

Pour le public, c'est le symbole même de la mort, et d'une mort que l'on imagine toujours particulièrement horrible. Mais la mort n'est pas si différente d'une maladie à une autre et le cancer ne tue pas davantage mais plutôt moins qu'avant, et bien moins en tout

---

1. *Cf.* Risques cancérigènes, p. 319.

cas que d'autres maladies telles que l'insuffisance respiratoire, l'athérosclérose, etc.

L'habitude de parler « du » cancer comme d'un fait unique est déjà une erreur : « le » cancer sur le point d'être vaincu !... La lutte contre « le » cancer !... Cela ne veut rien dire. Il y a des dizaines de cancers. Certains si bénins qu'on ne s'en occupe même pas. D'autres, heureusement rarissimes, si graves et si rapides qu'on reste devant eux tout à fait impuissants.

En dehors du « développement *anormal* de cellules *anormales* [1] », aucun n'a les mêmes caractéristiques, la même évolution, la même gravité, la même issue. On commence même à douter, au fur et à mesure que le voile se lève, sur leur nature — qu'ils aient, tous, une seule et même cause, mais peut-être au contraire des origines fort diverses !

Parler de « cancer », tout court, ne veut pas dire grand-chose non plus d'un point de vue thérapeutique et pronostique. Même pour un organe donné il y a des différences énormes dans le danger ou la rapidité d'évolution, qui vont du plus bénin jusqu'au plus grave :

— dans une région donnée, pour quelques centimètres de distance ;

— suivant le tissu concerné, à quelques dixièmes de millimètres d'épaisseur près ;

— suivant le type cellulaire *adopté* par les cellules de la tumeur, ou le fait qu'elles n'en n'ont gardé aucun et restent tout à fait indifférenciées.

Les cancers ne sont ni plus impressionnants, ni plus meurtriers que ne l'ont été, la tuberculose au début de ce siècle et, jusqu'à la dernière guerre, les grandes insuffisances hormonales (insuffisance surrénale, diabète), les fièvres infectieuses, la fièvre puerpérale ou, plus près de nous encore, la méningite tuberculeuse.

A quoi bon rester 20 ans en arrière ? Il faut les replacer dans le contexte thérapeutique de notre époque.

En médecine, lorsqu'on est totalement désarmé contre une maladie, celle-ci tient le haut du pavé : c'est l'ennemi public numéro un. Jusqu'au moment où les progrès de la recherche et de la thérapeutique, petit à petit, domptent le monstre et le réduisent à des dimensions beaucoup plus ordinaires. Les cancers n'échappent pas à cette règle. Ils étaient terrifiants il y a 30 ans, parce qu'incompréhensibles, difficiles à diagnostiquer, impossibles à traiter. Mais depuis quelques années, ils ont beaucoup perdu de ce triste prestige.

1. *Cf.* « Risques prolifératifs », p. 326.

Certains sont pratiquement guéris.

La plupart des autres peuvent l'être, *et totalement,* s'ils sont diagnostiqués et pris à temps. C'est le cas de la plupart des cancers de la peau, du col, du corps de l'utérus et du sein.

Le même médecin qui, il y a 25 ans, regardait mourir, impuissant, méningites, tuberculoses ou leucémies, n'est plus désarmé aujourd'hui ni devant l'une, ni devant l'autre [2]. On ne guérit pas « le » cancer, car ses formes sont trop diverses. Mais on en guérit de plus en plus et, de plus en plus souvent.

Et cela on ne le sait pas assez, ni de quelle façon. Et pourtant cette connaissance est essentielle, car la participation des patients dans ce domaine est non seulement importante, mais entièrement déterminante.

Qu'est-ce qu'un cancer exactement ?

C'est une maladie cellulaire ; multiplication anarchique de cellules anormales dans leur forme comme dans leur comportement :

Elles n'obéissent pas au programme génétique, aux lois ou aux régulations du tissu envahi.

Mais malgré leur comportement en « corps étrangers » (« allogreffe »), les cellules cancéreuses échappent étrangement à la vigilance sans défaut de l'extraordinaire système de défense immunologique qui fait « rejeter » par l'organisme tout élément étranger, malade ou anormal. Or, il est tout cela à la fois, composé de cellules « malades, anormales, étrangères ». Cette capacité de ne pas réveiller le système d'alerte organique, de ne pas déclencher de lutte expulsive, c'est le grand mystère des cellules cancéreuses.

La très grande majorité des cancers en puissance ne peuvent se développer parce que le milieu s'y oppose. De même, lorsqu'un cancer existant commence à envoyer des cellules migratrices, le problème d'acceptation ou de rejet se repose de la même façon à chaque ganglion ou à chaque organe. Si les cellules cancéreuses sont rejetées, il ne se passe rien. Si elles sont acceptées, la tumeur secondaire « métastatique » se constitue et se développe.

---

1. Mortelle il y a vingt ans, guérie dans 60 à 70 % des cas de nos jours.
2. J. BERNARD.

Mais il semble bien établi qu'elles ne réussissent à « prendre » et à se développer que dans la mesure où certaines conditions sont réunies, qui semblent rendre le tissu attaqué incapable de s'opposer à l'envahissement ou à la transformation cancéreuse.

— une sérieuse altération de l'état général, et particulièrement des défenses immunologiques ;

— des modifications biochimiques locales par désordre neuro-humoral et hormonal ;

— des altérations cellulaires (chimiques, traumatiques ou inflammatoires).

Et de fait, l'analyse de chaque type de cancer génital montre des conditions de cet ordre :

— Le cancer du col apparaît électivement sur des tissus altérés, cicatriciels, érodés, infectieux, au moment où des dérèglements hormonaux à répercussion cellulaire aggravent le désordre local.

— Le cancer de l'utérus prend son point de départ sur une muqueuse où hypertrophie et atrophie coexistent et se heurtent.

— Le cancer de la vulve est la conséquence ultime d'une atrophie extrême et des dégénérescences qui l'accompagnent.

— Le cancer du sein, enfin, le plus complexe, et le plus difficile à cerner, apparaît avec une fréquence particulière, caractéristique, au moment des plus grands désordres ovariens (45 ans), et des plus grands désordres hypophysaires (60 ans), et préférentiellement ; sur un tissu mal défendu (tissu graisseux lâche des gros seins déshabités), sur des anomalies tissulaires (tumeurs bénignes, proliférations ou atrophies).

La ménopause n'est une période favorable aux cancers, que parce que, à ce moment, se trouvent réunies ensemble, un grand nombre de conditions locales et hormonales [1] favorables à la « prise » de cellules cancéreuses.

La mise au jour d'agents et de virus cancérigènes pour certains types de cancers, l'étude des virus en général ouvrent d'immenses perspectives.

Dans cette optique presque toutes les caractéristiques... et les bizarreries des cancers [2] deviennent explicables, compréhensibles.

Un virus peut envahir par exemple une bactérie, et sans doute également une cellule, détruire dans le noyau de celle-ci son

---

1. Toutes évitables ou curables.
2. *Cf.* « Risques prolifératifs », p. 327.

matériel génétique (c'est-à-dire son programme de reproduction et de fonctionnement) et le remplacer par le sien propre. Dès lors, suivant l'importance du transfert, la cellule n'obéirait plus guère [1], ou plus du tout [2] à son ancienne programmation, à celle de ses sœurs et de son milieu, mais seulement à la programmation du virus envahisseur. Ceci expliquerait :

— la possibilité de rejet si la cellule ne se laisse pas envahir ;
— l'anarchie, l'indépendance du tissu cancérisé ;
— son insensibilité aux influences ou aux régulations du milieu envahi ;
— son propre rythme de multiplication, tout à fait définissable, mais indépendant de celui du milieu environnant.

Enfin, suivant la puissance, la personnalité du virus envahisseur et la faiblesse ou l'altération du tissu envahi, la tumeur gardant quelques caractéristiques de l'environnement serait influençable ou n'en gardant aucune, serait particulièrement résistante à toute influence.

Il semble chaque jour plus évident que (comme l'athérosclérose par exemple) la constitution d'une tumeur cancéreuse soit *le résultat d'un ensemble de facteurs multiples coexistants, dont la présence en nombre, sinon en totalité est nécessaire pour que un ou deux agents cancérigènes réussissent à avoir une action déterminante* [3].

Il faut donc à la fois :

Des facteurs directs : facteurs de cause dont certains sont déjà reconnus :

— *virus cancérigènes* mis en évidence dans certains cas (cancer du rein, cancer du sein) ;
— *agent cancérigène* utilisé pour les cancers expérimentaux, et dont la liste s'allonge chaque jour : pollution chimique, certains produits, amiante, goudron, etc., certains pesticides, insecticides...

Mais des facteurs indirects favorisants seraient indispensables à leur action. Les cancers se développent électivement lorsque plusieurs d'entre eux sont réunis :

---

1. Cancer différencié.
2. Cancer indifférencié, le plus difficile à traiter.
3. Par exemple, pour provoquer un cancer mammaire chez une souris, il faut : de préférence une race héréditairement prédisposée, qu'elle soit porteuse de virus cancérigène, qu'on utilise un agent chimique cancérigène, qu'on provoque un état d'hyperœstrogénie élevée permanente ou une excitation hypophysaire intense et une irritation locale, ... et rien de tout cela ne marche si on a retiré l'hypophyse !

— *un terrain héréditaire :*
- transmission de faiblesse immunologique ;
- transmission de virus dans d'autres (cancers du col, du sein) ;

— *des tissus altérés,* hypertrophiques, dégénératifs, atrophiques ou irritatifs ;

— *un climat hormonal* perturbé pour les cancers génitaux où dominent :
- un déséquilibré du rapport œstrogène/progestérone ;
- un désordre hypophysaire en excès (de LH ou de prolactine principalement) ;

— *une ambiance pathologique* particulière où l'excitation hypophysaire joue un rôle certain : obésité, hypertension, diabète.

Ceci démontre :

— *Que la ménopause semble intervenir en réunissant plusieurs facteurs favorisants plutôt que comme facteur de cause.*

— *Que son rôle n'est donc pas fatal puisque chacun de ses facteurs favorisants peut être prévenu ou guéri.*

— *Que son traitement substitutif précoce et systématique est, et doit être considéré comme une prévention essentielle de la survenue de cancers génitaux ;*

Cela explique aussi que *l'essentiel de l'action thérapeutique conduite contre le cancer ne réside pas dans un traitement unique mais dans une « stratégie » complexe.*

Stratégie qui est, à l'heure actuelle, la base de tous les progrès, considérables, de ces 20 dernières années.

C'est une notion qui est malheureusement très mal comprise du public à cause de l'ampleur même de cette stratégie.

Il ne faut pas traduire par hantise ce qui n'est qu'efficacité.

Le cancer ne représente même pas la moitié des proliférations pathologiques à la ménopause et celles-ci (7 %) des anomalies pathologiques.

La systématisation, la minutie des explorations de dépistage ne tiennent pas à la généralisation de la menace, mais au contraste impressionnant et inacceptable entre sa gravité lorsqu'elle est trop tardivement démasquée et sa modération lorsqu'elle est précocement combattue.

L'ampleur des moyens mis en œuvre correspond à cette exigence absolue.

Le diagnostic comporte plusieurs temps d'examen, à partir de spécialités différentes.

Ils sont pratiqués, du plus simple au plus complexe, pour dépister les signes d'une anomalie éventuelle, son siège exact, sa nature (troubles physiologiques, tumeur bénigne ou maligne), et son degré d'extension. C'est à partir de ces trois derniers points, dont la connaissance doit être extrêmement précise, que sera décidée la stratégie thérapeutique.

Dans la pratique, si la zone suspecte est à portée directe d'examen (vulve, vagin, exocol) tout peut être fait en un seul temps : examen clinique, tests, prélèvements, examen histologique.

Mais dès qu'on pénètre dans des zones inaccessibles à l'examen direct, les choses deviennent un peu plus compliquées.

Pour préciser *la localisation* : endocol, utérus (et quelle partie de l'utérus ?), trompes ou ovaires, une *hystérographie,* parfois une *cœlioscopie* sont nécessaires. Pour le sein, une *mammographie* ou une *téléthermographie* [1].

La nature de la tumeur exige pour être affirmée qu'un prélèvement biopsique soit fait :

• par *ponction, curetage biopsique* pour l'endocol et le col de l'utérus ;

• au cours de la *cœlioscopie* pour les trompes, l'ovaire et le péritoine ;

• par *cytoponction* pour le sein au point de localisation défini par la radio.

Tous ces examens aux noms barbares sont des méthodes modernes remarquablement précises, affinées, capables de donner, rapidement, sans dégâts ni souffrances, des résultats dans la plupart des cas indiscutables [1].

Le traitement est infiniment complexe, diversifié, du plus simple dans tous les cas de diagnostic précoce, au plus compliqué dans les cas avancés où les statistiques montrent de façon éloquente que les résultats les plus sûrs sont obtenus avec le maximum.

La surveillance histologique et radiographique des résultats, les traitements, de petite et grosse chirurgie, d'irradiations (rayons x, radium et cobaltothérapie) demandent pour leur installation des moyens techniques et financiers exceptionnels, pour leur utilisation des spécialistes particulièrement préparés.

----

1. *Cf.* « Ces examens aux noms barbares », p. 291.

De là, ces centres extraordinairement équipés, hyperspécialisés, hyperfonctionnels, moyen extraordinaire, le plus luxueux, le plus démesuré, le plus sécurisant, mis à la disposition de chaque particulier sans distinction de fortune pour sa défense et sa sauvegarde.

Effrayant tout cela ?

Je n'y vois qu'organisation, efficacité, moyens illimités et haute technicité.

La terreur du cancer a créé dans le monde un extraordinaire mouvement de solidarité financière et scientifique. Les résultats pratiques sont considérables, les résultats thérapeutiques aussi.

*
**

Chez la femme, au moment de la ménopause, juste avant ou juste après, se trouvent donc spontanément réunies plusieurs des conditions expérimentales qui permettent l'apparition ou favorisent l'aggravation d'un cancer :

— déséquilibre œstro-progestatif ;
— hypersécrétion hypophysaire ;
— et troubles tissulaires atrophiques.

Et il est vrai que pour ces raisons c'est un âge tristement privilégié pour certaines formes de cancer.

Mais la quasi-disparition sous traitement des tumeurs bénignes, la nette diminution ou l'apparition beaucoup plus tardive d'une grande partie des tumeurs malignes, témoignent aussi bien du rôle de ces troubles que de la validité et de l'efficacité de la thérapeutique.

Un traitement bien équilibré empêche :

— le déséquilibre œstro-progestatif et le désordre biochimique et cellulaire qu'il entraîne ;
— l'atrophie dégénérative et les lésions précancéreuses ;
— l'hyper-sécrétion hypophysaire dont la responsabilité encore mal définie semble la plus franchement engagée [1].

Et les statistiques favorables s'accumulent venant de toute part et se recoupent, concordantes.

Il y a 25 fois moins de cancers génitaux chez les femmes traitées :

  • *disparition totale des cancers de la vulve ;*
  • *disparition quasi totale des cancers de l'utérus ;*
  • *diminution statistique franche des cancers du col et du sein.*

---

1. Les animaux hypophysectomisés ne font pas de cancer et il est impossible d'en provoquer chez eux techniquement.

LE TRAITEMENT

1

HISTOIRE

La querelle des anciens et des modernes

Pendant longtemps, la ménopause a été pour les médecins l'époque, vivement espérée, où disparaissaient enfin la plupart des problèmes féminins : plus de troubles menstruels, plus de pathologies infectieuses vaginale, utérine ou tubaire, et surtout *plus de sang* !

Il est bien évident qu'avant la connaissance des hormones, des antibiotiques, et des anticoagulants, avant les progrès immenses des diagnostics cytologiques et chimiobiologiques, on ne pouvait que nager en pleine confusion et en plein désarroi diagnostique et thérapeutique.

Que n'a-t-on soupiré après cette époque bénie où cessaient enfin les soucis et les doutes, au point de la précipiter inconsidérément et d'en ignorer farouchement les à-côtés défavorables.

Comme on peut l'imaginer, nombreuses ont été les tentatives de traitement faites au cours des siècles, et si certaines reflètent un grand esprit d'observation et beaucoup de sagesse, d'autres relèvent d'un véritable folklore, de folie douce... ou dangereuse.

Puis vint la découverte des hormones génitales, l'étude encore incomplète de leurs mécanismes compliqués, les premiers essais expérimentaux. Après la dernière guerre, les mêmes spécialistes qui découvrirent qu'ils pouvaient arrêter magiquement le lait d'une femme avec quelques comprimés d'œstrogènes l'essayèrent sur des troubles neuro-végétatifs intenses de ménopause. Et les résultats furent tout aussi magiques : les troubles disparaissaient, bouffées de chaleur comprises, avec une extraordinaire rapidité. Ce fut presque une belle époque. Je me souviens de femmes aux multiples maux, complètement anormales, sur le plan familial et social, depuis 4 ou

307

5 ans, redevenues en quelques semaines à nouveau sereines et égales à elles-mêmes.

Mais très vite, des gonflements mammaires plus ou moins kystiques, des hémorragies répétées, parfois cataclysmiques vinrent doucher ce bel enthousiasme, et faire renaître tragiquement la hantise du cancer [1]. La mise en évidence de cancers, jusque-là silencieux (et qu'aucune information, aucun dépistage systématique ne permettait de déceler à temps à cette époque) devaient finir d'affoler complètement le corps médical. De là à rentrer dans le mythe des hormones féminines cancérigènes qui, lui, rentrait si bien dans les tabous ancestraux sur le maléfice des humeurs féminines, il n'y avait qu'un pas ! Il fut franchi d'un bond.

La grande phobie

La courte histoire des hormones sexuelles relève beaucoup plus de la psychanalyse que du cheminement méthodique des sciences.

Elle a été dominée dès le départ par la notion primitive, irraisonnée des plus anciens schémas archaïques :

— *hormone mâle, principe « bénéfique »*, semence, source de vie, jouvence universelle, souveraine, facteur de tous les biens, de tous les équilibres et de toutes les forces ;

— *hormone femelle, principe « maléfique »*, signe d'impureté, de tous les troubles, et de toutes les faiblesses [2].

S'il est difficile à notre époque de lui attribuer des méfaits tels que les épidémies de bétail, le lait ou les mayonnaises tournées, et maintes autres choses proprement sidérantes (auxquelles beaucoup de gens croient encore fermement), si l'on n'ose plus « faire promener des jeunes filles en menstruation dans les bois et les récoltes pour détruire les insectes !..., *notre siècle scientifique a enfin trouvé le maléfice moderne absolu : l'hormone féminine est devenue « cancérigène » !*

La malédiction hormonale comportait d'ailleurs des nuances curieuses. Dans l'ignorance de leur action complémentaire et de leur équilibre indispensable, on faisait une différence nette entre la folliculine ou œstrogène, « hormone de la féminité » : dangereuse, et la progestérone, « hormone de la maternité », respectable.

_____

1. L'œstrogène seul et continu, comme il était employé alors, accuse l'effet prolifératif, souvent hémorragisant. *Cf.* « hyperplasie », p. 204.
2. Pour les femmes et ceux qui les approchent ou qui les touchent.

La première seule était férocement vilipendée, tandis que l'autre, assez négligée, bénéficiait d'une relative indulgence. On l'utilisait sans crainte, mais presque exclusivement, au début de grossesses fragiles. L'opposition femme « dangereuse, malfaisante », mère « respectable et bienfaisante », retrouvée dans toutes les civilisations à des degrés divers, mais sous des symbolismes souvent semblables, réapparaissait donc incongrûment dans la science.

Il est caractéristique que l'indifférence et la tolérance bienveillante dont bénéficiait, à ce titre, la progestérone se soient muées en quasi-férocité, lorsqu'on a prétendu utiliser cette hormone *contre* la maternité [1], lui enlevant de ce fait son facteur d'admissibilité.

De son côté, la folliculine était unanimement vouée aux gémonies, considérée comme mortellement dangereuse et capable des pires nuisances, et un malheureux praticien tenté, par simple logique, de l'utiliser, encourait une redoutable culpabilisation. Des générations de médecins furent élevés dans la terreur de manipuler les œstrogènes. Une seule piqûre, longtemps avant, était rendue responsable d'une évolution maligne découverte 15 ou 20 ans plus tard. L'anathème tombait véhément, flétrissant « l'irresponsabilité meurtrière » du praticien en cause, marquant de façon indélébile une assemblée d'étudiants et d'assistants sinistrement impressionnés.

Au fur et à mesure que la cancérologie faisait des progrès diagnostiques, mais aussi thérapeutiques (malheureusement presque uniquement axés sur la grande chirurgie), la phobie cancéreuse prit d'énormes proportions, mais hélas, par ricochet, la phobie hormonale aussi, on stérilisait, on castrait à tour de bras :

— en désespoir de cause ;
— par extension ;
— et (pourquoi pas ?) préventivement.

... Et jamais personne ne semblait se demander comment les malheureuses affligées d'une si redoutable sécrétion pouvaient (même à l'époque de la grande mortalité en couches) survivre si nettement aux hommes, pourquoi ne mourraient-elles pas comme des mouches lors des grandes inondations hormonales de la puberté et de début de grossesse..., et par quel phénomène, illogique entre tous, c'est la disparition hormonale ménopausique qui signait l'apparition de tous les troubles, malaises, pathologies... et cancers, et non l'apparition pubertaire [2] !

---

1. Les contraceptifs sont à base de progestérone.
2. Et on ne savait pas encore qu'elle protégeait de façon supérieure à l'hormone mâle contre de nombreuses maladies, comme l'athérosclérose par exemple.

Androgènes à tout va

Ainsi, pendant des années, des générations de médecins furent élevés dans la terreur du geste meurtrier : donner de la folliculine à une femme.

Dans le même temps, en bonne logique masculine et contre toute logique physiologique (et que devenait la « sacro-sainte nature » dans tout cela ?), superbement, sans examen, sans recherche, sans précaution et sans souci, les hormones mâles ont été distribuées généreusement aux femmes :

— pour faire venir les règles, pour arrêter les règles ;
— pour excès ovarien, pour insuffisance ovarienne ;
— pour augmenter l'appétit, pour faire maigrir ;
— à la puberté, à la ménopause, et entre les deux...

Mais la ménopause avait vraiment la part belle : hémorragies, malaises, fibromes, obésité, etc. Tout était prétexte à cette généreuse distribution. Et surtout la tentative générale, partie d'un bon sentiment, d'avancer la ménopause. Ce qui devait « tout arranger » !

Assez rapidement, cependant, les femmes ont commencé à s'insurger contre la modicité des avantages et l'incommodité des inconvénients des hormones mâles :

— avantages passagers puisqu'ils n'agissaient que sur certains symptômes en augmentant le trouble causal :
— désavantages durables, de blocage ou extinction ovarienne et très mal acceptés dans leurs manifestations viriles.

... Et un raton laveur !...

Après cette période d'hormones mâles, à tout va, a commencé une période de mélanges où seuls l'illogisme et l'absurdité le disputaient à la fantaisie imaginative.

Nous voyons encore trop souvent des cas où, *sans le moindre dosage directif,* tout a été essayé, absolument tout : œstrogènes, androgènes, freinateurs ou excitants hypophysaires, successivement ou ensemble, avec les déboires et les déséquilibres que l'on peut supposer [1].

---

1. Et... aucun des drames que l'on aurait pu attendre si les hormones avaient été *vraiment* dangereuses !

On a cru longtemps à une poussée hyperœtrogénique en pré-ménopause. Basée sur des apparences cliniques de nervosité, gonflements, ou la mauvaise appréciation d'un frottis d'irritation ou d'insuffisance progestative, cette opinion, nous l'avons vu, ne correspond que rarement à la réalité des dosages hormonaux systématiques [1]. Mais, bien des années après la libre disposition de ces dosages (ignorés ou froidement négligés), cette pseudo-hyper-folliculinie était toujours traitée par freinateurs (androgéniques le plus souvent). Attitude déraisonnable et nocive puisque le trouble était justement une insuffisance sécrétoire qu'on aggravait encore en la freinant ainsi, alors qu'elle avait besoin au contraire d'être stimulée, ou compensée.

Dans la post-ménopause, la femme étant enfin sûrement hypo-hormonale, on entreprenait alors avec un superbe illogisme une action qui se voulait stimulatrice ou substitutive avec des œstrogènes.

On les agrémentait d'ailleurs souvent d'androgènes dont la popularité restait aussi indestructible que l'impopularité œstrogénique, et dont il est difficile de comprendre la justification, alors que la constance surrénalienne [2] jusqu'à un âge avancé était déjà bien connue !

Contemporaine, mais avec une beaucoup plus large audience que l'attitude précédente, parce que jugée plus prudente par de nombreux poly-abstentionnistes, la « théorie psychologique » expliquait les troubles de la ménopause par un dérèglement psychologique (quoi d'étonnant chez des femmes !) et prétendait les traiter uniquement par des calmants... et un mépris apitoyé ou condescendant. Elle devait durer longtemps, malgré des échecs évidents et à peu près constants.

Les croisades

... Mais la pilule vint !

La « guerre des contraceptifs » devait jouer un rôle immense, dont on ne mesure peut-être pas l'importance, dans l'officialisation des thérapeutiques de ménopause et la rapidité des progrès accomplis.

Enfin, tombait le mythe de « l'hormone femelle maléfique » ! Il avait eu la vie dure. Il avait donné lieu à des passions déchaînées,

---

1. *Cf.* « Fonction ovarienne, extinction, p. 59.
2. Sécrétion de type mâle.

fanatiques, déshonorantes pour la science et auxquelles peu de personnes ont échappé, parmi les plus qualifiées et les plus honnêtes.

Mais, de cette lutte même, est venue peut-être la plus grande chance des femmes. Le caractère fanatique, arbitraire des accusations contre les contraceptifs hormonaux, a provoqué un faisceau d'études, aux dimensions jamais atteintes, pour aucun médicament au monde. Jamais de pareilles précautions n'ont été prises, de telles rigueurs introduites, tant de travaux pratiqués, pour garantir les effets secondaires et lointains d'une thérapeutique.

Mais l'hormone n'avait pas seulement à faire la preuve de son innocuité, ce qui est le minimum exigible en médecine. Déclarée urbi et orbi dangereuse à priori, il fallait faire sans fin la preuve de l'inanité de cette *nocivité obligatoire,* obstinément recrée. Au fur et à mesure que les arguments tombaient, devant des statistiques indiscutables, d'autres étaient soulevés, plus divers et plus absurdes, et pour une seule observation non contrôlée, le monde entier entrait en transe et prédisait le pire.

Après des études de *plus de 20 ans,* sur des *millions* de sujets, d'une sévérité et d'une méticulosité extrêmes — parce que tout médecin savait à quelles attaques il serait soumis, même pour une seule coïncidence fâcheuse — les statistiques sont tombées, lourdes, positives, indiscutables, démolissant pierre à pierre l'édifice sans cesse reconstruit des objections et des menaces.

Les femmes y ont gagné la libération des féroces tabous qui pesaient sur l'hormone femelle. Elles sont enfin traitées depuis leur adolescence et tout au long de leur vie *par* leurs hormones et *pour* leur équilibre propre, et non *contre.* On n'hésite plus à penser — comment a-t-on pu penser autrement ? — qu'une femme se trouve mieux d'elles seules, de les conserver que de les perdre, ou de les remplacer par des hormones mâles.

Elles y ont gagné autre chose de terriblement important : non seulement le droit de les utiliser paisiblement pendant leur vie adulte, *mais aussi la conviction de ne pas être porteuse d'une tare malfaisante.* On a un peu trop négligé les conséquences profondes, sur la psychologie féminine, et sur la psychologie masculine — encore que celle-ci soit à l'origine plutôt qu'à l'aboutissement — de cette psychose néfaste. Elle a pourtant été bien plus traumatisante que la pseudo-« nostalgie de pénis » chère à tant de psychanalystes... et qui plonge la plupart des femmes dans une incompréhension ahurie.

Elles y ont enfin gagné une jolie compensation, celle de découvrir l'effet spectaculaire de ces hormones sur la ménopause.

En effet, à la même époque, deux actions déterminantes se développaient contemporainement.

Certains spécialistes s'acharnaient à trouver un fil conducteur dans les perturbations ménopausiques. Dès que les dosages hormonaux furent à leur disposition, ils commencèrent à chercher systématiquement, méthodiquement une relation entre les différents déséquilibres. L'hormone n'était manifestement pas nocive en elle-même. Il fallait donc que quelques déséquilibres, soit dans sa sécrétion, soit dans ses associations, soient à l'origine des troubles constatés.

Malheureusement, une trop grande séparation de discipline comme, par exemple, l'histologie ou la biochimie, ici inséparables pour une juste évaluation des phénomènes pathologiques ou physiologiques, devait longtemps prolonger les confusions. Pourtant, il devait devenir rapidement évident que ce n'est pas un excès d'œstrogènes mais une insuffisance relativement plus précoce de la progestérone qui était à l'origine de ces fameux troubles soit-disant hyperœstrogéniques.

A partir de là le fil conducteur était trouvé.

Mais les malheureux praticiens qui, sûrs de leurs chiffres, de leurs études, de leurs raisonnements, voulurent commencer à faire des traitements logiques et adaptés aux troubles qu'ils avaient soigneusement décelés et mesurés se heurtèrent à une opposition féroce, viscérale, qu'il n'est pas besoin de décrire. Tout le monde l'a connue pendant la guerre des contraceptifs.

Si elle a été si démesurée, si fanatique devant des pressions aussi fortes que les drames de grossesses impossibles, des avortements, ou le phénomène mondial de surpopulation, comment ne pas imaginer son ampleur devant un sujet aussi « futile » que la ménopause !

Les études progressaient de plus en plus rigoureuses et étendues, la liste des complications de privation hormonale (atrésie génitale, ostéoporose, etc.) grandissait, implacable, et la lutte restait pourtant féroce et acharnée. Pendant 15 ou 20 ans, le spécialiste qui prescrivait un traitement physiologique substitutif pouvait compter, presque à coup sûr, que sa patiente rencontrerait un chœur de familiers atterrés et de confrères scandalisés qui oubliant toute déontologie formuleraient des interdictions sévères et des jugements définitifs sur son compte.

Or, dans le même temps, de nombreuses femmes sous contraceptifs les continuaient d'elles-mêmes tardivement (car la crainte d'une grossesse les accompagne pratiquement jusqu'à la cinquantaine et même au delà).

Le nombre d'utilisatrices puissamment motivées par les contraceptifs étant infiniment supérieur à celui des femmes prêtes à entreprendre un traitement de ménopause, on obtint ainsi une échelle d'expérimentation pharmacologique bien plus étendue que celle de la recherche scientifique.

Malgré les avertissements alarmistes, les prédictions funestes, prodiguées avec usure sur les ondes ou dans les publications professionnelles et non professionnelles du monde entier, ces utilisatrices obstinées, rejoignant sans le savoir les travaux des chercheurs, firent rapidement et sur une large échelle, la preuve du rôle thérapeutique indiscutable de ces hormones (même très approximativement adaptées) sur l'effacement de la ménopause et de ses troubles, de l'absence de tout phénomène secondaire fâcheux, de l'effet de conservation notable qui semble accompagner de façon constante l'effacement des troubles.

Chez elles, comme chez tous les sujets en observation dans les services d'ostéopathie ou de cardiologie :

— ostéoporose, athérosclérose semblaient indéfiniment repoussées ;

— l'atrophie génitale et tégumentaire (peau, cheveux, dents, yeux) également ;

— toute une pathologie gynécologique (polype, fibrome, hyperplasie...) semblait évitée ;

— les taux de cancers s'abaissaient dans toutes les statistiques !

Presque involontairement, les contraceptifs avaient fait la preuve de l'inocuité hormonale, lorsque la progestérone est suffisamment assurée.

Wilson, en 1963, a le premier considéré la ménopause comme un état de carence brutale, et conclu à la nécessité d'une hormonothérapie substitutive exactement comme celle de l'insuffisance pancréatique des diabétiques, surrénalienne des addisoniens ou thyroïdienne des myxœdémateux.

Cette attitude, scandaleuse pour l'époque, demandait un courage assez considérable. Malgré des outrances certaines, elle a forcé l'opinion à franchir la barrière des « risques » et lui a permis de constater enfin la réalité des conséquences favorables : des femmes sans signes involutifs ou dégénératifs et, remarquablement stabilisées sur le plan anatomo-histologique, fonctionnel et esthétique.

Après avoir fait scandale, provoqué des réactions violentes (où un puritanisme suspect semblait souvent dépasser curieusement la simple prudence scientifique), mais aussi stimulé l'observation attentive de praticiens intéressés quoique moins hardis, Wilson a été plus ou moins suivi. Peut-être, comme toutes les fois qu'une hypothèse nouvelle est acceptée sans réactions trop violentes, avait-il bénéficié d'un climat sinon favorable du moins préparé.

Sous la pression harcelante des femmes concernées, devant le nombre sans cesse croissant d'utilisations tardives et avantageuses des contraceptifs, face à l'accumulation de travaux logiquement et statistiquement irréfutables, l'opinion médicale spécialisée bascula enfin. Les publications se multiplièrent où apparaissaient peu à peu la signature d'opposants notoires enfin désarmés.

A un des derniers congrès de l'Organisation Mondiale de la Santé, les experts déclaraient « *que la prise d'hormones avant, pendant et après la ménopause aidait les femmes à se conserver sans risques, sans dégradations* ».

La ménopause moderne était née, la ménopause traditionnelle transformée, effacée, devenait méconnaissable... Elle allait peut-être tout simplement disparaître !

RISQUES

« Primum non nuocere »

Une thérapeutique prolongée suppose une garantie totale d'inocuité.

Même lorsqu'il s'agit de traitement compensatoire d'une insuffisance fonctionnelle et de ses troubles, même lorsque la thérapeutique se fait sur des bases étroitement physiologiques, même lorsque les avantages sont, de loin, supérieurs aux inconvénients.

Il tombe sous le sens qu'une telle modification des habitudes fonctionnelles organiques demande une évaluation soigneuse de ses effets immédiats ou lointains, favorables ou défavorables.

Cette étude aurait pu être exceptionnellement aisée, compte tenu de l'évidence des dépendances pathologiques de l'insuffisance ovarienne et de l'efficacité de la thérapeutique. Par ailleurs la contraception, en ce qui concerne les effets des produits employés [1], fournissait un échantillonnage statistique tout à fait extraordinaire compte tenu du nombre des sujets traités, et d'années-traitement.

Or il n'en a rien été bien au contraire.

L'atmosphère passionnelle qui a entouré l'hormonothérapie à ses débuts (et particulièrement dans ses applications contraceptives) a faussé toute claire notion à ce sujet :
— les opposants animés d'une hostilité viscérale, accumulent déclarations abusives, et statistiques tendancieuses, incomplètes ou mal interprétées, érigeant comme règle de vagues suppositions alarmistes et montant en épingle la moindre coïncidence isolée ;

---

1. Puisqu'il s'agit ici comme là d'oestrogènes et de progestatifs et que seuls les rythmes et les dosages changent.

— ceux qui sont intéressés, favorables ou conquis, multiplient sans conviction, par crainte d'être taxés de légèreté, des précautions et des réserves inutiles ;
— les inconditionnels n'osent faire allusion à des précautions, des inconvénients quelconques [1], de peur de raviver la sinistrose ou la mauvaise foi ambiante.

De telle sorte que profanes, mais aussi para-médicaux et même médecins, ne savent, par moment, plus à quoi s'en tenir.

Et pourtant des notions claires, irréfutables, existent, logiquement et statistiquement établies, tout à fait officialisées depuis quelques années dans les milieux spécialisés... et largement publiées, dans la presse médicale.

Essayons grâce à elle de nous faire une idée un peu plus précise des réalités établies. Reprenons un à un les risques soulevés en suivant à peu près l'ordre chronologique de leur apparition dans la littérature médicale ou para-médicale. Car il évoque assez bien le passage des hypothèses les plus folles aux plus authentiques, du fanatisme à la raison, de l'arbitraire à l'observation.

RISQUES CANCÉRIGÈNES

Premier argument brandi contre les hormones féminines, c'est le plus follement, férocement, obstinément, fanatiquement évoqué. A partir de rien, sans travaux valables, sans statistiques, contre toute évidence, et malgré l'accumulation écrasante de contre-preuves irréfutables.

Etendard des opposants à la contraception, l'argument a été obstinément repris à la ménopause : des traitements prolongés devaient obligatoirement avoir un effet funeste, élever le nombre des cancers du sein, du col ou du corps de l'utérus !... Le temps de terminer cet ouvrage, avec l'impression d'avoir trop insisté sur un sujet démodé et l'opposition que l'on croyait éteinte, se rallumait par foyers, virulente, « viscérale, » comme dans le passé.

Mais comment s'étonner lorsqu'on songe au climat irrationnel et fanatique, à l' « hystérie déshonorante [2] » qui ont si longtemps entouré les hormones féminines.

Quel profane aurait pu échapper au matraquage des dernières années : campagnes de presse, émissions de radio ou de télévision et

---

1. ... et quel médicament n'en a pas !
2. Pr. PÉQUIGNOT.

même certaines controverses médicales alarmistes, bien après et malgré, les travaux les plus indiscutables.

Même encore maintenant !

Lorsqu'un journal, un magazine, avec les meilleures intentions du monde, vulgarisent une nouvelle forme de traitement hormonal (contraception ou ménopause) à chaque détour de page, dans chaque constatation qui se veut rassurante, il y a toujours une petite restriction insinuante qui précise que :

— « ... dans ces conditions il n'y a pas de danger... »

— « ... que sous cette forme thérapeutique on est à l'abri... »

— « ... d'autant plus que dans les traitements de ménopause les doses sont beaucoup plus faibles que pour la contraception [1]... »

Et c'est vrai non seulement dans le public mais même chez certains médecins qui n'ont pu se délivrer tout à fait de la « terreur hormonale » à l'ombre de laquelle ils ont été formés.

Même chez les plus modernes, les plus évolués, réapparaissent à chaque instant des signes de l'ancienne et longue hantise. Les spécialistes les plus courageux, les techniciens les plus sûrs de leur fait, et depuis le plus longtemps n'échappent pas eux-mêmes à cette tendance défensive : « *Puisque aussi bien nous n'arrivons pas encore maintenant à parler d'hormones, sans toujours parler de cancer..., ce qu'incompréhensiblement, personne ne fait en parlant de tabac par exemple [2].* »

Chez une femme traitée, les hormones n'ont pas seulement un effet favorable. Elles éliminent indiscutablement certains des troubles les plus favorisants de la dégénérescence cancéreuse :

— l'*hypertrophie proliférative* de la muqueuse, pour le cancer de l'utérus ;

— l'*hypotrophie dégénérative* des tissus génitaux, pour le cancer de la vulve ;

— les *troubles chimiques et tissulaires* sur des tissus traumatisés (et sans doute contaminés par un virus), dans les cancers du col ;

— l'*un, l'autre ou l'association de ces facteurs* dans les cancers du sein.

Voilà déjà des arguments solides. Et un milieu favorable ne va pas déterminer des évolutions plus fâcheuses, une conservation supé-

---

1. Or, c'est justement à propos de contraceptifs que l'hypothèse d'un risque cancérigène a été étudiée... et formellement rejetée.

2. ROZENBAUM.

rieure, des dégénérescences plus graves. Et pourtant, les cancéro-phobes prétendent encore exiger trente ans de recul.

Les vingt ans déjà écoulés ne leur semblent pas suffisants ? *Il ne faut pourtant pas vingt ans à la ménopause pour faire ses preuves pathologiques !*

Et que craignent-ils donc encore ? Qu'après vingt ans de pro-tection effective, malgré un nombre de cas déjà statistiquement réduit de 30 à 1 par rapport aux ménopauses non traitées, il se produise une sorte de « revanche » pathologique avec multiplication sauvage de cancers tardifs ?

Ce n'est pas très sérieux, mais contraire aux lois de la physiolo-gie et tout à fait inconcevable à partir des connaissances actuelles. Mais quel argument serait suffisant en face d'interlocuteurs capables, devant une réduction de 90 à 5 cas seulement chez les femmes traitées, de faire porter au traitement la responsabilité de ces 5 cas-là, au lieu de le créditer de la disparition des 85 autres ?

Alors il faut cesser d'écouter tout ce qui peut se dire à droite et à gauche, et se dira encore longtemps.

Tenons-nous-en aux faits : ils sont clairs et sans discussion.

Comme on peut le penser les études sur ce sujet furent conduites avec la prudence et la rigueur exceptionnelles qu'exigeait l'ambiance particulière qui a entouré et entoure encore l'hormonothérapie. Leur multiplicité, leur méticulosité, la prudence de leurs conclusions n'ont jamais encore, sans doute, eu d'égales en thérapeutique.

Toutes concordent.

Après tant de campagnes alarmistes, de clameurs véhémentes, de prédictions funestes et de contre-vérités grossières, tous les travaux sérieux à ce sujet concluent que le risque cancérigène est absolument inexistant.

En induisant chez la souris, par des injections répétées d'œstro-gènes à doses énormes des tumeurs mammaires (dont la nature exacte n'a jamais été bien établie [1]), Lacassagne, en 1932, à l'aube de l'hor-monologie, devait créer un climat de panique, aux conséquences interminables.

Il ne faut pas dire à un médecin qu'un geste thérapeutique peut être dangereux. « *Primum non nocere* » est non seulement une règle, mais une hantise constante qui ne le quitte guère, lui qui s'est voué à soulager et à guérir.

---

1. Expérience qui ne put jamais être répétée.

De plus, tiré d'une observation isolée, mal contrôlée et peu significative, ce « signal d'alarme » tombait malheureusement dans un climat psychologique favorable.

Il devait trouver un appui, dans quelques observations isolées, de même type, entachées des mêmes erreurs.

Observations animales, non transposables à l'homme, ces expérimentations comportaient en effet des conditions particulières qui leur ôtaient toute valeur :

Les unes furent effectuées sur des souris, exemple particulièrement mauvais, car il existe chez ces rongeurs une prédisposition exceptionnelle aux tumeurs de mamelle dont deux facteurs ont pu être mis en évidence :

• un rôle favorisant spécifique de la LH hypophysaire ;
• l'existence d'un virus cancérigène héréditaire [1] ;

Le seul autre exemple positif a été celui de chiennes Beagle, elles aussi porteuses d'un virus cancérigène, et sujettes, très fréquemment, à des tumeurs spontanées de la mamelle. Sous l'influence de doses très élevées d'hormones elles firent... des tumeurs bénignes !

Par contre, aucune expérience de ce genre ne put être renouvelée chez les guenons. Des singes rhésus, sous doses massives d'œstrogènes pendant des périodes allant jusqu'à 7 ans, ne présentèrent pas un seul cas de cancer [2].

Chez la femme, rappelons au départ quelques faits évidents et statistiquement indiscutables :

L'éclosion des cancers génitaux se fait de façon très nettement élective au moment, ou à cause, de l'extinction hormonale ovarienne.

Elle semble favorisée par les désordres et les dégénérescences de cette extinction (une responsabilité directe a pu être établie dans au moins deux types de cancers : celui de l'utérus, et celui de la vulve, alors qu'elle ne l'a pas été par l'apparition (puberté), l'existence (vie gynécologique) et même les excès occasionnels (grossesse) de la sécrétion ovarienne.

Le taux des œstrogènes est à son maximum entre 18 et 25 ans. Or, à cet âge, la proportion des cancers génitaux de l'utérus, du vagin, ou du sein, est presque nulle.

Chaque grossesse donne lieu à de véritables inondations hormo-

---

1. Ou plus vraisemblablement transmis par le lait.
2. Est-il utile de préciser qu'une extrême publicité fut donnée aux premières expériences, le silence tombant sur les secondes et sur les conclusions pourtant clairement exposées dans les revues spécialisées ?

nales : or, le cancer du sein, et les cancers de l'utérus surviennent statistiquement plus souvent chez les femmes nullipares [1] que chez les multipares. Le seul cancer dont la fréquence augmente avec le nombre des accouchements, est le cancer du col. (Mais nous avons vu qu'il semble essentiellement favorisé par des lésions tissulaires du col, traumatiques ou infectieuses.)

Chez la multipare, la fréquence de cancer diminue au fur et à mesure qu'augmente le nombre de grossesses.

— La grande majorité des cancers apparaît de façon élective à partir de la diminution hormonale ovarienne, de ses premiers désordres, ou de ses conséquences :

— Certains, comme le cancer du col, en pré-ménopause, au moment des plus grands déséquilibres neuro-hormonaux et trophiques.

— D'autres, comme le cancer de l'utérus, dans les désordres de l'immédiate post-ménopause, quand prolifération et atrophie s'enchevêtrent.

— D'autres, comme les cancers vulvaires, très tardivement, en période d'atrophie tissulaire totale.

— Le plus particulier enfin, le cancer du sein, dans toute la période climatérique, avec deux poussées de fréquence, une en période de désordre vers 45 ans, l'autre en période d'atrophie à 60 ans et au-dessus.

Ces faits, bien connus dès le départ, ont servi de justification et de motivation aux premières hormonothérapies substitutives. Mais pendant des années, leur évidence expérimentale, clinique et statistique, ne parvint pas à vaincre l'obstination des cancérophobes. Pourtant, les résultats de traitements hormonaux de toute espèce, et surtout les immenses statistiques fournies par les traitements contraceptifs, portant sur un nombre de patientes qui se comptent par millions, et un nombre d'années-traitement qui dépasse de loin tout ce qui a pu être fait dans l'histoire de la médecine, en recherche thérapeutique, concordaient et confirmaient ce point de vue.

Des **œstrogènes seuls** ont été prescrits, parfois à forte dose, pendant des périodes de plusieurs années :

• sur 206 patientes pendant plus de 5 ans : aucun cancer [2] ;

---

1. On dit d'une femme qu'elle est *nullipare* : sans enfant ; *primipare* : à son premier enfant ; *paucipare* : peu d'enfants ; *multipare* : ayant eu plusieurs enfants.
2. GEISTWALTER, SALMON.

• sur 120 femmes ménopausées, et une durée représentant 601 années-traitement, le pourcentage normal aurait dû être de 5 à 6 % : il a été nul ; [1]

• sur 304 femmes traitées depuis plus de 20 ans, régulièrement examinées, 18 auraient dû présenter une évolution cancéreuse, d'après les normes statistiques de leur pays : il n'y en a eu qu'une seule...

Il serait lassant d'énumérer ici le nombre considérable de statistiques de ce genre.

Aucune preuve n'a pu être faite de cancérisation due à une administration, même prolongée, d'œstrogènes. Les statistiques montrent, au contraire, une réduction considérable de fréquence chez les femmes hormonées.

Les progestatifs, entrés à grand fracas dans la thérapeutique moderne, par le biais de la contraception, *ont montré immédiatement, et sans aucune défaillance, une action préservatrice indiscutable vis-à-vis du cancer.* Cette action a été si rapidement évidente, cliniquement et statistiquement, que c'est elle qui a finalement réussi (après tant d'années de résistance) à faire basculer dans un sens positif l'attitude des praticiens vis-à-vis des hormones femelles.

— Pincus, le père des contraceptifs, le plus ancien utilisateur, la plus longue et la plus vaste expérience, considère que c'est une indiscutable prévention des cancers génitaux. Il estime les cancers sous traitement à 1/25 du taux normal.

— La Kayser Foundation U.S.A. a surveillé 18 000 femmes sous contraceptifs pendant 5 ans : il n'y a eu aucune augmentation, mais au contraire diminution des cancers génitaux.

— Sur 2 040 femmes sous Enovid, on aurait dû, suivant les statistiques, s'attendre à découvrir 11,8 frottis suspects. Il n'y en a eu aucun [2].

— Aucun non plus chez 364 femmes sous Ortho-novum contrôlées par biopsie de l'endomètre.

Sur plus de 15 enquêtes portant sur plusieurs centaines ou plusieurs milliers de personnes surveillées pendant des années :

— 11 n'ont pas un seul cas douteux ;

— et 5 seulement ont décelé de 0,2 à 0,7 % de frottis suspects. C'est-à-dire moins de 1/20 du pourcentage statistique des femmes non traitées.

---

1. Bien que les œstrogènes seuls créent un climat hyperplasique (Murtacchi et Gordon).
2. Rice-Wray et col.

Au cours de traitements de ménopause, le nombre des cancers décroît statistiquement de façon encore plus impressionnante.

Certains disparaissent des statistiques presque totalement (comme le cancer de l'utérus) ou totalement (comme le cancer de la vulve).

Pincus, Rhodes, Wilson aux USA, Greenblatt, Teter, en Europe, auteurs des plus grandes séries, Denoix, Mauvais-Jarvis, Netter, Vignalou, Rozenbaum, etc., en France, *n'y voient non seulement aucun risque, mais souvent au contraire une véritable prévention.*

Mais il y a plus. Il a été possible d'étudier l'action directe des hormones sur des cellules cancéreuses, expérimentalement et en thérapeutique.

Ajouté à des cultures de cellules cancéreuses, l'œstrogène ne modifie ni dans un sens ni dans l'autre, le pourcentage de survie de ces cellules, ou leur activité.

Si on introduit de la progestérone dans des cultures de cellules cancéreuses, à partir d'une certaine concentration, celles-ci sont rapidement détruites.

Si la progestérone est accompagnée d'œstrogènes, son action est renforcée et elle devient efficace à moindre dose [1].

L'implantation sous-cutanée ou intra-musculaire d'extrait de cancer de l'utérus, ne peut se développer chez des animaux s'ils reçoivent en même temps de la progestérone.

Cette action a été utilisée avec succès en thérapeutique humaine où on obtient la régression de certains cancers sous progestérone et, particulièrement, une action certaine contre les métastases.

Il est donc reconnu unanimement et officiellement que la responsabilité des hormones dans l'éclosion d'un cancer est nulle, et, dans un traitement hormonal équilibré, impossible, que leur action d'équilibration ou de compensation est considérée au contraire comme favorable, dans un mesure statistiquement évidente :

Elles maintiennent l'hypophyse au calme (dont le rôle encore mal précisé prend chaque jour de l'importance).

Elles préviennent tout dérèglement prolifératif ou atrophique de tissus qui gardent ainsi toute leur capacité défensive de rejet vis-à-vis des cellules anormales.

---

1. Ceci rappelle un fait constant dans toute la gynécologie : la nécessité pour l'action progestative d'une présence ou d'une action préalable œstrogénique.

Elles permettent enfin, en les manifestant, la détection de lésions jusque-là dangereusement muettes.

Il ne s'agit donc plus de considérer les hormones comme favorisant le cancer, mais bien au contraire comme un moyen de prévention réel.

RISQUES PROLIFÉRATIFS

Il ne faut pas confondre :
— revivification et revascularisation avec prolifération ;
— prolifération ou hypertrophie avec cancer.

C'est une confusion constante. Il y a pourtant de grandes différences. Le seul caractère commun étant une multiplication rapide ou excessive de cellules :

Mais dans le premier cas, il s'agit de cellules *normales,* qui restent dépendantes des règles physiologiques de l'organisme ;

Dans le second, il s'agit de cellules *anormales* dans leur forme, leurs caractères et leur mode de comportement, tout à fait indépendantes des règles qui régissent le tissu qu'elles ont envahi.

Une *hyperplasie utérine*[1] n'est pas cancéreuse, ni obligatoirement pré-cancéreuse : des lésions irritatives le sont bien plus souvent. Cependant elle constitue un des milieux favoris du cancer de l'endomètre :
— soit directement à cause du climat hormonal asymétrique qui en est cause [œstro $(+)$/progestérone $(—)$] ;
— soit indirectement par le type de troubles tissulaires qu'il induit (utérus ou glandes mammaires).

Mais l'autre terrain favori du cancer est diamétralement opposé : c'est la *dégénérescence atrophique.*

Il semble donc bien que ce soit le fait d'être déréglé, mal équilibré dans un sens ou dans l'autre, hypertrophique ou atrophique, qui rende un terrain favorable ou plus exactement incapable de se défendre contre une invasion cancéreuse. En effet, toutes les statistiques montrent que le cancer est rare (et dans le cas de l'utérus pratiquement nul) lorsque la muqueuse est saine.

On peut donc considérer :

---

1. Prolifération excessive de la muqueuse. Seules, moins de 10 % subissent une dégénérescence maligne. Voir « Complications, hyperplasie », p. 204.

— comme défavorable, une hormonisation asymétrique, déséquilibrée, ou le manque d'hormones ;

— comme favorable, le maintien ou le rétablissement de l'équilibre hormonal et tissulaire :

· soit par apport équilibrant de l'hormone manquante ;
· soit par apport des deux hormones lorsqu'elles sont toutes deux affaiblies.

En assurant un équilibre chimique et tissulaire, on assure le maximum de garanties contre toutes formes d'évolution pathologique, hypo ou hypertrophique, susceptibles d'affaiblir les défenses naturelles locales et générales contre un envahissement cancéreux.

On a tendance à croire instinctivement qu'une stimulation de la multiplication cellulaire physiologique, active aussi le développement d'une lésion cancéreuse qu'une atrophie, peut-être, ralentirait.

Cela n'est pas prouvé. Sinon, la vie embryonnaire, la croissance, les grossesses, devraient être des périodes électives de cancers, la vieillesse, une période protégée. Or, c'est exactement le contraire qui se passe : les époques les plus riches en formation cancéreuse se placent de façon statistiquement significative dans les périodes d'involution et d'atrophie.

Une activité ou une hyperactivité trophique ont peu de chances d'agir sur le développement des cellules cancéreuses, toujours caractérisées par une indépendance rare vis-à-vis du milieu ambiant de ses sensibilités et de ses influences.

Les cellules cancéreuses font souvent la preuve, au contraire, d'une vitalité et d'une puissance de développement plus grande en milieu atrophié et dégénéré que dans un milieu parfaitement trophique et sain. Il semble bien qu'un environnement tissulaire normal ait toujours plus de chances de réussir le rejet des premières cellules « anormales et étrangères » qu'un tissu traumatisé désorganisé, hypertrophié ou atrophié.

Enfin, on a aussi tendance à confondre certaines manifestations de l'évolution avec l'évolution elle-même.

Les hormones ne peuvent créer un cancer, mais peuvent le faire saigner. Dans une zone atrophique et cyanotique, il peut évoluer longtemps de façon tout à fait silencieuse et sans donner le moindre signe. Si les tissus environnants retrouvent, sous l'effet d'un traitement hormonal, une trophicité et une vascularisation normales, il y a de fortes chances que le cancer commence à saigner. Mais ne vaut-il pas mieux être averti de sa présence ?

Révéler ne veut pas dire *causer* et le saignement d'un cancer

325

dépend de sa localisation et de la vascularisation locale, pas de sa gravité.

L'atrophie définitive a été longtemps considérée comme la solution à tous les maux. Plus d'infection, plus de prolifération, et surtout plus de saignements.

Mais la politique de l'autruche n'est pas payante en gynécologie.

Le calme apparemment rétabli par l'atrophie progressive, la réduction des flambées, hémorragiques, prolifératives ou infectieuses, tout cela est dangereusement trompeur, *car ce sont les manifesta tions, seules, qui disparaissent, pas leurs causes pathologiques.*

Une infection, une érosion deviennent silencieuses sur une muqueuse asséchée incapable de sécréter, mais elles ne guérissent pas et, à longue échéance peuvent devenir la source de troubles plus sérieux. Il vaut mieux faire réapparaître des pertes, les analyser et les traiter, que se contenter de leur assèchement.

Un fibrome, un kyste, un polype, s'ils cessent de saigner par atrophie vasculaire, peuvent continuer leur évolution et, respectivement, nécroser, se rompre ou se tordre, complications graves, autrement dangereuses et urgentes qu'un incident hémorragique. Il vaut mieux les révéler en les faisant saigner, plutôt que de laisser un accident aigu le faire — dont on ne peut prédire les circonstances, l'importance et les possibilités d'intervention d'urgence qu'il rencontrera.

De la même façon, il vaut mieux découvrir un cancer débutant que le laisser évoluer silencieusement de longues années et devenir insidieusement invasif. *D'ailleurs l'atrophie n'a jamais empêché un cancer de se développer,* mais semble, bien au contraire, un de ses terrains d'élection favoris.

La ménopause livrée à elle-même n'est débarrassée des excès prolifératifs qui accompagnent le déséquilibre œstro-progestatif de la pré-ménopause, que pour sombrer dans les dégénérescences multiples de l'atrophie de la post-ménopause.

Le principe même d'un traitement bien conçu, c'est de créer et de maintenir un climat tissulaire calme, avec une trophicité et une vascularisation normales, au juste point d'équilibre entre hypertrophie et atrophie.

RISQUES D'HYPERTENSION

De nombreuses études sur ce sujet semblaient apparemment contradictoires. Mais il faut bien avouer que les statistiques péchaient souvent par un défaut d'information préalable : pas de prise de

326

tension artérielle avant le traitement, pas d'examen général, ignorance des antécédents.

Les équipes scientifiques les plus sérieuses se sont penchées avec beaucoup de rigueur sur ce problème pour tenter de l'éclaircir.

Il existe un rapport indubitable entre hormonothérapie et hypertension. Les œstrogènes agissent sur plusieurs points délicats du mécanisme hépatique qui procède à une partie de la régulation de la tension artérielle. Mais les modifications sont infiniment légères (environ 1/2 point de plus) et semblent assez proches du mécanisme constaté en cours de grossesse normale, et les auteurs insistent sur le fait que lorsque des critères très stricts sont respectés, ces faits sont rarissimes.

Par contre, les réactions sont différentes lorsqu'il s'agit de femmes déjà porteuses des tendances naturelles.

On est également frappé par la présence presque constante de troubles associés :
— prises de poids importantes ;
— antécédents de pathologies rénales ;
— troubles du métabolisme des sucres, des graisses, ou des deux ;
— notion d'hypertension artérielle familiale.

Ainsi donc, il semble bien que la prise d'œstro-progestatifs n'ait pas une action pathologique directe, mais extériorise un certain nombre de facteurs pathologiques latents, congénitaux ou acquis, comme le fait la grossesse lorsqu'une faiblesse particulière du terrain empêche l'organisme de s'adapter aux modifications. Les hormones apparaissent plutôt comme facteurs de décompensation, révélateurs ou majorateurs d'une anomalie sous-jacente jusque-là méconnue, qu'*il faut rechercher et qui ne souffre pas qu'on la néglige.*

L'apparition d'une hypertension au cours de traitement de ménopause de longue durée est infiniment moins fréquente que sous contraceptifs, et pour tout dire rarissime. Mais ceci explique cela. Il est rare en effet qu'une hypertension essentielle ne se soit pas manifestée dès la jeunesse au cours de maladies ou des maternités.

Pour la même raison, il est rarement nécessaire de supprimer ou d'éviter le traitement hormonal lorsque l'on rencontre une hypertension en post-ménopause. A quelques très rares exceptions près, ces tensions artérielles sont :
— ou d'origine climatérique (dans plus de 79 % des cas) ;
— ou des hypertensions de grandes obésités.

Les premières cèdent à des calmants vasculaires puis au traitement hormonal qui ralentit l'excitation hypophysaire responsable, les deuxièmes à l'amaigrissement.

Ni les unes ni les autres n'empêchent le traitement hormonal comme le traitement hormonal n'empêche pas leur traitement spécifique. Il suffit d'utiliser de faibles doses d'œstrogène choisi parmi ceux qui ont l'action la moins forte sur le système de la pression sanguine.

Cependant, malgré l'extrême rareté d'évolution pathologique, la possibilité d'interaction œstrogène-pression artérielle exige un bilan rigoureux au départ, et une surveillance vigilante ensuite au cours du traitement (mais cela ne rentre-t-il pas tout naturellement dans la bonne attitude de pratique gérontologique courante ?)

RISQUES D'EMBONPOINT

Perturbation courante sous l'effet de la carence ovarienne à la ménopause, l'embonpoint est aussi, paradoxalement, quoique sous une forme beaucoup plus légère, un trouble éventuel du traitement hormonal. Mais la complexité des causes d'embonpoint explique cette apparente contradiction.

De façon générale, à la ménopause la fréquence (8 à 11 % des cas) et le taux d'augmentation (0,5 à 2 kg) sont vraiment très faibles. Une prise de poids importante, brusque ou progressive est rarissime. On n'en connaît guère que 0,2 à 0,5 % de cas, sous hormonothérapie substitutive (ce chiffre est un peu plus élevé, 1 à 2 % sous contraceptifs). Les augmentations légères (de 1 à 2 kg) sont un peu plus fréquentes. Mais elles ne représentent encore que 15 à 20 % du nombre de cas d'embonpoint sous contraceptifs.

Ces prises de poids reflètent, dans les circonstances de leur apparition, leurs manifestations et leurs causes, des phénomènes tout à fait semblables à ceux que l'on rencontre tout au long de la fonction ovarienne féminine. Ils sont parfois isolés, parfois associés, plusieurs ou tous ensemble chez la même personne.

1. Un trouble des liquides peut se produire pour l'une ou l'autre des raisons suivantes ou les deux associées :

a) *Augmentation de la rétention d'eau dans l'organisme*. C'est elle qui cause les prises de poids les plus rapides et les plus spectaculaires. Elle est due au fait que les œstrogènes en agissant sur le poids agissent aussi sur les mécanismes complexes qui augmentent dans le corps l'hormone anti-diurétique : l'aldostérone [1].

b) *Ralentissement du transit de l'eau,* de cellule à cellule dans les tissus. Il est plus ou moins prononcé suivant les produits utilisés. Mais il semble que ce ralentissement obéisse à deux causes différentes souvent surajoutées :

    • une action des œstrogènes qui augmente la rétention cellulaire liquidienne ;

    • une action des progestatifs qui diminue la perméabilité des membranes cellulaires, ralentissant ou diminuant des échanges d'une cellule à l'autre.

2. Un trouble des lipides [2].

Cette action est plus tardive et plus lentement progressive que la rétention liquidienne. Elle est aussi beaucoup plus rare. Franche, pathologique ou à peine perceptible, la rétention liquidienne est tout de même un élément constant de la physiologie féminine. Une fixation des graisses est moins fréquente.

Cependant ce phénomène peut se produire à la puberté, en début de grossesse, et parfois sous thérapeutique contraceptive. Disons tout de suite qu'il est beaucoup plus rare à la ménopause sous hormonothérapie. Dans la plupart des cas, les patientes restent stables ou auraient plutôt tendance à perdre 2 à 3 kg superflus. Cependant quelques-unes, heureusement très rares, commencent lentement une petite obésité qui tend à devenir très progressivement irréversible.

La régression s'obtient en modifiant dans le traitement, soit la *quantité* d'œstrogènes, soit la *qualité* des progestatifs [3]. Mais il ne faut pas s'étonner qu'elle soit toujours relativement lente (même pour un arrêt de traitement), car les graisses sont moins rapidement mobilisables que l'eau.

3. Un dérèglement du métabolisme des glucides.

Ils jouent sans doute un rôle aussi constant que les rétentions liquidiennes. Mais leur action est particulièrement complexe.

Dans 20 à 40 % des cas, il y a un très léger effet pseudodiabétique. Il a été étudié, et largement prouvé, que ces réactions sont légères, sans conséquences secondaires et sans suites pathologiques. (Il est presque toujours possible de conduire une contraception, chez des patientes diabétiques). Mais cette modification

---

1. Dont le siège est l'hypothalamus, fig. 3, p. 423.
2. Graisses.
3. Et en restreignant les sucres.

provisoire s'accompagne d'une légère augmentation de l'insuline [1], par conséquent un effet d'hypoglycémie. Cet effet est capable d'induire une 4ᵉ cause de prise de poids.

4. La faim.

Le lien hormones ovariennes-insuline semble en effet évident tout au long de la vie gynécologique. Il apparaît identique pour des causes et avec des effets semblables à la puberté, en début de grossesse, et provoque de véritables crises de *boulimie* [2], car l'hypoglycémie s'accompagne de malaises, avec *fatigue* et *faim*.

La « *faim de sucre* » est tout à fait caractéristique du fonctionnement ovarien. Elle se déclenche violente, irrépressible, au début de la puberté, cause solitaire des trois quarts des obésités de cet âge. Elle va caractériser toute la vie gynécologique, s'accentuant dans toutes les périodes de perturbations hormonales et particulièrement lorsqu'il y a une insuffisance progestative : phase pré-menstruelle, grossesse et pré-ménopause.

Ces époques sont chaque fois marquées par des fringales irrésistibles, tout à fait inhabituelles, qui semblent bien correspondre à la période d'augmentation provisoire de l'insuline sous l'effet des hormones. Ce trouble a tendance à s'apaiser spontanément après quelques mois. Il n'y a pas de prise de poids si un contrôle sévère de l'alimentation (et particulièrement de l'alimentation sucrée) aidé, si nécessaire, d'un anorexiant léger, est appliqué avec rigueur, aussi bien au cours des étapes physiologiques hormonales (début de puberté, de grossesse et ménopause), qu'au début d'un traitement contraceptif ou substitutif.

Par contre, si la fringale de sucre est assouvie, il se crée un véritable cercle vicieux : trop de sucre provoque un excès d'insuline, qui provoque une hypoglycémie, qui donne faim de sucre... le résultat étant toujours : un embonpoint irrésistible !

RISQUES THROMBO-EMBOLIQUES

On a signalé quelques cas isolés mais très controversés :
— invoqués dans un climat et des milieux particulièrement hostiles et suspects de partialité, lorsque le risque cancérigène n'a vraiment plus été défendable ;
— peu fréquents et provenant étrangement des mêmes endroits,

---

1. Qui brûle les sucres.
2. Faim intense et insatiable.

et/ou des mêmes auteurs, ce qui n'est pas une garantie d'objectivité absolue ;

— signalés enfin, au cours d'enquêtes entachées d'erreurs méthodologiques, statistiques, ou qui avaient négligé des facteurs importants comme les troubles de circulation périphérique ou l'obésité [1].

Un accident thrombo-embolique est le fait du blocage d'un sang *hypercoagulant* dans une région de *resserrement anatomique* ou de *ralentissement du débit sanguin*. Il faut donc l'association de plusieurs facteurs :

— les uns hypercoagulants augmentant la viscosité sanguine ;

— les autres ralentissant ou arrêtant, en un point donné, le débit circulatoire normal.

Il est vrai que les hormones peuvent avoir une action sur l'un ou l'autre de ces facteurs :

Les œstrogènes semblent pouvoir augmenter légèrement la coagulation sanguine, mais ils favorisent le débit ;

Les progestatifs ralentissent légèrement le débit en augmentant l'adhésivité des plaquettes du sang, en rendant les veines atones et en diminuant la perméabilité des membranes cellulaires.

Ces effets ont été évalués. *Il ne s'agit que de nuances très légères, bien inférieures à ce qui se passe dans une grossesse, et même dans la phase progestative en fin de cycle menstruel.*

Les études fondées sur des critères vraiment très stricts ont mis en évidence :

— le caractère tout à fait exceptionnel d'accidents de ce genre ;

— leur tendance presque toujours spontanément réversible (ce qui n'est pas le cas de ceux de l'athérosclérose) ;

— le rôle dominant joué par l'existence ou l'apparition de facteurs extrinsèques :

• *obésité* (on n'a pas trouvé un seul incident lorsque le poids reste dans la limite de 3 kg au-dessus du poids normal standard ;

• *diabète* clinique (même latent, à cause des lésions artérielles périphériques) ;

• *artérite* ou séquelles de *phlébite* ;

• *hypertension* ;

• antécédents d'*hypercholestérolémie* (personnelle ou seulement familiale).

---

1. J. KAHN-NATHAN, H. ROZENBAUM, *La contraception*.

Les seuls points sur lesquels toutes les critiques concordent sont *le rôle de la dose et de la durée du progestatif employé.*

— Les incidents sont signalés au-dessus de 5 mg de progestatif. Il n'y en a aucun au-dessous.

— Ils sont :

• maxima en climat progestatif continu comme la grossesse (de 15 à 25 pour 100 000) ;

• moindres en climat prolongé mais avec interruption menstruelle. Ex. : la contraception (de 1,5 à 4) ;

• nuls, en courte durée, discontinue. Ex. : les traitements séquentiels ou substitutifs (de 0,3 à 0,6 pour 100 000) [1].

Donc sauf climat pathologique particulier et association de plusieurs facteurs pathologiques favorisants, les troubles thrombo-emboliques ne sont pas en cause à la ménopause. Simplement leur éventualité explique certaines des investigations préalables demandées par les médecins.

RISQUES DIGESTIFS

Ils sont possibles mais rares, légers, et presque toujours limités au tout début du traitement.

La réaction peut être purement gastrique :
Les œstrogènes, particulièrement sous certaines formes, sont parfois responsables de brûlures gastriques et œsophagiennes d'inappétence, de nausées.

Les progestatifs provoquent plutôt une légère réaction spasmodique de l'estomac, qui, par mobilisation du contenu gastrique ou, à jeun, du liquide de stase provoque un réflexe nauséeux ou aérophagique. Cet effet très caractéristique, assez méconnu est souvent à lui seul responsable de certaines nausées de grossesse où la spasmodicité gastrique est nettement perceptible à la palpation, ou d'une augmentation de poids par réflexe alimentaire, cette sensation étant nettement calmée par l'injection de nourriture et la réplétion.

La réaction peut être hépatique :
Il y a un lien incontestable entre fonction hépatique et métabolisme hormonal ovarien. En effet, œstrogènes et progestérones sont métabolisés par le foie. Des incidences sont donc plausibles.

---

1. Contre 0,2 à 0,5 pour 100 000 en climat normal.

On a pu constater que les œstrogènes ont le pouvoir de ralentir l'élimination, par la bile, de certains produits de fabrication hépatique. Or, comme dans le même temps, l'activité du foie ne se relâche pas, il se produit une véritable *stase hépatique*. Mais elle est très variable : il semble qu'une dose d'œstrogènes, insignifiante pour des sujets normaux, suffise à perturber ceux dont la capacité d'excrétion hépatique est déjà faible.

Il est intéressant de noter une relation fréquente entre les troubles digestifs du début de la puberté, les vomissements prémenstruels avec maux de tête, les grandes nausées, les prurits, certaines jaunisses de grossesses, et une intolérance digestive aux thérapeutiques hormonales.

Mais les manifestations d'intolérance thérapeutique sont rares, restent presque toujours extrêmement discrètes, et même latentes.

Elles semblent proportionnées aux doses utilisées, obéissent assez bien aux cholagogues légers en début de traitement, tendent à s'atténuer peu à peu spontanément, et, de toute façon, disparaissent d'elles-mêmes à son arrêt.

Dans les très rares manifestations un peu plus sévères, on découvre presque toujours une prédisposition particulière :

— hépatique (antécédents de grossesse, jaunisse, prurit, anomalies congénitales) ;

— toxique (alcoolisme, etc.).

Les causes de cette rétention hépatique ne sont pas claires.

Il semble toutefois qu'une administration de type contraceptif avec association œstro-progestative comparable à la grossesse, à doses plus faibles mais tout au long du cycle, aient un effet plus marqué que les traitements séquentiels [1] de ménopause, qui ne sont presque jamais en cause.

En effet, même au cours des bilans systématiques de ménopause (plus élargis et plus fréquents que ceux pratiqués pour la contraception), les véritables perturbations hépatiques sont très rares. Mais il est intéressant de noter qu'elles sont alors souvent accompagnées d'autres perturbations (légères également) de la régulation des sucres, des graisses, des facteurs de coagulation et même de la tension artérielle. Or, tous dépendent en partie de l'activité hépatique.

Dans la plupart des cas, ces perturbations tendent à s'atténuer

---

1. Le traitement séquentiel suit au plus près la physiologie et sur une base d'oestrogènes n'introduit la progestérone que dans la deuxième moitié du cycle. En contraception, la progestérone est donnée pendant tout le cycle, réalisant un état de pseudo-grossesse.

spontanément en cours de traitement, et cèdent très rapidement à l'apport d'un cholagogue léger.

Dans les cas de réactions franches, l'accoutumance à la progestérone et aux œstrogènes est une chose qui se crée. La plupart des intolérances digestives cèdent :

— à l'accoutumance [1] ;

— à la prise au milieu des repas ;

— au changement de produit ;

— ou encore à des doses très faiblement progressives accompagnées de cholagogue pendant les deux ou trois premiers mois.

Cette attitude est presque toujours tout à fait efficace.

Enfin, dans les cas irréductibles, il ne faut pas oublier que des percutacrines (hormones à action percutanée) permettent de tourner la difficulté au début, et peuvent, en cas de nécessité, assumer entièrement le traitement jusqu'à la fin.

RISQUES D'EFFETS VIRILISANTS

Le risque de virilisation est un faux problème qu'on ne devrait pas avoir à traiter ici. Cependant il est peut-être nécessaire de le faire pour dissiper certaines inquiétudes.

Les traitements modernes de la ménopause se font à peu près exclusivement avec des *hormones strictement femelles*. Il est bien évident que des œstrogènes ne sauraient être en cause.

Pour ce qui est des progestatifs, le choix de produits est vaste. Certains ont des effets œstrogéniques dominants, d'autres des effets progestatifs dominants, d'autres enfin des effets légèrement androgéniques. Cela peut se traduire pour ces derniers par :

— des effets favorables :

• sur la libido ;

• sur la forme et le dynamisme, excellent chez les grandes asthéniques ;

• sur une tendance à l'embonpoint ou à la rétention de liquides ;

— des effets défavorables :

• chute des cheveux ou/et pousse de duvets ;

• tendance séborrhéique de la peau et des cheveux.

---

1. Il est significatif de voir comme les nausées de grossesses sont rares chez les femmes ayant pris, pendant quelques mois, quelques années des progestatifs de synthèse.

Ces différences d'action ne sont pas un désavantage mais bien au contraire un avantage.

Les premiers peuvent être judicieusement employées sans aucun effet fâcheux chez les femmes ayant tendance à la prise de poids, à une forme d'asthénie permanente, ou encore à des gonflements mammaires ou abdominaux désagréables. Ils sont au contraire évités chez les femmes ayant naturellement des hormones surrénales (à effet androgénique) déjà fortes et actives.

Il n'y a donc d'autre risque que de nuances, et ces nuances sont parfaitement modulables pour un spécialiste expérimenté.

La réalité de relations entre hormones ovariennes et certaines modifications métaboliques, ne peut être ignorée ou négligée.

La Kayser Foundation (USA) a surveillé 18 000 femmes sous contraceptifs pendant 5 ans. Elle a constaté des modifications de la tension artérielle, de la viscosité sanguine, des sucres et des graisses, réelles, statistiquement mesurables, semblables en plus léger à celles des grossesses normales, *mais si légères qu'elles n'excèdent jamais les limites physiologiques.*

Mais le traitement hormonal à la ménopause ne cherche pas comme en contraception à bloquer l'ovulation et réaliser un état permanent de pseudo-grossesse [1]. L'apport hormonal est plus léger, et plus physiologique : la progestérone indispensable n'apparaît que 5 à 10 jours par mois. De ce fait, les désavantages même minimes des contraceptifs (et tout particulièrement les effets coagulants) sont alors insignifiants, ou le plus souvent inexistants.

En comparant les modifications, les incidents ou les pathologies éventuellement constatés, et leurs différents degrés, pendant la grossesse ou la contraception, dans le cycle menstruel ou en hormonothérapie substitutive de ménopause, on peut détacher plusieurs notions essentielles :

1° *Il ne peut y avoir réaction pathologique que lorsqu'une prédisposition morbide particulière reconnue ou latente, acquise ou héréditaire, rend l'organisme ou certaines de ses fonctions insuffisantes ou inaptes à s'adapter aux modifications biologiques légères causées par les hormones ovariennes :* ce sont des antécédents héréditaires,

---

1. Climat progestatif continu ou semi-continu.

un passé pathologique ou une tendance hypercoagulante, cholesté-rolémique, diabétique, hypertensive et/ou obèse [1].

2° Ces modifications ne deviennent appréciables que si les doses sont très fortes, ou régulières et continues. Ce qui exclut une action éventuelle de la thérapeutique climatérique, où l'alternance dans l'intensité des effets œstrogéniques ou progestatifs, en faisant varier sur quelques jours, l'hyper ou hypoviscosité sanguine, l'hyper ou hypoperméabilité des membranes cellulaires, empêchent, ou en tout cas ne favorisent guère la constitution de caillots ou les accumulations liquidiennes ou graisseuses.

3° Enfin, une légère assistance thérapeutique au cours des premiers mois de traitement facilite avec succès une adaptation métabolique aisée :

— *pour les paresses ou les surcharges hépatiques :* cholagogue léger ;

— *dans les tendances diabétiques, cholestérolémiantes ou/et obèses :* régime de restriction alimentaire avec, si nécessaire, ano-rexiants légers, et, suivant les cas :

• répartition des sucres ;

• sélection des graisses :

— des *nuances hypertensives,* lorsqu'on a fait la preuve de l'absence de causes essentielles, sont aisément modulables et bien moins exposées que dans les grands désordres climatériques [2].

— Enfin une attention particulière doit être impérativement accordée aux *troubles circulatoires des membres inférieurs,* qui n'obéissent ni aux régimes ni au traitement général, mais uniquement — et efficacement — à un traitement local et une rééducation circulatoire bien conduite.

En comparant les différents risques on s'aperçoit que si, dans presque tous les cas, les risques de la contraception sont insignifiants (et négociables) par rapport à ceux que feraient courir aux mêmes sujets une grossesse, les risques encore plus faibles, presque nuls d'un traitement hormonal substitutif de la ménopause ne comptent pas en face des dangers plus graves que feraient courir à des organismes fragiles ou déficients les orages et les dérèglements climatériques.

Ce chapitre serait donc presque inutile. Peut-être pourra-t-il :

---

1. Ces tendances auraient un effet plus grave sur une grossesse.
2. Il en est de même pour les rétentions liquidiennes.

— détruire des craintes erronées et clarifier des notions confuses ;

— mettre en relief la complexité et la technicité d'une thérapeutique qui ne peut être faite au hasard, et sans connaissances profondes ;

— expliquer et souligner l'exigence absolue d'un bilan général, complet, aussi bien avant toute ménopause, qu'avant tout traitement.

3

DISCUSSIONS

Et pourtant inlassablement, de tables rondes en tables rondes, de séminaires en congrès, on ergote toujours, interminablement.

Il y a :

Des moralistes

« Une femme a la ménopause qu'elle mérite ! »

C'est inexact et injuste, et la façon dont un problème est affronté ou dominé ne change pas son authenticité et sa nature.

« Les ménopauses peuvent se traiter uniquement par psychothérapie. »

Soigner un dérèglement en n'en traitant qu'un seul symptôme, une seule conséquence parmi les dizaines d'autres ?... Et ignorer tous les travaux modernes de neurologie expérimentale sur le rôle joué par l'hypothalamus dans les troubles de l'humeur ? Et son action sur les médiateurs chimiques (sécrétion régulatrice à l'origine de tous les troubles neuro-végétatifs) qu'il influence fortement, et par lesquels il est, à son tour, influencé ?

A la ménopause le psychisme n'est pas modifié quand l'équilibre hypothalamique ne l'est pas.

« L'adaptation de la femme à la période ménopausée pourrait se faire par une hygiène psychologique préventive : puisqu'on sait qu'il y a rupture, il suffit de la prévenir et de s'y préparer. »

On a essayé, expérimentalement pendant des siècles, techniquement pendant ces dernières décades.

Il n'y a jamais eu de résultat.

Par contre, les femmes hormonées, quel que soit leur caractère, semblent confortablement insouciantes d'un problème d'adaptation, et on les étonnerait fort en parlant de rupture.

« L'âge critique comporte des risques, mais ces derniers étant connus, la ménopause doit être en définitive facteur d'enrichissement. »

Ces derniers étant connus, il faut les traiter !

Pour le reste il semble difficile de trouver un facteur d'enrichissement à se sentir rejetée, comblée de malaises variés, spectaculairement abîmée, bref, à se sentir vieillir solennellement et officiellement.

A moins que comme Job !...

Des « oui, mais... »

« Les infantilismes ovariens, les femmes castrées très jeunes ne deviennent pas précocement séniles. »

L'état de carence est d'autant plus accusé que l'accoutumance est ancienne [1]. Cela n'empêche pas, même sous le couvert d'une floridité trompeuse, des involutions (osseuses, oculaires, génitales) significativement précoces.

« On ne peut savoir à priori si le traitement sera indispensable. »

Il le sera toujours, obligatoirement, dans tous les cas, puisque la carence est inéluctable, puisque seul un pourcentage très faible de femmes échapperont aux troubles qui l'accompagnent et que la plupart évolueront vers des conséquences pathologiques tardives, parfois très graves.

Le traitement œstro-progestatif étant assuré de ne provoquer aucune anomalie, et ayant fait la preuve de sa capacité à maintenir un équilibre essentiel, son utilisation systématique est statistiquement justifiée.

« Si on traite une femme de 50 ans, à 60 ans elle paraît plus jeune que son mari, le plus souvent déjà plus âgé et qui risque de ne plus suivre. »

A la bonne heure ! Les hommes n'auront peut-être plus autant de raisons (pénibles) et d'occasions (quelquefois commodes) de rejet. De toute façon ce déséquilibre ne semble pas tant les gêner, mais au

---

1. Cf. p. 78.

contraire les stimuler, puisqu'ils choisissent si souvent des épouses ou partenaires plus ou beaucoup plus jeunes.

« *C'est mauvais pour le couple.* »
Seulement dans ce sens ?
Le nombre considérable de femmes liées à un mari plus âgé est donc moins gênant ?
Et pourquoi ne pas transférer toute la recherche encore déployée « contre » les hormones femelles, à des travaux « pour » les hormones mâles ? C'est la seule solution constructive.

Des pessimistes

« *On ne gomme pas le problème, on ne fait que le repousser. De combien ? C'est une autre question !* »
Et quand cela serait, n'en vaut-il pas la peine ?
Mais c'est une question à laquelle les faits ont formellement répondu. On gomme réellement la ménopause, on en repousse considérablement les effets par rapport à l'évolution naturelle.
En l'état actuel des choses, si le recul n'est pas suffisant pour évaluer les différences, aux âges les plus avancés, entre femmes traitées et non traitées, *dans toutes les échelles d'âge,* ces différences sont déjà toujours positives et mieux qu'appréciables.

« *A quoi bon traiter les femmes ménopausées, on ne les rajeunira pas...* »
Si. Spectaculairement. Physiquement, physiologiquement, psychologiquement.
Leur forme, leur dynamisme, leur bien-être et leur... apparence feraient envie à bien des femmes plus jeunes de 10 ou 15 ans. Et ce n'est pas superficiel.

« *On n'efface pas le vieillissement et on ne le ralentit pas...* »
On en efface ou on en ralentit certaines manifestations.
Et c'est déjà beaucoup.
Il ne s'agit pas de jouvence de jeunesse éternelle auquelle aucun chercheur, informé de la complexité des phénomènes d'involution, ne pourrait croire.
Mais il faut avoir vu des femmes traitées depuis 15 ou 20 ans, pour se rendre compte que, sans parler de jeunesse éternelle, une conservation de l'intégrité profonde comme de l'aspect physique, de 10 à 20 ans en dessous de l'âge légal, est quelque chose qui n'a rien

à voir avec le charlatanisme ou la futilité, mais relève d'une action médicale extrêmement profonde.

Et on n'a jamais signalé d'effet « reverse » du traitement [1].

« *La réceptivité des tissus périphériques diminuant progressivement, ce traitement devient tôt ou tard inopérant...* »

Les récepteurs des hormones sexuelles, et particulièrement les récepteurs génitaux sont capables de répondre à la stimulation hormonale jusque dans l'extrême vieillesse.

Cela n'empêche pas le vieillissement essentiel, mais semble en atténuer et en ralentir sensiblement certaines manifestations.

Pourquoi tant de réticences et de scrupules démesurés lorsqu'il s'agit d'assurer la conservation et l'intégrité d'une femme et comparativement si peu quand il s'agit de la faire procréer.

« *La satisfaction des effets à court terme peut dissimuler des effets à long terme dangereux...* »

Non. Ça c'est le Moyen Age [1]. Des effets dangereux à long terme, on n'en a jamais rencontré. On n'en rencontre toujours pas.

Et on ne voit pas très bien pourquoi des femmes sans troubles, exceptionnellement conservées, biologiquement et physiologiquement, au delà de 70 ans, courraient plus de risques pour l'avenir que celles chez qui l'involution, les dégénérescences ont commencé 20 ans auparavant et atteignent déjà un degré pathologique.

Des scrupuleux

« *En voulant traiter précocement, on risque de soigner trop tôt.* »

Il n'y a pas un seul exemple de troubles même légers pour une thérapeutique précoce, ou à l'occasion du passage sans interruption de la contraception à l'hormonothérapie substitutive. Il y en a beaucoup pour des thérapeutiques tardives.

Ce grand respect chronologique est curieusement récent et à sens unique. Les castrations chirurgicales ou androgéniques étaient autrement désinvoltes à créer des ménopauses précoces soi-disant thérapeutiques (ou même préventives) !

---

1. C'est une conviction ancrée depuis la nuit des temps qu'un rajeunissement doit être un jour « payé » d'un vieillissement double.

« *A doses faibles il n'y a pas de danger, mais à doses fortes on ne sait jamais.* »

Mais cela ne veut rien dire !

Il y a des doses à respecter, ni trop fortes elles sidéreraient les glandes que l'on veut stimuler, ni trop faibles elles exciteraient l'hypophyse au lieu de la freiner.

Ce n'est pas une question de dosage léger ou lourd, mais de dosage techniquement « adéquat ». Ou alors ce n'est plus de l'hormonologie.

« *Les règles artificielles risquent dans une ménopause traitée de provoquer ou de masquer un cancer de l'utérus.* »

Provoquer ? Certainement pas, puisqu'une desquamation régulière est la meilleure prévention contre l'hyperplasie muqueuse, seul climat tissulaire susceptible de favoriser à la longue une évolution cancéreuse tardive.

Masquer ? Moins, bien moins que l'absence de traitement. Car l'atrophie est peu vascularisée et prive l'organisme de son meilleur signal d'alarme devant un cancer silencieux : le saignement. Ce n'est pas le cas de la trophicité. Un cancer sur muqueuse normale saigne, et surtout saigne en dehors des menstruations. Il attire donc l'attention bien plus précocement.

Enfin les examens systématiques et réguliers de la thérapeutique substitutive sont une meilleure garantie de dépistage que le manque de connaissance, de vigilance ou de bonne volonté des intéressées.

« *C'est qu'avec les hormones, on ne sait jamais où l'on va !...* »

... Le voilà donc lâché le maître mot de cette sombre obstination, de cette obsession restrictive. C'est beaucoup mépriser... ou ignorer l'endocrinologie moderne.

Des avares

« *Faut-il traiter toutes les femmes pour empêcher des complications qui ne les frappent pas toujours toutes ?* »

C'est une mauvaise question.

Tout d'abord, aucune femme n'est tout à fait « indemne » de ménopause.

Des signes climatériques très discrets ou très tardifs ne témoignent que de la passivité neuro-végétative, pas de la conservation métabolique, et ils n'excluent pas les complications pathologiques lointaines.

Par ailleurs, étant établi que 80 % des femmes auront des

manifestations d'un niveau pathologique et que le traitement n'est vraiment efficace qu'extrêmement précoce, la nécessité de traitement est, proportionnellement, infiniment plus importante que celle qui conduit, par exemple, à des vaccinations, communément admises, comme mesure de sécurité et de sauvegarde.

Si l'on tarde trop à traiter, dans l'espoir bien restreint que ce ne sera peut-être pas nécessaire, on laisse s'installer des lésions d'abord silencieuses, puis cliniquement évidentes, dont certaines sont tout à fait irréversibles et d'autres ne le sont qu'en partie.

Etant donné qu'aucun risque, qu'aucune crainte sérieuse ne peuvent être mis en balance avec l'avantage acquis, la prévention systématique et précoce est la seule attitude médicale raisonnable.

« Il faudrait ne traiter que les femmes ayant une insuffisance œstrogénique vraiment grave avec atrophie. »
Pourquoi deux poids et deux mesures ? Où trouver la frontière ? Comment la justifier ?
Et qui s'arrogerait le droit de décider ?

« Seulement celles qui sont atteintes d'athérosclérose ou d'ostéoporose... » (Et pour certains il faut qu'elle soit grave !).

On peut faire un système prévisionnel simple :
— toutes les femmes seront un jour ménopausées ;
— pour 80 %, cette ménopause sera pathologique (ostéoporose par exemple).

Réserver seulement la thérapeutique aux grandes malades irrécupérables ? On croit rêver.

« Il suffit d'atténuer la réaction hormonoprive, donc de traiter seulement pendant quelques années. »
Encore une fois, il ne s'agit pas uniquement de troubles neuro-végétatifs.

A partir du moment où le manque hormonal est établi, les dégradations tissulaires sont en route. Elles ne sont pas plus tolérables à 75 ans qu'à 65 ans et sont autrement préjudiciables que les troubles neuro-végétatifs climatériques. Il faut bien comprendre que le traitement ne s'adresse pas qu'à ceux-ci.

« On pourrait tout au plus conseiller, tant que les récepteurs sont capables de réagir, une hormonothérapie de quelques mois, voire de quelques années, dans l'espoir de retarder le fléchissement post-ménopausique. »

Mais ces récepteurs sont capables de réagir jusqu'à la mort. Et pourquoi retarder le flétrissement de seulement quelques mois ou années si on peut bien davantage ?

Enfin, il s'agit de bien autre chose, au delà du « flétrissement » !

« Pourquoi ne pas diminuer progressivement la thérapeutique une fois passée la phase critique ? »

Et pourquoi donc la diminuer ? On ne cherche pas seulement à traverser la période critique, le début d'extinction hormonale, mais à instituer un traitement de remplacement de la privation, pour empêcher les conséquences immédiates gênantes, mais aussi les plus lointaines, invalidantes.

... Et même des racistes...

« Seulement celles qui le demandent. »

Quand on a suivi un très grand nombre de femmes et qu'on a, pour un grand nombre d'entre elles, un recul de plus de 15 ans, les différences à long terme, entre les femmes qui ont été traitées et celles qui ne l'ont pas été, sont tellement considérables *qu'il n'est pas pensable qu'un médecin ne donne toutes ses chances à une patiente, même si elle ne le demande pas !*

C'est au médecin de conseiller, pas au patient de demander. Pour demander il faut savoir.

S'il s'agissait de petites améliorations, on comprendrait une certaine indifférence, mais quand il s'agit de choses aussi profondes que l'équilibre physio-psychologique tout entier, l'intégrité, non pas seulement esthétique, mais anatomique et fonctionnelle, il n'est pas possible de continuer de se poser des questions de ce genre.

« Seulement celles qui ont l'air jeune. Une femme de 50 ans qui a l'air d'en avoir 65, qui a des seins tombants, des poils clairsemés, un vagin qui commence à s'atrophier et n'a plus de vie sexuelle, pourquoi la traiter ? On ne la rajeunirait pas. »

Autant donc la jeter... Mais est-ce une opinion de mâle ou de médecin ? Cette discrimination peu honorable est profondément contraire à l'éthique médicale : Le bien-être, la salubrité de cette femme « qui a l'air d'avoir 65 ans », cela ne compte donc pour rien, lorsqu'elle n'est plus plaisante ?... Et n'aurait-il pas été plus simple de l'aider à temps, à ne pas tant s'abîmer ?...

« Seulement celles qui veulent rester jeunes. »

Mais qui donc ne veut pas ? Il ne leur manque que de savoir

que c'est possible, et d'y croire. On peut des choses considérables. Nous le savons, si elles ne le savent pas. Et il faut le leur dire.

« *Seulement..., seulement..., seulement...* Que la main est longue à s'ouvrir qui ne sait plus pourquoi elle s'est fermée !... »

**
*

Mais que lisent donc ces gens-là ?

Il suffit de feuilleter la littérature médicale spécialisée de ces dernières années. Les plus grands noms, les plus grands services hospitaliers, les organismes internationaux, tous disent la même chose :

« ... L'abstentionnisme d'antan n'est plus de mise. La parfaite tolérance, l'inocuité apparente, la quasi-physiologie de la méthode séquentielle, la font conseiller vivement. »

> PINTIAUX, *Revue française de Gynécologie et d'obstétrique, avril 1969, n° 4.*

« Il semble bien justifié d'essayer de remédier à pareille carence. Cela semble impératif devant une atrophie vulvo-vaginale au début, des bouffées de chaleur, une pré-ménopause précoce, un syndrome de carence ovarienne précoce, par exemple une ovariectomie, unilatérale. L'abstention dans les autres cas a des conséquences possibles : ostéoporose, qu'il faut prévenir dès la période pré-ménopausique. »

> Professeur NETTER.

« La ménopause est responsable, par l'arrêt des sécrétions hormonales ovariennes, de phénomènes pathologiques au niveau des récepteurs hormonaux, et par suite du rôle des œstrogènes dans des métabolismes complexes, favorise l'ostéoporose et l'athérosclérose. »
« La certitude paraît acquise qu'une thérapeutique hormonale prolongée peut pallier ces désordres. »

> Professeurs J. VIGNALOU, A. LE-MARCHAL, M. LAURENT.

« L'importance et la qualité des résultats obtenus depuis 6 ans par cette thérapeutique nous ont convaincus de son bien-fondé. »

> Professeurs MAUVAIS-JARVIS, BERCOVICCI, GNASSIA et HERMANNE, *Vie médicale,* 4 janvier 1970.

LE TRAITEMENT

« Il s'agit d'un traitement remarquablement sûr et remarquablement efficace. »

Dr. Escoffier-Lambiotte, *Le
Monde, Panorama et conclusions
des journées d'Endocrinologie.*

« La prise d'hormone avant, pendant et après la ménopause
aide les femmes à se conserver sans risque et sans dégradation. »

*Conclusion du Congrès mondial
de l'Organisation mondiale de la
Santé.*

4

EFFETS DU TRAITEMENT

Il y a une bonne vingtaine d'années que des traitements de ménopause, logiques, méthodiques et efficaces, sont pratiqués.

Ce recul, quoique encore limité, permet pourtant de mesurer déjà une action également appréciable sur la sphère génitale, la morphologie en général, et contre tous les troubles et toutes les complications de la ménopause.

La conservation, dans le cas de traitements précoces, l'amélioration, à l'occasion de thérapeutiques tardives, sont toujours extrêmement spectaculaires, quoique à des degrés différents, suivant le trouble concerné, et la précocité du traitement.

Le traitement hormonal suit des règles relativement simples.

Il n'est plus nécessaire de provóquer — ou de bloquer — l'ovulation. Donc, les doses élevées, les contrastes brutaux qui la déclenchent, l'imprégnation progestative constante, de type gravidique, qui l'empêche [1], deviennent tout à fait inutiles. Il suffit d'assurer un effet tissulaire et sécrétoire suffisant pour maintenir la trophicité locale et générale, et un équilibre métabolique stable. Plus libre, plus facile à manier, calquée au plus près sur la physiologie normale, la thérapeutique est aussi plus légère : une hormonisation calme, de type fin de cycle, est plus que suffisante. Ainsi les effets secondaires, même légers, sont rarissimes et les variations cycliques (très inférieures à celles de la vie gynécologique), à peine perceptibles.

L'interruption périodique, provoquée par le mécanisme habituel

---

1. Principe d'imprégnation progestative continue du type pseudo-grossesse des contraceptifs.

de privation progestative, assure une desquamation physiologique sans problème, garantie de l'intégrité de la muqueuse utérine et de l'absence de proliférations ou de nécroses.

Le traitement dans l'idéal doit obéir à certaines règles :

— *Il faut le commencer à temps,* souvent bien avant les manifestations cliniques. Au début, le besoin d'œstrogènes est très variable, parfois insignifiant. Il suffit d'un apport léger que l'on augmente au fur et à mesure de l'appauvrissement. Par contre, la progestérone est d'emblée essentielle. Première menacée, et souvent seule à disparaître complètement, elle doit être précocement et fermement assurée, de façon à prévenir tous les troubles prolifératifs du déséquilibre classique œstrogène (+)/ progestérone (—) de la ménopause.

— *Il doit respecter deux nécessités fondamentales.*

• *Un équilibre œstro-progestatif,* capable de maintenir l'effet tissulaire à un juste milieu entre les tendances atrophiques ou prolifératives. Ainsi, sont éliminés la plupart des troubles neuro-végétatifs, physiologiques et tissulaires, et surtout les tendances prolifératives bénignes ou malignes ;

• *Une bonne freination hypophysaire.* Responsables de nombreux malaises, de la plupart des troubles physiologiques, de pathologies d'entraînement, et d'une responsabilité encore mal précisée, mais probable dans les formations cancéreuses, les débordements hypophysaires doivent être absolument contrôlés, et aussi régulièrement que possible. Des doses trop légères risquent d'exciter la sécrétion au lieu de la freiner et les alternances de prises et d'interruptions provoquent chaque fois des décharges violentes.

— *Il faut le nuancer* qualitativement et quantitativement suivant la réponse tissulaire, métabolique, vasculaire, neurovégétative et psychologique de la patiente et ses tendances pathologiques [1].

— *Il doit être régulier,* sans interruptions ou variations fantaisistes, susceptibles de causer des dérèglements en chaîne, des dégâts irréversibles et l'excitation hypophysaire qu'il faudrait justement éviter.

— *Il faut le prolonger* car la carence ovarienne est définitive et l'interruption se traduit à tout âge par l'apparition de troubles en quelques jours ou quelques semaines, de dégradations visibles en quelques mois.

---

1. Par exemple, tendance ou antécédents d'hypertension, de diabète, d'obésité, de fragilité vasculaire, etc.

— *Enfin, il ne peut et ne doit exister que médicalement contrôlé* du début à la fin, de façon à s'adapter aux besoins, aux caractéristiques et tendances pathologiques de chaque patiente, ainsi qu'aux modifications intérieures ou extérieures susceptibles de survenir.

La non-nocivité des hormones en elles-mêmes, est aussi certaine que les inconvénients d'une utilisation maladroite [1].

C'est un domaine ou la fantaisie, l'irresponsabilité, sont également inadmissibles et constituent une raison suffisante pour un praticien de refuser de continuer le traitement de certaines patientes indisciplinées ou inconscientes.

L'hormonothérapie ne s'accommode pas de fantaisies qualitatives ou quantitatives sous peine de déclencher des désordres en chaîne ou... pis encore, d'inverser l'effet recherché. Elle n'autorise pas des irrégularités, responsables de désordres aussi grands, sinon pires que ceux qu'on voulait empêcher.

On ne peut intervenir sur un mécanisme aussi complexe et délicat que la physiologie ovarienne sans connaissances rigoureuses. Un profane ne peut assimiler en 5 ou 15 minutes de conversation ou de lecture, des notions qui demandent de longues années à un scientifique déjà préparé. Chaque élément connu a des implications dont il ne peut même pas soupçonner l'existence, et les répercussions de ses actes ont une portée infiniment plus grande et plus complexe qu'il ne pourrait imaginer. Notre organisme et sa chimie sont autrement compliqués, fragiles et précieux qu'un poste de télévision ou une installation téléphonique à laquelle personne ne s'aviserait de toucher à la place du technicien.

Il n'est donc pas raisonnable d'entreprendre, de négliger, de modifier, d'abandonner ou de reprendre une prescription de son propre chef. Il y a peu de domaines où il soit aussi facile de jouer les apprentis sorciers à ses propres dépens !...

---

1. Hémorragie, hyperplasie, excitation hypophysaire ou surrénale...

45 ANS : CES FEMMES LIBÉRÉES POUR LA PREMIÈRE FOIS...

Lorsque les femmes sont traitées précocement *on ne voit pas* et *elles ne sentent pas* leur ménopause.

Les règles continuent, imperturbables et régulières, et il n'y a que peu ou pas de troubles physiologiques caractéristiques.

Aucun signe neuro-végétatif n'apparaît, à l'exception parfois de très légères sensations de chaleur et de rétention liquidienne.

Aucune modification psychologique défavorable mais, bien au contraire, une amélioration certaine où euphorie et équilibre renforcent leur action.

L'involution tissulaire ralentit par rapport aux années précédentes, au lieu de se précipiter, et aucune tare caractéristique n'apparaît. Cheveux et ongles restent à peu près inchangés. La poitrine garde ou même, bien souvent, acquiert une tension et une fermeté inhabituelles, perdues, depuis de longues années. Il n'y a pas de déformation corporelle. Statistiquement, les femmes traitées gardent une taille stable. Le corps conserve sa forme et ses proportions habituelles. Aucun des violents changements qui faisaient parfois en 2 ou 3 ans, une femme âgée d'une femme encore jeune, ne se produit, et la posture, la démarche, la façon de bouger, ne montrent aucune altération particulière.

L'apparence générale reste longtemps fixée avant la cinquantaine. Et même bien plus tard, quand rides et cheveux blancs ne peuvent plus tromper, il reste quelque chose dans la peau, la silhouette, la façon de se tenir ou de bouger, un regard, un éclat, une vivacité, qui font créditer d'au moins 10 à 20 ans au-dessous de leur âge véritable même les femmes les moins coquettes.

Mais pour obtenir le plus haut degré de conservation, il faut un traitement *très* précoce. Si de profonds remaniements ont eu le temps de se produire dans le tissu conjonctif de soutien, certains (dégradation et disparition des fibres élastiques, fonte et accumulation irrégulièrement alternées du « matelas graisseux »[1], transformation

---

1. Cf. Modification physique, p. 95.

fibreuse du tissu lâche élastique, altération tissulaire ou vasculaire de l'œil, du cerveau, des os), ne seront plus jamais tout à fait réversibles.

Enfin, le traitement hormonal ne peut tout assurer.

La perfection, la fermeté, et, détail souvent ignoré, le « lissé » de la chair sont étroitement liés à la tonicité musculaire sous-jacente. Il n'y a pas de chair flasque sur muscle ferme, mais *à partir d'un certain âge, il ne peut plus y avoir de chair ferme, si bien conservée soit-elle, sur muscle flasque.* (Et ceci est aussi vrai pour les hommes que pour les femmes.) L'hormonothérapie assure des tissus vivaces qu'elle empêche de « trahir » par flacidité et dégénérescence atrophique, mais elle est tout à fait impuissante à modeler un corps, fonctionnellement relâché. C'est un domaine où la conservation exige, pour être totale, une très grande discipline fonctionnelle. Mais les résultats de l'association : hormonothérapie + entretien fonctionnel, d'après ce que l'on peut déjà constater chez des sportives ou des danseuses, en vaut vraiment la peine.

Il en est de même pour la fermeté posturale et l'intégrité articulaire ainsi que pour toutes les fonctions comme la mémoire, ou la vision dont la qualité dépend de l'exercice.

Par contre, pour une femme traitée, les complications qui annoncent, accompagnent ou prolongent la ménopause, sont une chose quasiment inconnue.

A la ménopause :
• atrophies, hyperplasies, n'existent pas ; polypes ou fibromes, ne se développent *jamais* en cours de traitement. Et il y a 25 fois moins de cancers génitaux [1] ;
• les pathologies d'entraînement : hypertensives, thyroïdiennes, surrénaliennes ou glycémiques, sont inconnues [2].

Tardivement : la conservation anatomique reste remarquablement assurée et les atrophies dégénératives sont inconnues ou insignifiantes [3].
• *Génitales :* sclérose, troubles urinaires, prolapsus, sont quasiment inexistants ;
• *Oculaires :* glaucome, cataracte, hémorragies ou décollement de rétine, n'ont jamais été signalés chez des femmes traitées ;

---

1. Cf. Risques cancérigènes, pp. 319-326.
2. Cf. « Complications d'entraînement », p. 261.
3. Cf. « Complications de l'atrophie », p. 193.

• *Osseuses :* il n'y a pas d'ostéoporose. Arthrose, rhumatismes sont rares, peu évolutifs, sauf s'il existe un trouble mécanique chronique et les dégradations sont alors aussi tardives que chez les hommes ;

• *Vasculaires :* l'athérosclérose et ses accidents sont rarissimes.

Le changement est-il très grand pour ces femmes libérées pour la première fois de la seule servitude biologique féminine qui ne porte avec elle aucun fruit, mais seulement déchéance et amertume ?

Il semble bien que oui. Peut-être avec l'habitude auront-elles des eixgences de plus en plus grandes ?

Les règles prévisibles à date, presque à heure fixe, à la fois franches, courtes et modérées ne sont presque jamais refusées, surtout après 30 ans d'habitude et en échange d'avantages solides. On dirait parfois que de pouvoir les conserver, et si bien les contrôler, à l'époque où leur disparition est un signe défavorable, les venge de n'avoir pu les refuser à l'âge où tout en elles se rebellait contre cette incommodité chronique. D'ailleurs, le sentiment de victoire, de revanche même sur les problèmes et servitudes gynécologiques est évident et souvent clairement explicité [1].

Personne n'a exprimé le souhait d'avoir, ou de paraître, moins de 40 ans. Une femme de 65 ans qui porte allégrement 45-50 ans a l'air de se sentir *juste à son aise.* Comme si d'être bien dans sa peau au lieu de se sentir trahie par elle, ne pas éprouver le sentiment que le corps devance injustement l'évolution de l'esprit, et en donne une image dégradée, inexacte, bref se « voir » comme on se « sent », lorsqu'on se « sent bien », était un élément important d'équilibre.

Une sensation de bien-être, une résistance inépuisable, une vigueur physique et intellectuelle inhabituelle, semblent de très loin les plus fortement ressenties, bien avant l'euphorie de l'absence de troubles [2] et d'une conservation physique appréciable.

---

1. Il est intéressant de noter que pour les mêmes motifs, il est rarissime qu'à cet âge une femme cherche à modifier, suivant ses commodités, les dates de son cycle. On aurait pu craindre pourtant, que la disparition du risque de grossesse ne leur donne à cet égard une dangereuse désinvolture. Il n'en a rien été. Celles très rares qui cherchent à le faire sont toujours des femmes jeunes aux règles importantes, donc gênantes, ou qui ne sont pas encore libérées de complexes à ce sujet. A la ménopause, le problème ne s'est pratiquement jamais posé.
2. Que d'ailleurs elles ignorent et imaginent très mal.

Enfin, curieusement, ce qui frappe le plus, c'est une espèce de gaieté dynamique. Comme si, au delà des altérations climatériques, les variations, les langueurs, les asthénies cycliques étaient tout à coup dépassées, et que la femme libérée d'un certain asservissement intérieur se libérait en même temps de son narcissisme, dans une extroversion heureuse et active.

On aurait pu croire que l'accouchement dirigé et, plus récemment encore, la contraception pouvaient être tenus parmi les plus grandes conquêtes de la femme au terme de plusieurs siècles. On peut se demander si « d'effacer » la ménopause n'est pas et ne sera pas une conquête de même valeur.

Il n'est pas exclu que cela provoque une modification profonde de la condition féminine, la femme libérée de servitudes biologiques pouvant vivre la moitié de sa vie adulte au maximum de ses capacités.

Peut-être alors ne tentera-t-elle plus de jouer toutes ses chances sur son temps de jeunesse et de séduction physique, assurée qu'elle sera, de ne pas les voir tronquées brutalement et de façon frustrante, en moins de 5 ans, au milieu de sa vie, et accordera-t-elle enfin alors une part plus large à d'autres possibilités, raisons ou joies de vivre ainsi devenues plus largement accessibles...

12

50 ANS : UNE BRUSQUE ACCALMIE DANS L'ORAGE.

L'intervention hormonale en pleine crise climatérique a des *effets immédiats et spectaculaires.*

Tous les *troubles neuro-végétatifs* sont rapidement contrôlés : bouffées de chaleur, douleurs, sueurs, maux de tête, vertiges, syndromes pseudo-pathologiques, etc.

L'involution génitale (sécheresse, prûrit, etc.) s'inverse. En quelques semaines, les muqueuses retrouvent une vascularisation, une épaisseur, des sécrétions normales.

L'involution tégumentaire, plus indirecte, répond plus lentement, mais l'amélioration est visible dès le 2° mois.

Les troubles physiologiques s'atténuent plus progressivement, et c'est compréhensible : le désordre métabolique est plus lent à freiner, puis à régresser, que des troubles neuro-végétatifs, sécrétoires ou vasculaires, qui répondent presque instantanément.

L'asthénie, les vertiges disparaissent. Les troubles de l'appétit, l'embonpoint, la sensation d'obscurcissement (à condition d'être récente), s'effacent peu à peu [1]. La fatigabilité, l'abattement, font place à un dynamisme, une euphorie et une résistance indéniables. Plus affirmés chaque année, ils rejoignent sans transition, et majorent sensiblement la période de grande forme post-ménopausique.

Les troubles psychologiques disparaissent en deux ou trois mois. Parfois plus vite encore. Cette docilité thérapeutique rappelle en plus spectaculaire, celle des troubles pré-menstruels. Elle constitue sans aucun doute le meilleur argument en faveur de l'origine organique de ces troubles, la valeur et l'utilité de l'intervention thérapeutique.

Cependant, des bouleversements profonds ont eu le temps de se produire.

Certains tissus ont été privés d'un constituant essentiel ou se sont dégradés. D'autres ont proliféré qui ne peuvent plus régresser.

Des modifications vasculaires se sont peut-être prolongées de façon irréversible, si, au niveau des plus minuscules vaisseaux termi-

---

1. Mais pour tout ce désordre établi, il est bien souvent nécessaire d'associer un traitement spécifique, soit pour revenir à l'équilibre précédent, soit pour relancer la fonction atteinte.

naux, des spasmes ou des ralentissements de débit ont laissé mourir les micro-territoires qu'ils devaient irriguer, ou si des vaso-dilatations brutales ont provoqué infiltrations, hémorragies. Des dégâts sont peut-être engagés au niveau des yeux (rétine, cristallin), du système auditif, des parois vasculaires et surtout du tissu osseux.

Il ne faut donc jamais se contenter de satisfactions superficielles comme la spectaculaire disparition des troubles subjectifs, l'amélio-ration de l'état général et de l'apparence, mais rechercher en profon-deur, grâce aux multiples examens que la science met à notre dispo-sition, ce qui a pu être altéré afin de donner aux tissus lésés toutes leurs chances de récupération et de stabilisation, ou tout au moins de compensation. Chaque atteinte décelée exige son traitement spéci-fique, chaque fonction altérée la rééducation correspondante.

Parfois, une aide chirurgicale peut être nécessaire. Certains myomes sous-muqueux, polypes ou gros fibromes, certaines hyper-plasies que rien sauf l'atrophie ne peut empêcher de saigner ou d'évoluer.

A partir du moment où la fonction de reproduction est ter-minée, certains organes devenus non fonctionnels : trompes, utérus, ne sont plus physiologiquement nécessaires. Ils peuvent disparaître sans inconvénient. Ce n'est pas le cas des hormones.

Il n'est pas raisonnable d'admettre une atrophie générale et des risques pathologiques importants, pour éviter un petit trouble, empêcher un petit polype de saigner et un fibrome d'augmenter...

Les immenses progrès en diagnostic, anesthésie et technique chirurgicale permettent une plus grande modération, puisque les grandes interventions de sécurité qui furent longtemps la règle aveugle ne sont plus nécessaires, mais dans le même temps, une plus grande liberté de décision opératoire.

Choisir une grosse dégradation générale pour éviter un petit trouble, une atrophie générale pour empêcher un petit polype de saigner, ou un fibrome d'augmenter, n'est pas raisonnable.

« ... Il faut se laisser guider par les faits et ne jamais perdre de vue qu'à cet âge, l'utérus est un organe qui a perdu sa signi-fication physiologique... La chirurgie bien faite, sous anesthésie bien faite, comporte moins de danger qu'un trajet de 30 kilomètres en voiture sur les routes de France... [1]. »

---

1. A. NETTER, *Revue de Médecine*, juin 1972.

60 ANS : « COMME UNE SÈVE DISPARUE QUE L'ON SENTIRAIT REVENIR... »

On a l'impression d'assister à un véritable retour en arrière.

La réponse trophique est toujours étonnante et rapide.

La muqueuse vulvo-vaginale, première atteinte par la carence ovarienne est aussi la plus favorisée par la thérapeutique hormonale. *Elle se transforme spectaculairement,* épaissit à vue d'œil, s'assouplit, reprend son plissé ondulé, une belle couleur rouge, tandis que les sécrétions sont à nouveau avivées. En peu de temps, l'aspect normal est retrouvé et l'action est si franche, si complète, que dans certains cas d'atrophie interne, des examens exploratoires, auxquels le rétrécissement atrophique opposait un obstacle infranchissable, sont à nouveau possibles en quelques jours de traitement.

Cette réponse complète, trophique et sécrétoire, a la particularité de se produire franchement à tout âge, et ce n'est pas un des moindres étonnements du praticien que de la voir se réaliser chez de très vieilles femmes, après des années d'atrophie.

L'avivement muqueux a un autre effet : il restitue à la muqueuse sa résistance aux infections. Sous une forme subaiguë ou chronique, elles sont, nous l'avons vu, fréquentes chez les femmes ménopausées. Mais avec une trophicité et des sécrétions normales, la muqueuse retrouve ses exceptionnelles capacités de défense et d'élimination microbiennes et, dans bien des cas, ulcérations et infections disparaissent spontanément. Seuls quelques cas sérieux demandent une antibiothérapie ou un traitement local. En association avec l'hormonothérapie, les résultats sont rapides et durables.

L'avivement est également sensible dans les processus cicatriciels. Sous hormonothérapie, nombre d'ulcérations guérissent spontanément. En chirurgie, et particulièrement dans les interventions gynécologiques, on constate une nette activation des cellules et de la vascularisation des parois. Les suites opératoires sont exceptionnellement bonnes, avec cicatrisation rapide et sans adhérences.

Mais l'effet le plus important de cette revivification est la normalisation anatomique cellulaire [1]. C'est la règle. Et elle est, à échéance variable, toujours complète, quel que soit l'état de départ. Les anomalies, les déformations des cellules et de leurs noyaux

---

1. Normoplasie.

disparaissent. Les hyperplasies se calment. Les atrophies s'enrichissent. Les différentes couches cellulaires reprennent leurs proportions respectives normales. En un an maximum *tous* les frottis retrouvent la classe I et présentent un aspect calme, bien équilibré de fin de cycle. Et cela, quel que soit l'âge, aussi longtemps que le traitement est poursuivi.

Avec une thérapeutique précise, équilibrée et régulière, les résultats, après quelques années sont vraiment remarquables. Les différentes couches cellulaires disparues se sont reconstituées intégralement au point qu'il n'est pas rare que des patientes de 60 à 70 ans, traitées depuis quelques années reçoivent parfois d'un laboratoire, induit en erreur par l'aspect jeune du frottis, un compte rendu avec la mention « aucun signe de grossesse sur ce frottis !... » au lieu des implacables commentaires de « ménopause confirmée » ou « d'atrophie profonde » habituels à cet âge !

L'utérus retrouve son volume et sa souplesse. Les spasmes orgasmiques disparaissent complètement.

L'étendue de cette normalisation s'observe de façon évidente lors des contrôles de sécurité. Elle est absolument semblable, en ses quatre caractéristiques : trophique, infectieuse, cicatricielle et normoplasique, à l'amélioration vaginale. L'hystérographie la confirme en redessinant une cavité normale et, souvent, des trompes reperméabilisées.

La perfection utérine dépendra alors, uniquement du thérapeute. Avec un peu de méthode, elle n'est pas guère difficile à obtenir et à maintenir indéfiniment. Les règles peuvent être rétablies ou non. L'expérience prouve qu'il ne s'agit pas d'un dilemme tragique. Les intolérances répulsives et angoissées sont rares. Un certain nombre de femmes les acceptent avec une réelle satisfaction, la plupart des autres avec une indulgence nouvelle, au regard des avantages obtenus. Pour le médecin, cette desquamation physiologique régulière qui assure une netteté utérine incomparable et sécurisante [1], est toujours préférable.

Cependant dans une ménopause engagée, la normalisation de la muqueuse utérine ne dépend pas seulement d'un équilibre physiologique ou de la thérapeutique hormonale. Des anomalies se sont parfois créées, des tumeurs constituées et si l'hormonothérapie est souvent capable de freiner sensiblement certains fibromes, et de les maintenir au calme et sans troubles, elle ne peut dans certains cas

---

1. C'est elle qui semble assurer la quasi-disparition du cancer utérin chez les femmes traitées, p. 212 et 319.

(d'hyperplasie, myomes sous-muqueux, polypes ou fibromes trop volumineux) tout résoudre et tout contrôler [1].

Il est alors souhaitable d'intervenir chirurgicalement : (curetage ou ablation) afin d'éliminer les éléments pathologiques déjà constitués et de permettre un traitement adapté à l'équilibre général de la patiente, plutôt qu'à leur contrôle. Ils sont curables autrement, et leurs exigences ne sont pas toujours parallèles, quand elles ne sont pas antagonistes de celles de l'équilibre hormonal [2].

Le sein, organe hormono-dépendant, s'il en est, ne peut rester insensible à l'apport hormonal exogène. Mais, soumis à beaucoup plus de facteurs, dont certains (transformation fibreuse ou accumulation graisseuse) ne dépendent pas uniquement de l'effet hormonal, sa réponse est caractérisée, comme tout au long de la vie gynécologique, par des nuances individuelles, parfois capricieuses.

Cependant, à quelques très rares exceptions, la transformation est toujours favorable. Le sein semble retrouver une tension et un gonflement oubliés depuis des années. Cet effet esthétique spectaculaire impressionne souvent davantage, que ceux fonctionnels, pourtant plus importants, du système génital. Son effet psychologique est indéniable.

Cette reprise de volume est en effet très différente de celle qui accompagne l'engraissement. Alors que la prise de poids alourdit, détend et déforme l'enveloppe mammaire, l'hormonothérapie donne une nuance, très particulière, qui signe bien le caractère hormonal de la silhouette juvénile. Quel que soit l'état du sein (infantile et à peine ébauché, bien conservé, plat et déshabité ou gros et affaissé), sous traitement hormonal, on a l'impression d'assister à une *recondensation ferme*. La réactivation graisseuse, vasculaire, et, sans doute aussi glandulaire, parallèle à celle des tissus sexuels, augmente l'épaisseur de la zone rétro-aréolaire. Tandis que le mamelon se redresse, l'aréole gonfle à nouveau, retrouvant le bombé caractéristique de la jeunesse.

Pour des seins menus ou déshabités, la transformation est extraordinaire. Mais même des seins un peu lourds gagnent à retrouver une agressivité et une densité perdues.

Il faut cependant reconnaître un effet inconstant et un effet nul du traitement.

Au cours de la vie féminine, la rapidité de pousse, l'abondance et la qualité des *cheveux* décroissent constamment à chaque à-coup

---

1. Cf. « Complications », Hémorragies, p. 201.
2. Cf. p. 355.

hormonal ou métabolique défavorable : pubertaire, gravidique et post-gravidique et, tout particulièrement, ménopausique. Passé 30 ans, il devient de plus en plus difficile de faire repousser une chevelure coupée. Passé 50 ans, c'est à peu près impossible.

La *chevelure* (intensité de pousse et qualité de cheveux), est profondément sensible. En dehors de facteurs génétiques, elle dépend d'un équilibre difficile entre de multiples facteurs hormonaux et neuro-végétatifs, dont les influences respectives varient terriblement d'un sujet à l'autre, mais qui sont *tous* perturbés à la ménopause.

Si dans certains cas un équilibre œstro-progestatif bien nuancé, un apport vitaminique et métabolique enrichissant et l'absence de troubles neuro-végétatifs permettent de conserver, parfois de reconstituer en partie des chevelures oubliées, on n'obtient souvent, qu'une limitation des dégâts.

Quant aux *ongles,* c'est un véritable désastre. Le délitement caractéristique semble réfractaire à tout traitement, pendant une période qui va de quelques mois, à, plus souvent, quelques années. La guérison survient toujours, mais indépendante du traitement et aussi inexplicable que la détérioration. Une équilibration hormonale précoce et continue semble n'éviter que les effets ou les durées extrêmes de cette altération.

Le tissu cellulaire sous-cutané retrouve son épaisseur, la richesse de ses liquides et de ses graisses, une activité sécrétrice et vasculaire normales. Cela conserve ou redonne à la chair un aspect pulpeux, irrigué, au teint une nuance brillante et rosée, qui contrastent avec l'aspect terne, grisâtre, le flétrissement caractéristique de la post-ménopause.

L'état général s'améliore rapidement, et de façon exceptionnellement spectaculaire

Mais cela tient à un phénomène très particulier. Au sortir des grands orages de la ménopause proprement dite et quels que soient les dégâts engagés, la femme de 60 à 70 ans traverse avant les premières gênes sérieuses de la vieillesse une période exceptionnelle. Le soulagement qui suit la disparition des troubles, ne peut en aucun cas être invoqué. Il ne s'agit pas de phénomènes purement subjectifs. Son activité, sa résistance, sa combativité, son endurance, en témoignent sans réserve.

Il semble que la disparition à peu près totale de toute cyclicité, libère pour la première fois la femme de tout ce qui la limitait jusque-là, et particulièrement dans sa jeunesse : inégalité d'humeur, de résistance, de combativité, une certaine passivité, quelque chose de craintif, une lassitude qui n'est pas moins forte d'être sans objet apparent [1].

La coïncidence entre le haut niveau de conservation des femmes traitées, et qui n'ont pas « connu » la ménopause, et cette plage de bien-être, cette période de rebond physiologique naturel, donne je crois, l'effet le plus frappant et le plus intéressant de l'hormonothérapie ovarienne substitutive.

Si aucune pathologie n'est engagée, il sera aisé de maintenir cet état à un niveau remarquable, prolongé. Sinon, il faut adjoindre à la thérapeutique hormonale, une thérapeutique spécifique en rapport avec les troubles installés.

On ne peut plus en effet se contenter de l'amélioration subjective de l'état général. *Il faut faire un bilan,* explorer tous les points fragiles où la ménopause peut avoir laissé sa marque redoutable (systèmes osseux, articulaire, oculaire, etc.). Des récupérations sont encore possibles, si elles sont engagées avec suffisamment de foi et d'énergie. On obtiendra toujours une stabilisation, souvent une régression appréciable des troubles.

---

1. Cf. « La fatigue », p. 144-151.

70 ANS : CETTE IMPULSION BIOLOGIQUE...

Les femmes, après 70 ans restent concernées par l'hormonothérapie.

S'il n'est plus question de troubles climatériques, il ne faut pas pour autant baptiser *sénescence* tous les avatars pathologiques qu'elles peuvent ressentir. Beaucoup sont très favorablement influencées par une thérapeutique hormonale.

D'abord par une *mise en valeur de l'état général,* et une impulsion métabolique appréciable au niveau de chaque organe. Les femmes récupèrent une verdeur sensible, ainsi qu'une salubrité supérieure à la moyenne. Cet effet est particulièrement bénéfique à la reprise ou à la continuation d'une activité normale, élément essentiel de la conservation des facultés dans la vieillesse.

L'*amélioration de la trophicité* locale est tout à fait étonnante pour l'âge : prurit, sclérose, kératoses disparaissent. On note aussi un mieux sensible de l'aspect cutané, de la tonicité musculaire, de la capacité de cicatrisation. Mélanoses, kératoses et toutes les petites proliférations cutanées dues à l'âge cessent de se multiplier. (Si l'on prend la peine de les supprimer par une intervention de dermatologie réparatrice, elles ne se reconstituent pratiquement plus.)

Enfin, et c'est le plus important, l'action de l'hormonothérapie contre les pathologies en cours, si elle n'est plus capable d'inverser le courant (encore qu'elle y parvienne quelquefois), ou d'effacer les dégradations qui se sont déjà produites, présente tout de même des avantages certains, et non négligeables :

— Les prolapsus sont sensiblement améliorés, toutes les grandes complications de l'atrophie écartées : kraurosis, lichens, hémorragies, pyométries, cancers vulvaires. Examens gynécologiques ou rapports sexuels redeviennent faciles.

— La plupart des troubles urinaires : cystites, infections, s'atténuent ou disparaissent.

— Dans l'angine de poitrine, on note une atténuation des symptômes douloureux, même lorsque l'électrocardiogramme ne semble pas modifié. L'impulsion métabolique et trophique hormonale est d'ailleurs signée de façon éloquente par une baisse statistique du nombre d'accidents : infarctus ou crises d'angine de poitrine. Tout cela s'accompagne d'une amélioration de l'état général, visible, profondément ressentie, soulignée d'une transformation psychologique considérable.

LE TRAITEMENT

— Même l'ostéoporose dont les dégâts sont évidemment irrécupérables, est favorablement influencée. L'évolution est sensiblement freinée et peu à peu stoppée. Les douleurs se calment, la taille cesse de diminuer.

Dans l'extrême vieillesse, lorsque les surrénales s'affaiblissent à leur tour, l'adjonction d'hormones mâles ajoute à cet effet trophique un effet de revigoration appréciable.

L'effet radical de la thérapeutique hormonale sur le grand brou-
haha des troubles neuro-végétatifs, est le seul communément admis
et le plus souvent recherché.

Il n'est certes pas négligeable, quand ce ne serait que pour rendre
à la patiente son équilibre et sa sérénité.

Mais il est loin d'être essentiel.

Presque toutes les études thérapeutiques sur la ménopause ont
été faites dans un but médical et tout à fait austère : athérosclérose,
ostéoporose ou atrophie génitale grave.

Le fait qu'il y ait des effets tropho-morphologiques, et qu'ils
soient spectaculaires n'est pas une disqualification, mais la « signature
tissulaire » de la conservation fonctionnelle et métabolique.

La qualité, la trophicité tégumentaire est, en médecine, et tout
particulièrement en gérontologie, un élément de diagnostic et de
pronostic non négligeable. Qu'elle soit, aussi, un élément de joie
de vivre, de confort psychologique ou social, la maintient dans le
cadre de la responsabilité médicale plutôt que de l'en exclure : pour
le médecin, elle signe d'une façon irréfutable un équilibre et une
revivification métabolique profonde, pour la femme c'est un soulagement considérable. De plus rapidement évident, cet effet tangible de
l'arrêt ou de la préservation d'une déchéance, influence favorablement la foi de la patiente dans le traitement... et secondairement sa
constance ! Quand ce ne serait qu'à ce titre, il mérite bien d'être pris
au sérieux.

Les effets extra-génitaux des hormones sexuelles, particulièrement leur action sur le comportement, quoique bien connus, sont loin
d'être tout à fait élucidés. Ils sont cependant très importants. Pincus,
pionnier de la contraception, disait : « Les hormones influencent
l'organisme de la femme, de sa chevelure jusqu'aux ongles de ses
orteils. » Il semble bien que ce soit vrai. Sans aller jusqu'aux extrêmes
de Wilson, on sent d'une façon indéfinissable et pourtant évidente

la prolongation d'une imprégnation féminine à un âge ou une sorte d'asexuation devient la règle.

Les effets à longue échéance sont de loin les plus importants. C'est au niveau des complications tardives que l'hormonothérapie substitutive de la ménopause trouve son utilité majeure et ses plus grands résultats, sa motivation et sa justification essentielle.

Mais l'importance de l'action dépend étroitement de la précocité de l'intervention thérapeutique. Les évolutions pathologiques sont peu, ou pas réversibles. Elles peuvent être facilement prévenues mais difficilement guéries.

Cependant, bien que très inférieure à l'effet préventif, l'action hormonale tardive a toujours un effet favorable [1].

Enfin, on ne peut nier un *ralentissement apparent de la sénescence générale*. Pourtant, en principe, l'hormonothérapie substitutive ne devrait préserver de l'involution que les fonctions hormono-dépendantes.

Est-ce à cause de l'*impulsion métabolique* indubitable que les hormones sexuelles mâles ou femelles donnent à toutes les cellules de l'organisme ?

Bien qu'il ne soit pas possible de l'expliquer exactement, il est incontestable que l'hormonothérapie maintient un état de conservation supérieur, non seulement à celui des femmes non traitées, mais aussi à celui des hommes du même âge.

Ces constatations ne bénéficient encore que d'un recul d'une vingtaine d'années, mais les résultats déjà mesurables incitent à engager de très sérieuses recherches (un peu trop abandonnées jusqu'ici) sur le rôle des hormones sexuelles dans la sénescence de l'homme et de la femme.

S'il fallait résumer l'effet de la thérapeutique substitutive, on pourrait dire qu'elle semble suspendre le temps, immobiliser la femme à l'âge du début de traitement... et parfois même la reporter en arrière, si des corrections ou des rétablissements nécessaires ont été faits à temps, de façon efficace. Elle fixe son apparence et ses capacités fonctionnelles à un point d'équilibre à partir duquel les modifications involutives de la sénescence semblent plus lentes que dans

---

1. **Cf. p. 362.**

l'involution masculine correspondante, pourtant indemne de perturbations violentes.

Mais elle ne peut empêcher les dégradations dues à l'accumulation d'intoxication, de défauts d'hygiène, d'inactivité physique et
intellectuelle. Elle ne peut transformer la nature profonde d'une
femme, ses tendances positives ou négatives, son courage ou sa
veulerie, son énergie ou sa mollesse, ses tendances extraverties ou
narcissiques. La paresse morale et physique accumule chaque jour
un nombre croissant de stigmates et de réductions fonctionnelles
contre lesquels aucun traitement ne prévaut. Mais chez celles pour
qui la beauté n'est pas le résultat d'artifices, mais une façon d'être
nette, lisse et gaie, une hygiène ou un raffinement, une façon de se
tenir ou de bouger, chez celles pour qui l'intégrité est une dignité, une
forme de propreté, celles que ne rebute pas la discipline des traitements ou des rééducations nécessaires, mais qui au contraire considèrent comme une chose merveilleuse qu'ils existent et de pouvoir les
faire, pour celles-là, quelque chose comme un miracle s'est produit,
capable de payer avec usure leurs efforts et leur discipline. Mais,
dans quelle mesure, jusqu'à quel point et jusqu'à quel âge, nous ne le
saurons que lorsque nous pourrons comparer des femmes de 80
à 90 ans non traitées, à des femmes de même âge, traitées, non seulement comme maintenant depuis 15 ou 20 ans, mais sans discontinuer,
depuis leur 45-50 ans (soit 35 à 45 ans de traitement).

Il nous faut encore 15 à 25 ans de recul.

*

Mais des certitudes sont déjà établies :

*Quelle que soit l'ancienneté du traitement, et l'âge de la patiente,
aussi longtemps qu'il est poursuivi, il n'y a jamais effondrement brusque ou perte des avantages acquis.*

Il n'y a pas d'effet reverse [1]. Si le traitement est interrompu
pour une raison ou pour une autre, la carence s'installe avec des
troubles et dégradations caractéristiques (comme dans le cas d'interruption de traitement pour insuffisance thyroïdienne par exemple).
L'altération consécutive fait alors mesurer amplement l'importance
de l'effet hormonal. Mais la dégradation n'est pas majorée ou accélé-
rée, dans la mesure où l'échéance a été plus tardivement repoussée.
Il n'y a pas de « dette » de vieillissement. Bien au contraire,

---

1. De l'anglais : effet d'inversion (souvent plus prononcé que l'effet
antérieur).

l'organisme dont l'intégrité est infiniment supérieure à celle, au même âge, de sujets non traités, conserve l'avantage acquis.

Les résultats sont toujours positifs.

Quel que soit l'âge de début thérapeutique, ils dépassent de beaucoup les espérances raisonnables. Mais il est certain que l'avantage en faveur des femmes traitées croît de façon sensiblement parallèle au nombre d'années-traitement. C'est avec les plus anciens que se voient les résultats les plus saisissants et les plus profonds.

Pour un praticien, confronté depuis des années à des femmes soumises à ces traitements, et à des femmes non traitées, la question de savoir si cela vaut la peine ou non de tenter une hormonothérapie systématique ne peut plus se poser. L'équilibre supérieur à celui de la femme jeune, la conservation remarquable et évidente, la conscience d'être « bien dans sa peau », si rare à cet âge, creusent une différence psychologique, physiologique, morphologique trop évidente pour être discutée.

Il n'y a pas d'inconvénients. Je crois qu'il faut avoir le courage de le dire, sans crainte de passer pour optimiste (ce qui en milieu médical semble parfois considéré comme une tare).

Une conservation remarquable et mesurable pendant 20 ans a plus de chance d'éviter une déchéance que l'accumulation de dégradation progressive. Un organisme exceptionnellement conservé ne va pas s'abîmer plus vite. Toutes les lois de gérontologie prouvent abondamment le contraire.

Pourquoi la disparition d'anomalies, un bon équilibre, une meilleure conservation et l'absence de troubles ou de pathologies seraient-ils de plus mauvais augure pour l'avenir que des troubles multiples, des dégradations et des pathologies graves ?

Pourquoi, alors qu'il semble évident de compenser sans hésitation une sécrétion pancréatique ou thyroïdienne déficiente, l'insuffisance ovarienne, seule, serait techniquement et moralement intouchable ?

Quand cessera-t-on de craindre confusément que, dans le domaine sexuel, comme pour la longévité, améliorer l'avenir et modifier partiellement l'évolution des choses doive obligatoirement être payé de conséquences redoutables [1] ?

Quand ce ne serait qu'une façon d'être un peu plus civilisé !...

---

1. C'est aussi agaçant que d'entendre critiquer vaccinations, antibiotiques, et... thérapeutiques en général. En dehors de multiples vies sauvées, qui ne l'auraient pas été il y a cinquante ans, l'humanité ne leur doit guère que vingt ans d'allongement de la moyenne de vie ! On l'oublie bien légèrement.

CECI N'EST PAS
UNE AUTRE HISTOIRE...

COMME UNE AUBERGE ESPAGNOLE

La physiologie génitale féminine est une extraordinaire accumulation de mystères, de mécanismes compliqués, découverts petit à petit avec ingéniosité, une patience et une imagination scientifique considérables.

Mais un phénomène aussi extraordinaire que la mise en route ou l'ordonnance de la minutieuse « horlogerie » ovarienne ne l'est pas moins dans son interruption paradoxale. Cela mérite autre chose qu'un intérêt distrait et superficiel ou un silence de bon ton.

Hélas, il semble que rien de ce qui touche aux hormones féminines ne puisse être abordé sans préjugés, avec simplicité et mesure.

La contraception nous en a donné l'exemple. Réaliser qu'il a fallu rien moins qu'un état de « world emergency [1] » : la surpopulation pour forcer enfin les barrières de l'obscurantisme, ne peut que faire mesurer la hauteur extraordinaire de celles-ci, et les limites émotives de l'intelligence humaine.

Mais s'il est apaisant de découvrir que des excès de l'opposition aux hormones ovariennes, sont issues de nombreuses informations importantes en gérontologie et une des premières possibilités d'action, un peu spectaculaires, on ne peut cependant que constater l'ostracisme qui frappe encore la ménopause.

Malgré des progrès médicaux indiscutables et d'intérêt considérable, elle reste un sujet « inélégant » :

— étrangement négligé — quand il n'est pas tout bonnement ignoré ou carrément nié ;

— systématiquement minimisé — au point d'en perdre toute réalité ;

— brocardé — jusqu'à le rendre inabordable sous peine de ridicule ou d'impopularité.

Et pourtant, il y aurait tant à faire et tant à dire.

La ménopause est comme une auberge espagnole : on peut y trouver tout ce qu'on veut, suivant l'intérêt particulier qu'on y porte, l'angle sous lequel on l'aborde : des problèmes génétiques, sociaux, chimiques, moraux, physiologiques, économiques, statistiques, écologiques...

------

1. Urgence au niveau mondial.

« Il n'y a pas de troubles neurologiques ou subjectifs de la douleur. Il
n'y a pas de douleur objective légitime
et de douleur subjective illégitime. »

PAVLOV

1

PSYCHOSOMATIQUE

On a beaucoup discuté de l'origine et du mécanisme des « troubles » de la ménopause.

La grande vogue psychosomatique ne pouvait laisser passer une
si belle proie sans tenter de s'en emparer. Elle ne put pourtant
tout expliquer, et surtout pas les modifications physiques ou pathologiques. Il n'est plus possible de nos jours de séparer les troubles
dits « nerveux », ceux de la conscience ou de l'humeur, des éléments
biochimiques capables de les nuancer ou même de les créer de toute
pièce.

La ménopause est évidemment un terrain de choix pour les
troubles neuro-végétatifs et leur traduction psychologique, ou l'inverse. Mais les progrès constants de la physiologie expérimentale
moderne enlèvent chaque jour un peu plus d'arguments aux théories
qui prétendaient n'y trouver qu'une origine psychologique, ou même
hystérique, pour dévoiler, à leur place, des causes *organiques* précises,
mesurables, ou logiquement concevables.

Rôle du cortex [1]

Un cœur qui s'accélère au repos, sans cause apparente, provoque
un sentiment d'angoisse, alors que le même rythme semble tout
naturel, par exemple en cours d'activité physique, ou après une
émotion. Des variations de régulation intérieure : chaleur, essoufflement, excitation, apathie, somnolence, qui ne dépassent pas les

---

1. Ecorce cérébrale, siège de la pensée, fig. 3, p. 423.

variations quotidiennes, mais que rien de logique n'explique au moment où elles se produisent, sont également ressenties comme un malaise.

Ces phénomènes déclenchent en effet un signal d'alerte, car ils se heurtent aux systèmes les mieux équilibrés et les mieux codifiés du cerveau humain : *la grille de connaissances archaïques,* inscrites dès avant la naissance, dans les cellules de l'écorce cérébrale, et qui règlent le comportement par rapport aux sensations intérieures.

Ils ne correspondent pas non plus à l'extraordinaire échafaudage de classifications : des *notions acquises* tout au long de la vie, des *réflexes conditionnés* accumulés, à l'occasion de chaque sensation, de chaque émotion, de chaque événement.

Aussi, à la ménopause, la plupart des phénomènes ressentis, paradoxaux, inexplicables, créent donc à priori, par rapport au « connu », conscient ou inconscient, un état de malaise ou d'angoisse.

Ce sont des sensations de désordre, de désorganisation.

L'état fonctionnel de l'écorce cérébrale a également une influence directe sur le niveau et la qualité des sensations, le pouvoir de stimuler ou d'inhiber les perceptions, leur traduction ou leur explicitation. Sous l'effet d'une obsession ou d'une concentration particulièrement intense, les processus corticaux deviennent dominants et inhibent les informations (extérieures ou intérieures) même douloureuses [1]. Mais lorsque le cortex est irrité ou épuisé par des stress physiques, émotifs ou psychologiques : fatigue, souffrance, insomnie, tension nerveuse, émotions, il perd au contraire une grande partie de son pouvoir de contrôle et d'inhibition des sensations. Ces dernières prennent alors une importance particulière, diffusent avec plus de facilité, sont perçus avec plus d'intensité.

L'intensité de la douleur, la sensation de malaise, les réactions d'angoisse, d'intolérance ou d'irritabilité, dépendent donc énormément de l'intégrité fonctionnelle du cerveau, de son état de repos ou d'activité, d'excitabilité ou de passivité, de bien-être ou de fatigue. *Elles peuvent sans cesse être contrôlées, freinées, ou supprimées, ou au contraire augmentées et même exaspérées à ce niveau, sans qu'il y ait modification de l'intensité des stimuli en cause... et sans que la personnalité du sujet puisse en être inculpée.*

---

1. **Principe** utilisé dans l'accouchement dirigé.

Rôle de l'hypothalamus

Les nouvelles connaissances sur le rôle de l'hypothalamus le définissent comme un extraordinaire ordinateur, réglant pratiquement toutes les fonctions de l'organisme.

La recherche expérimentale a mis clairement en évidence combien, en dehors de tout contexte extérieur, l'excitation ou la destruction de certaines zones déclenche des phénomènes de tous ordres.

Des phénomènes psychologiques [1] ; agressivité ou crainte, vigilance (et même excitation) ou torpeur et apathie, hyper-émotivité et hyper-sensibilité ou au contraire, désintérêt, inaffectivité. Ils sont capables de réaliser une véritable altération de la personnalité.

L'hypothalamus a le pouvoir, soit de moduler tous les phénomènes de l'humeur, soit de les perturber ou même de les créer de toute pièce, lorsqu'il est lui-même stimulé ou inhibé par des causes purement organiques.

Cette action dans le domaine psychologique va très loin, l'humeur et la vigilance conditionnant l'affectivité, la réceptivité et l'efficience intellectuelle, et enfin, la sexualité.

Des phénomènes biologiques essentiels en dépendent également [1]. Les centres de la faim, de la soif, du sommeil ou de l'état de veille, sont hypothalamiques. L'instinct sexuel également (qui dépend aussi de la vigilance). Tous, de façon variable et à des degrés divers peuvent être impliqués dans les troubles pathologiques de ménopause.

Les phénomènes neuro-végétatifs (les plus évidents), sont les meilleurs témoins de la surexcitation hypothalamique à la ménopause. Dilatation ou constriction vasculaire, accélération ou ralentissement du rythme cardiaque ou respiratoire, rougeur ou pâleur, réchauffement ou refroidissement, sueur, tremblement, contraction, horripilation, dilatation pupillaire, hyper ou hypo-glycémie... tous sont réglés par des *médiateurs chimiques* présents en très grande quantité et souvent fabriqués dans l'hypothalamus lui-même.

Les différents phénomènes hormonaux enfin, sont, nous l'avons vu, sous la dépendance de l'hypothalamus, soit directement, soit par l'entremise de l'hypophyse qu'il régit.

Enfin, *toutes les interactions,* innombrables entre cortex (cons-

---

1. Cf. fig. 3, p. 423.

cience), médiateurs chimiques et hormones se font par l'intermédiaire de l'hypothalamus.

**
*

La neuro-physiologie moderne a levé le mystère des relations entre sensations, émotions, humeur, et les substrats biochimiques qui les suscitent, les accompagnent ou en résultent, et les nuancent parfois plus fortement que la personnalité même du sujet ou les conditions où il se trouve.

Dans ce contexte, on comprend mieux l'origine organique des troubles de la ménopause, conséquences de la perturbation chimique et particulièrement du grand désordre des neuro-hormones hypothalamiques, et des stimulines hypophysaires. Trop de rapports anatomiques ou chimiques sont en cause !

D'ailleurs, il existe un moyen d'authentifier comme conséquence directe de la privation hormonale les troubles et complications de la ménopause, ce sont *les ménopauses artificielles.*

En physiologie expérimentale, il suffit pour recréer une ménopause de supprimer artificiellement la fonction ovarienne. A l'échelle humaine si l'expérimentation est impossible, les mêmes conditions sont cependant réalisées avec une certaine fréquence par les exigences des castrations thérapeutiques. *Hormonales, radiologiques* et surtout *chirurgicales,* pratiquées suivant les nécessités pathologiques, à des âges fort différents, elles constituent un moyen de choix pour étudier les effets d'une extinction ovarienne, bien isolés des symptômes de vieillissement avec lesquels ils sont habituellement plus ou moins associés, et de ce fait souvent confondus.

Les bouffées de chaleur, sont beaucoup plus constantes (90 % des cas) et violentes qu'à la ménopause, et certainement conditionnées dans la rapidité de leur apparition comme dans leur intensité, par la brutalité du déséquilibre créé par la castration, mais aussi par la vitalité de réaction neurovégétative d'un organisme jeune au regard de celle, atténuée, d'un organisme de 50 ans. Mais contrairement à la cinquantaine, l'adaptation se fait plus rapidement, et l'on voit ces violentes bouffées s'atténuer, disparaître souvent totalement en deux ou trois ans, et parfois moins.

L'augmentation de poids est de règle, typique des désordres hormonaux : avec rétention liquidienne, surcharge graisseuse, troubles de la perméabilité cellulaire.

Les douleurs musculaires, osseuses, articulaires sont très fréquentes. On a tendance, à la ménopause, à les attribuer en partie à des arthroses ou des rhumatismes de sénescence. Leur extrême fréquence à la puberté, parfois pendant les grossesses, et ici de façon indiscutable et parfois très intense, souligne bien le rôle des désordres neuro-hormonaux dans leur apparition.

Enfin, en dehors du sentiment de castration (dans les cas par exemple où la femme est provisoirement dans l'ignorance de la nature exacte de l'intervention pratiquée) *des états de dépression, d'agitation, d'irritabilité, d'émotivité, d'instabilité, d'anxiété,* tout à fait caractéristiques, témoignent de la perturbation centrale.

Une chute accusée de la mémoire est souvent signalée. La *vision* relativement peu touchée chez les femmes très jeunes, est nettement altérée chez celles de 38-40 ans.

Après un début relativement discret, *l'atrophie génitale* est capable d'atteindre très vite un degré tout à fait pathologique, (kraurosis, lichens, etc.).

Enfin, la plus importante, la plus constante, la plus grave, et malheureusement la plus silencieuse : *l'ostéoporose* précoce, étendue, grave, est une complication classique et redoutée de la castration.

Malgré les inconvénients et les caractères qui leur sont propres, les castrations thérapeutiques démontrent donc de façon indiscutable le rôle de la carence hormonale dans les troubles et complications de la ménopause. Elles permettent aussi de différencier la carence hormonale du vieillissement proprement dit, ses nuances suivant la brutalité ou la progressivité de la privation, ou suivant l'âge.

En dehors de variations individuelles inévitables et qui sont assez considérables, *les différences dans le caractère, l'intensité et la durée des troubles dépendent au premier chef de la durée totale du fonctionnement ovarien.*

Les systèmes étroitement dépendants du fonctionnement hormonal génital, mais aussi tous les autres systèmes hormonaux, métaboliques, neurologiques, circulatoires, neuro-végétatifs, après avoir fait leur difficile adaptation pubertaire au nouveau régime endocrinien instauré par la fonction ovarienne, après l'avoir rétabli à chaque grossesse, se rebellent d'autant plus à sa disparition que l'organisme y est depuis longtemps conditionné et que les interdépendances et les interactions établies entre eux sont nombreuses et profondes : à durée courte, fait suite une adaptation rapide au nouvel équilibre ; à durée prolongée, une inadaptation prolongée et parfois invincible.

L'influence involutoire anatomique et fonctionnelle de l'extinction ovarienne coïncide avec une époque où l'involution générale de l'organisme commence à être sérieusement engagée. Une fonction essentielle, caractéristique de la jeunesse : « *l'adaptabilité* » a été peu à peu remplacée, à tous les niveaux de fonctionnement organique par un *système* « *d'automatismes acquis* », de moins en moins modifiables. La troisième « révolution hormonale » de la vie gynécologique féminine, ne trouve plus comme la puberté, les grossesses, ou la castration précoce, un terrain jeune, vivace, apte à toutes les adaptations. Totalement conditionné depuis 35 ans à une fonction ovarienne envahissante, tumultueuse, polyvalente, rythmique, l'organisme, à la cinquantaine, n'a plus ni l'énergie biologique, ni l'adaptabilité fonctionnelle, nécessaires pour compenser l'équilibre perdu et en rétablir un autre. De là sans doute l'importance, la variété, le caractère précocement dégénératif et irréversible de la plupart des troubles qui accompagnent la ménopause vraie. Un équilibre est rompu, que l'organisme n'est plus capable de compenser ou remplacer.

La comparaison des phénomènes entre ménopause artificielle et ménopause spontanée est donc significative aussi bien dans les ressemblances que dans les dissemblances.

En démontrant le rôle sur les troubles climatériques de l'augmentation avec l'âge des « automatismes acquis » au dépend de « l'adaptabilité », elle permet en partie de comprendre que l'hormonothérapie substitutive en sauvegardant un équilibre coutumier puisse influencer favorablement, et dans une mesure appréciable, le vieillissement lui-même.

2

HISTORIQUE

On parle souvent de la ménopause comme d'une découverte récente, un phénomène pratiquement inconnu jusqu'à ce que, au début de ce siècle, la moyenne de longévité dépasse tout juste 50 ans, et lui donne enfin, en le généralisant, une entité bien définie.

Mais cela tient à une confusion fréquente entre « longévité moyenne » et « longévité absolue ». L'augmentation moderne porte sur la moyenne de longévité : le nombre de personnes qui accèdent à un grand âge s'est élevé. La plupart des femmes qui n'avaient au début de ce siècle qu'une cinquantaine d'années d' « espérance moyenne de vie » en ont maintenant 75.

Mais la *longévité absolue* pour sa part n'a subi qu'assez peu de modifications. Les vieillards de plus de 80 ans, s'ils étaient moins nombreux, ont toujours existé.

La ménopause donc, ne pouvait être ignorée, et on en trouve en effet des traces fort lointaines. Parfois, même en l'absence des descriptions physiologiques, la ménopause est reconnue et officialisée par la fin des tabous attachés à la fonction féminine [1].

Les Anciens l'ont déjà décrite, avec des détails étonnants. Et pourtant au début de l'ère chrétienne la moyenne de longévité était encore terriblement basse. Une énorme mortalité infantile, les grandes infections, les épidémies, les grands traumatismes ne leur laissaient que peu de chances de dépasser 25 ans.

Plus près de nous, les XVIIᵉ et XVIIIᵉ siècles, bien avant que soit

---

1. C'est encore vrai de nos jours pour des tribus primitives ; l'accès aux cultes, aux rites ou aux objets sacrés, le droit de sortir dévoilée, d'aller aux marchés, d'être appelées « hommes », est lié à la fin des règles.

atteinte une longévité moyenne qui permette une définition et des limitations nettes, nous offrent des études admirables que différentes époques d'élucubrations « diaffoirales » ne réussirent pas à suffoquer.

A quelques détails près, au regard de nos immenses moyens, nous avons bien peu progressé.

Hippocrate, 400 ans avant J.-C., pratiquait à Cos une gynécologie, où une thérapeutique acharnée « tout azimuth » tenait la place majeure. « Les traitements chômaient peu entre ses mains » nous dit Littré.

Les leucorrhées (pertes blanches d'origine infectieuses, vénériennes ou non) jouaient déjà un rôle fort important[1]. Il les décrit longuement à l'aide de comparaisons plus ou moins épicées : type n° 1 : « comme de l'urine d'âne » — type n° 2 : « comme de l'urine de mouton » — type n° 3 : « comme un œuf cru » etc. Et s'aidant d'une étonnante multiplicité de produits, il se donne beaucoup de mal pour essayer de les traiter.

Le déplacement de matrice semble à l'ordre du jour. Hippocrate essaie de le contenir à l'aide « d'une grenade de forme appropriée, percée de part en part par l'ombilic, chauffée au vin tiède et enfoncée aussi avant que possible dans le vagin, puis serrée avec une écharpe large afin qu'elle ne glisse pas ».

Un autre déplacement, celui qui cause l'hystérie, « par remontée de la matrice qui se fixe au foie ! »... semble cependant lui poser bien des problèmes ! Et devant ses échecs répétés il conclut philosophiquement : « Voilà ce qu'il faut que fasse la veuve : le mieux est de devenir enceinte... Quant aux jeunes filles, on leur conseillera de se marier ! »

Mais le reste du temps, il faisait feu de tout bois. Et pourtant, en dehors de tout ce déploiement de techniques compliquées et souvent folkloriques, on sent l'accumulation d'un nombre considérable d'observations, d'expériences pratiques et de grands efforts d'efficacité.

Il avait admis, comme évident, qu'une femme n'ayant plus de règles ne peut plus être enceinte, mais signale en outre à ce sujet des faits que nous ne retrouvons qu'en médecine moderne :

— les femmes ne sont affectées de douleurs goutteuses qu'après l'époque de la cessation des menstrues ;

---

1. On les retrouvera toùt au long de l'histoire de la gynécologie.

— les attaques d'apoplexie, chez la femme, se manifestent le plus souvent depuis l'âge de 50 ans [1] ;

— lorsqu'une femme vieille se remet à saigner de la matrice, elle va sûrement mourir [2]...

L'éclosion, puis l'expansion dominatrice de la philosophie grecque devaient singulièrement nuire au progrès scientifique.

Il est d'ailleurs frappant de voir qu'à trois reprises dans l'histoire des sciences en général, et tout particulièrement de la médecine (qui, touchant à la nature de l'homme même, est une proie de choix pour les philosophes), la prédominance arbitraire de la « raison philosophique » sur l'observation et les connaissances techniques, a étouffé, obéré complètement la science, l'écartant des faits, des vérités et des découvertes aussi sûrement que son autre ennemi direct : l'intervention ou l'influence religieuse.

A côté des époques ou des civilisations de rituels magiques religieux de la préhistoire ou des primitifs actuels, la philosophie grecque [3], la religion juive, le christianisme du Moyen Age, la « raison pure et le XVIIᵉ français, devaient chaque fois faire marquer le pas au progrès médical et même bien souvent, le faire régresser.

Le Moyen Age, enfoncé dans 1000 ans de ténèbres et d'obscurantisme scientifique, ne nous a guère laissé de textes sur la ménopause.

Puis, au XVIIᵉ siècle, après avoir épuisé les possibilités de l'observation à l'œil nu puis à l'aide de loupes, les biologistes, à partir du principe de télescope de Galilée, mettaient au point *les premiers microscopes*. Aussitôt l'histologie, l'anatomie pathologique engagèrent de prodigieuses découvertes. On entrait à pas de géant dans la médecine moderne.

Mais mille ans d'obscurantisme ne pouvaient s'effacer en peu de temps. Pour composer son *Traité des parties des femmes qui servent à la génération*, le grand anatomiste de Graaf, « pour donner la forme à cette matière et la mettre en bel ordre », avait cru nécessaire de « consulter les auteurs qui en avaient écrits avant lui ». Mais il

---

1. « Athérosclérose »,p. 253.
2. « Cancer de l'utérus ».
3. Au début du XVIIIᵉ siècle la querelle entre les disciples d'Aristote (philosophie) « contre » l'existence d'une semence féminine et celle des disciples d'Hippocrate (médecin) « pour » n'était pas éteinte ! Les « aristotéliciens » étant alors encore à peu près aussi nombreux et virulents que dans la Grèce antique (DE GRAAF).

devait trouver leurs écrits « si diversement tournés » qu'il lui fut impossible d'en tirer aucun avantage.

Or cet homme, avec deux ou trois autres, pénètre, en plein XVIII° siècle, dans la médecine la plus moderne. *Il découvre les éléments, les mécanismes de la reproduction* [1] ! Et dans le même temps (comme il le raconte lui-même), pour défendre ses remarquables découvertes sur les organes génitaux et leur fonctionnement et, par exemple, sa théorie (exacte) de la fonction des trompes [2], il est obligé de réfuter « l'opinion ridicule de quelques-uns pour qui elles servent de soupiraux pour donner moyen au fœtus de respirer, ou de cheminées pour monter la fumée de la matrice dans la cavité de l'abdomen ! ».

Aussi, en dehors de l'immense progrès anatomique, n'est-ce pas de là qu'il nous faut attendre de grands éclairages sur le mystère de la ménopause.

Mais au XVIII° siècle, Jean Astruc (1684-1766), professeur du Collège royal, médecin du roi Louis XV, qui exerça à l'Académie de Montpellier, écrit (en 1761) un *Traité des maladies des femmes*, en six volumes.

Un des volumes concerne la ménopause exclusivement !

Elle est donc considérée comme un phénomène notable, et une entité bien définie.

« Les règles cessent », dit-il, « entre 45 et 50 ans ».

La pathologie semble dominée par :

— *Des troubles neuro-végétatifs* accusés : « vapeurs hystériques très fortes et très vives, ou du moins, accidents qui appartiennent à ces vapeurs comme des rougeurs et des chaleurs, qui montent souvent au visage, tout d'un coup, et qui se terminent par des sueurs momentanées »...

— *Des leucorrhées,* (pertes blanches) : « ces fleurs blanches » qui « peuvent pourrir la matrice », citées avec insistance par tous les auteurs depuis l'Antiquité. Elles semblaient augmenter notablement à la ménopause et relevaient sans doute pêle-mêle de maladies vénériennes et d'infections multiples dues aux rapports sexuels ou aux séquelles d'accouchements [3].

— *Des hémorragies,* dont « certaines guérissent toutes seules », mais d'autres « relevant d'ulcère, de squirrhes, ou de cancers de la matrice, conduisent à la mort... »

« Il faut se défier des règles qui persévèrent après 50 ans. J'ai vu des

---

1. Son nom est resté attaché au follicule qui entoure l'ovule à maturation, « follicule de Graaf ». Cf. « Physiologie ».
2. Voir « Trompes », p. 81, et fig. 4, p. 424.
3. On les retrouve avec la même gravité et la même fréquence chez les femmes des civilisations primitives du XX° siècle.

femmes qui avaient passé cet âge et qui se glorifiaient d'être encore réglées comme des jeunes filles. Mais en les examinant avec soin, j'ai trouvé que ces prétendues règles étaient un véritable état de maladie, et provenaient, ou de quelques ulcérations, ou de quelques engorgements [1] de la matrice. Et la plupart de ces femmes en qui les règles duraient si longtemps, finissaient par un cancer ou un ulcère de la matrice. »

Et le praticien avait déjà judicieusement relevé que « si les femmes sont sujettes à quelque infirmité habituelle, quelle qu'elle soit, et quelque partie du corps qu'elle affecte, elles doivent s'attendre à la voir se renouveler ou s'augmenter dans le sens du dérangement ».

Rothergill (1778), dans ses *Conseils pour les femmes de 45 à 50 ans,* signale une douleur poignante, spasmodique, qu'il attribue à la grande irritabilité du système de la matrice (et dont nous savons maintenant qu'elle est caractéristique d'un spasme organique de l'utérus atrophié).

Au cours du siècle dernier la moyenne de vie commence à s'étirer vers la cinquantaine.

Pour la première fois, un très grand nombre de femmes vont vivre pré-ménopause et ménopause. Et la description se précise :

« Il arrive une époque où cette évacuation doit disparaître pour ne plus revenir [2]. » Ce n'est point ici une suppression, un dérangement contre nature, mais une véritable disparition, une cessation absolue à laquelle la nature a condamné les femmes à l'époque où ne pouvant plus qu'imparfaitement accomplir le grand œuvre de la reproduction, elles n'y sont plus aptes, par la privation d'une fonction qui leur en assurait la faculté.

« Mais loin d'en accuser la nature, elles doivent l'en remercier au contraire puisqu'à l'époque déjà avancée de la vie où elles cessent d'avoir leurs règles, elles perdent insensiblement tous les attributs de la jeunesse, tels que la souplesse des organes, l'exubérance des sucs... »

Nous devons à Depaul et Gueniot [3] (Maygrier 1819) une « pré-ménopause » bien observée :

« La ménopause en général ne survient pas brusquement : elle s'annonce par divers phénomènes qui, joints à l'âge auquel est arrivée la femme, permettent d'en prévoir la prochaine manifestation. Des congestions diverses se remar-

---

1. Cela n'a pas changé et c'est toujours neuf fois sur dix une entité fibromateuse.

2. MAYGRIER J. P., *Nouveaux éléments de la science des accouchements,* Ballard 1814, p. 64-65, « Irrégularités et régularités des règles des femmes des villes et des champs ».

3. *Dictionnaire encyclopédique des Sciences médicales,* directeur A. DECTAMBRE, MDCCLXXIII. Article de DEPAUL et GUENIOT.

quent ordinairement, dans l'intervalle des retours, soit vers la tête, soit vers les organes pectoraux, soit plutôt vers le foie, la rate, l'estomac... »

Et Maygrier [1] complète :

« Un des premiers événements qui survient lorsque les règles sont sur le point de disparaître est une irrégularité dans leur apparition, soit pour le temps, soit pour la durée, soit pour la quantité surtout, sans que la femme en soit sensiblement incommodée. Quelquefois les menstrues reviennent tous les quinze jours, d'autres fois elles sont plusieurs mois sans paraître ; souvent après une ou deux menstruations peu abondantes, il survient un flux immodéré, qui est assez fréquent suivi d'un écoulement blanc [2] plus ou moins abondant qui même dans quelques cas remplace le sang menstruel et qu'il faut respecter. »

Puis il reprend et élargit la description des troubles d'une manière que bien des modernes pourraient lui envier :

Les maladies les plus ordinaires de cet âge résultent, d'une part de l'état de relâchement et du défaut d'action des organes de la génération, et d'autre part, de la tendance, et pour ainsi dire de l'habitude que le sang conserve de se porter vers ces parties. Sans doute, il faut aussi mettre au rang des causes de ces maladies les changements remarquables qui s'opèrent dans l'organisation de la femme, tels que la sécheresse et la rigidité de ses parties solides, la diminution et l'épaississement de ses fluides : elle éprouve alors des engourdissements dans les membres, des bâillements involontaires annonçant la surcharge des poumons ; de la plénitude de ces organes résultant la difficulté de respirer, des tintements d'oreilles, la dureté de l'ouïe, les douleurs de tête, le gonflement et la pesanteur des yeux, l'affaiblissement de la vue, des étourdissements, le gonflement des veines, la rougeur de la peau, des congestions internes, l'engourdissement des doigts, des bras ; des rêves, des songes affreux, l'hystérie, la mélancolie, la fureur utérine [3], etc.

Depaul et Gueniot pensent qu'une excrétion habituelle aussi importante que l'est celle des règles ne se supprime pas après trente ans de durée, sans provoquer quelques perturbations dans l'équilibre des fonctions.

Et Raciborsky (1844) [4] pressentant déjà le rôle dominant de l'exaspération du système neuro-végétatif, insiste beaucoup sur l'existence d'une « pléthore nerveuse » dont il accuse le système ganglionnaire d'être le réceptacle.

---

1. *Dictionnaire encyclopédique des Sciences médicales,* chap. « Menstruations ».
2. Les tenaces « fleurs blanches » ou leucorrhées, pertes blanches.
3. « Furore uterino ».
4. *De la puberté et de l'âge critique chez les femmes et la ponte périodique chez les mammifères.* Paris, 1844. Repris par DEPAUL et GUENIOT.

« On dirait que l'inervation du grand sympathique, étant privé de l'important débouché qui lui présentait périodiquement l'orgasme de l'ovulation, répand l'excédent de son activité sur d'autres fonctions de l'économie. Les troubles nés de cette manière ont une forme mal déterminée, n'ont que des caractères vagues, mobiles et changent à tout moment d'aspect. »

Maygrier enfin conclut par ces lignes qui ne dépareraient pas une publication moderne :

« Ces changements ne peuvent arriver sans que la femme n'en éprouve quelques inquiétudes, certaine alors d'arriver à une époque fatale ; il faut la rassurer et l'instruire d'avance des événements qui se succèdent afin qu'elle n'en soit point effrayée. Les femmes doivent être d'autant plus attentives à observer les règles de conduite qu'il faut leur tracer à cette époque, *que le bonheur du reste de leur vie dépend souvent du soin qu'elles prennent alors de leur santé.* »

Mais la *menace de mort* associée, obsédante caractéristique de cette époque, réapparaît souvent dans son œuvre, comme chez tous les auteurs du XIX\ :sup:e siècle.

La ménopause, en effet, coïncide alors presque toujours avec la fin de la vie. Troubles et pathologies de l'une et de l'autre sont souvent étroitement confondus.

Et cela va créer une dramatisation encore plus certaine que pour l'accouchement. (1 décès pour 4 accouchements à l'époque.)

« La femme se montre généralement triste et inquiète, très soucieuse de cet état qu'elle croit être souvent l'annonce d'une maladie ou d'une fin prochaine [1]. »

« Souvent, à la suite de quelques-unes de ces indispositions graves, la femme tombe dans la langueur, le marasme et meurt misérablement ; souvent aussi elle n'arrive au tombeau qu'après avoir éprouvé des douleurs les plus intolérables, suite nécessaire des maladies cruelles auxquelles elle finit par succomber. Ces maladies sont la métrite, les inflammations de bas-ventre, les ulcérations de la matrice, le cancer, soit de la matrice, soit des mamelles, etc. Combien ne s'en trouve-t-il pas qui périssent, victimes des maladies qui les assiègent à cette époque orageuse de la vie, ou dont la santé reçoit des atteintes plus ou moins profondes. » Maygrier.

L'histoire de la ménopause dans l'histoire de la médecine, est pleine de sujets d'étonnement :

---

1. Dectambre, *Dictionnaire encyclopédique des Sciences médicales.*

HISTORIQUE

— En dehors de certains aspects folkloriques, l'ancienneté de certaines connaissances :

• apparition d'uricémie, d'hypertension et d'athérosclérose après la ménopause (Hippocrate) ;

• signification très précisément pathologique des saignements tardifs (Hippocrate-Astruc)[1].

— La fréquence et la haute fantaisie des déplacements de matrice[2]. Eminemment mobile et capricieuse, elle descend, se plie, se tord, se divise et, ne reculant devant rien, monte même parfois pour se fixer au foie.

— L'importance, la fréquence des infections, « fleurs blanches » qui semblent avoir été une complication majeure de la plus haute Antiquité jusqu'à la dernière guerre et aux antibiotiques.

— La notion chronologique précise d'une aménorrhée entre 45-50 ans, quelque soit le texte, l'époque ou le pays (et qui semble avoir plutôt moins varié que l'âge de la puberté).

— La lutte sans espoir des femmes pour ne pas entrer « en relégation ». Tous les auteurs depuis l'Antiquité signalent la difficulté de savoir l'âge exact de leurs patientes qui essaient désespérément de le dissimuler.

« Jalouses de conserver des charmes qui se flétrissent, elles cachent soigneusement leur âge, et cherchent à prolonger une évacuation dont elles regardent la fin comme le terme de leur existence. »[3] Royer Collard

---

1. A noter que d'après plusieurs auteurs de l'époque, confirmés par Dectambre, on estimait déjà le cancer de l'utérus « moins fréquent après la ménopause que dans les dernières années de l'exercice menstruel ».
2. Il est vrai que la multiplicité et l'extrême rapprochement des grossesses devaient être cause de terribles délabrements.
3. *Dictionnaire encyclopédique des Sciences médicales*, 1865.

3

CHRONOLOGIE

De même qu'on prend date, pour désigner la puberté, du premier sang menstruel, on se réfère toujours au dernier, pour situer l'âge d'une ménopause : l'arrêt des menstruations, la date des dernières règles.

Bien sûr, c'est une définition assez arbitraire, car l'arrêt des règles n'est qu'un symptôme. Mais c'est le signe le plus spectaculaire, le plus constant et, à tout prendre, chronologiquement — et dans la plus courte limite du temps — le plus exact. Il a d'ailleurs une signification réelle, puisque le saignement menstruel cesse lorsque la prolifération utérine n'est plus suffisante, les variations hormonales assez franches et contrastées, pour déclencher la desquamation menstruelle.

Il y a toujours eu, et il y a toujours, des écarts assez considérables dans les âges extrêmes de la ménopause : de moins de 40 ans à plus de 60 ans. Mais, dans le même temps, les moyennes sont très comparables. Quelle que soit la région ou l'époque considérée, elles semblent tenir dans une étroite fourchette de 46 à 52 ans.

Alors que la moyenne de longévité s'est allongée de 20 ans, depuis le début du siècle, l'âge de la ménopause s'est fort peu modifiée : de 45-48 ans avant 1945, il est seulement passé à 51-52 ans en 1970.

Par contre, un phénomène reconnu déjà au XVIIᵉ siècle (et que pourtant la croyance populaire inverse encore de nos jours), semble se confirmer davantage : *généralement et contrairement à ce que croient la plupart des gens, plus la puberté est précoce et plus la ménopause est tardive.* Ce caractère est fréquemment héréditaire. Sans représenter une supériorité constante, il comporte certaines nuances métaboliques, que l'on retrouve d'ailleurs chez les hommes [1] :

— Les « *précoces hormonaux* », filles ou garçons, sont généralement des sujets de meilleure qualité biologique, exempts de carences et bien métabolisés. Une femme réglée tôt et longtemps, est presque toujours douée pour la longévité, comme le sont en général les « riches hormonales ».

— Les « *tardifs hormonaux* » sont, eux, souvent hypotoniques. Ce sont, caractéristiquement, ce que les profanes appellent des sujets lymphatiques : gros ou maigres, mais peu actifs, peu volontaires, neurasthéniques, parfois même dépressifs ou névrotiques. Moins adaptables, ils se défendent aussi moins bien contre les stress traumatiques, pathologiques ou psychologiques.

Contrairement à ce que l'on a cru un moment, le nombre d'ovulations sautées (grossesses multiples, périodes anovulatoires de la puberté et de la pré-ménopause, années/contraception) ne modifie en rien l'âge moyen d'interruption des règles.

MÉNOPAUSE PRÉCOCE

Elle peut être très précoce. Il n'est pas rare de constater des interruptions définitives à partir de 40 ans, quelquefois même avant.

Or, une ménopause précoce *n'est pas un phénomène physiologique.*

Quelquefois, le blocage est essentiellement supérieur : par sidération hypothalamique (dans les cas de gros choc sentimental, émotif, d'effroi...) ou par épuisement hypophysaire (après un trop grand nombre de grossesses, un accouchement trop long ou trop difficile, parfois une grossesse tardive isolée). Tout se passe comme si l'hypophyse n'était plus capable de fabriquer et stocker des quantités suffisantes de gonadotrophines pour la décharge ovulatoire [2].

Il arrive que ces ménopauses précoces soient le fait de traitements hormonaux : dans le blocage de la lactation lors d'une grossesse tardive, dans certains cas particuliers exigeant une mise au calme de la muqueuse utérine ou une sidération ovarienne. Parfois, tout simplement, un traitement intempestif ou mal ordonné.

Cependant, la plupart des cas relèvent d'une *insuffisance progestative chronique,* on pourrait presque dire congénitale.

---

1. *Les longs chemins de la vieillesse,* tome I : La Différence. Chap. Ménopause, Andropause et sexualité (à paraître).
2. Cf. Le cycle ovarien, p. 42.

En effet, quelles sont les femmes dont les hormones diminuent précocement ? Bien sûr celles qui ont des ovaires congénitalement défectueux, ou tardivement pathologiques, mais surtout toutes celles dont la fonction ovarienne s'est établie tardivement, difficilement, et ne s'est jamais parfaitement réalisée.

— On en trouve des signes dès *l'enfance* :
  • petits troubles d'ossification, pieds plats, genoux rentrés, scolioses...
  • troubles circulatoires des extrémités, mains, pieds (parfois nez), froids, violets, sujets aux engelures.

— A la puberté :
  • des règles tardives, douloureuses, souvent irrégulières, avec des manques de plusieurs mois ;
  • une tendance aux pieds plats avec chevilles et mollets épais, rouges ou violacés ;
  • parfois l'apparition d'une myopie ;
  • de troubles cutanés : peau et cheveux gras, acné.

— A l'âge adulte :
  • syndrome pré-menstruel, règles à problèmes, parfois irrégulières, le plus souvent faibles ;
  • il n'est pas rare de trouver trace d'une ou deux fausses couches, avant la première grossesse normale, par difficulté de nidation [1].

Enfin, lorsqu'on a la possibilité de s'informer, on retrouve souvent les mêmes signes chez la mère ou les sœurs de la patiente. Car une insuffisance hormonale chronique, non seulement, obéit aux lois de l'hérédité, mais semble pouvoir être favorisée (et peut être causée, par la pauvreté hormonale de la mère pendant la grossesse).

La constance de ces signes révélateurs est étonnante. Comme on peut présager pour l'avenir, des probabilités de troubles métaboliques, circulatoires, osseux et hormonaux d'une enfant, d'après ses parents et surtout sa mère, on peut, presque sans erreur, d'après ses antécédents personnels de l'enfance et de la puberté, prédire à une femme de 30 ans, une ménopause précoce avec :
— stérilité probable dès 35-38 ans ;
— puis net affaiblissement, irrégularité des règles avant 45 ans ;
— parfois arrêt subit pour un motif d'importance mineure ;
— et en post-ménopause, un avenir grevé d'une tendance atrophique particulière, génitale, cutanée, osseuse, oculaire ou autre, plus fréquente et plus précoce que chez les autres femmes.

Le diagnostic de ménopause précoce est donc déjà bien orienté pour un spécialiste par l'interrogatoire seul... Il sera, et *doit être* rapidement confirmé par la comparaison de frottis vaginaux et dosages hormonaux.

---

1. Fixation de l'œuf fécondé à l'utérus.

Une femme de 40 ans (et même bien plus âgée), qui voit disparaître ses règles, se croit toujours enceinte. L'insuffisance progestative apparente, rend pourtant cette éventualité bien improbable, car ce genre d'insuffisance qui n'est pas un facteur de fécondité dans la jeunesse a peu de chance de l'être après 40 ans.

Mais il existe plusieurs moyens d'être rapidement renseigné :

— L'étude de la température, méthode facile, beaucoup plus précise que pour la contraception est souvent curieusement ignorée. Au-dessous de 36° 8 - 36° 9, il n'y a, en principe, pas de grossesse. Mais une température à 37° et au-dessus, qui, sans autre cause apparente, reste en plateau plus de quinze jours de suite — c'est-à-dire *au-delà de la durée d'un corps jaune*[1] — est fortement évocatrice de grossesse.

— Un G-test confirmera ou contredira rapidement cette première opinion.

— Mais il est toujours utile de faire un test biologique hormonal, quinze jours après le premier manque menstruel. Il tranche définitivement la question, tout en permettant de mesurer :

  • pour une grossesse, si l'équilibre hormonal est suffisant pour assurer une prolifération utérine qui permette la nidation de l'œuf ;

  • dans une ménopause, le degré et le type d'appauvrissement éventuel, dont un frottis évaluera les conséquences et l'ancienneté.

La ménopause précoce est très souvent, très précocement atrophiante (stérilité précoce, complications oculaires, osseuses, vasculaires particulièrement, souvent, graves, dès, ou même avant la cinquantaine). Elle exige donc un traitement hormonal substitutif immédiat, dans lequel les patientes demandent souvent d'elles-mêmes, pour des raisons psychologiques ou conjugales, une restauration des règles, bien facile à réaliser.

Images caractéristiques des effets défavorables de la ménopause, les ménopauses précoces permettent alors, dans tous les cas, une réconfortante démonstration de l'efficacité du traitement de substitution hormonale.

MÉNOPAUSE TARDIVE

Des ménopauses tardives et même très tardives existent. Elles ont été signalées de tout temps. Bien que relativement rares, au delà de 55 ans, elles peuvent dépasser 58 ans à 60 ans. Mais il faut savoir que *des règles inhabituellement prolongées au delà de 52-54*

---

1. Qui, nous l'avons vu, ne peut *jamais*, s'il n'est pas gestatif, dépasser 14 jours.

ans, dans les trois quarts des cas, sont pathologiques. Ce ne sont pas des règles, il s'agit tout bonnement de quelque chose qui saigne et qu'il faut trouver. Une ménopause tardive pose donc toujours un sérieux problème de diagnostic.

Or, les femmes dont les règles se prolongent très tardivement en sont généralement fières, profondément persuadées d'une conservation, d'une jeunesse exceptionnelle. Il ne faut pas s'en tenir à une satisfaction dérisoire et trompeuse. Cette prolongation, comme toutes les formes d'hémorragies, exige un contrôle médical sérieux.

Il n'y a qu'une chance sur cent qu'elle soit naturelle, témoin d'une fonction ovarienne inaltérée. Relativement peu de chances qu'il s'agisse d'une tumeur cancéreuse, qui donne plutôt des pertes répétées, irrégulières (mais personne ne peut prendre le risque de manquer un diagnostic et de perdre ainsi les chances d'efficacité totale d'un traitement anticancéreux). Dans la plupart des cas, la cause est bénigne, organique ou fonctionnelle. Mais il faut bien comprendre « bénigne » dans le sens médical du terme, c'est-à-dire « non cancéreuse ». Cela ne veut pas dire sans importance [1]. Toutes demandent *un diagnostic précis et un traitement adéquat*, sous peine de risquer des complications sérieuses.

Il faut consulter un médecin et se prêter aux examens indispensables qu'il demande. *Pour mériter son titre, une ménopause tardive demande un bilan sévère.*

Avouons cependant qu'il en existe quelques-unes, incontestables... et rarissimes.

Certaines femmes ont, après 50 ans, des taux d'hormones ovariennes et des frottis vaginaux absolument semblables en tous points à ceux de jeunes femmes. Dans certains cas, nous avons même constaté un plateau thermique net et régulier, signe de corps jaune, donc d'ovulation.

Il est caractéristique que cela s'accompagne toujours d'une conservation notable de la floridité tissulaire et de l'équilibre en général.

Alors l'hormonothérapie substitutive (encore inutile théoriquement) doit être souvent remplacée par une thérapeutique contraceptive, car même s'il ne croit guère à sa probabilité, quel médecin peut garantir à ces femmes l'impossibilité absolue de grossesse ?

La recherche statistique de l'âge de la ménopause accentue

---

1. Cf. par exemple « Hyperplasie », p. 204. « Polype », p. 205.

au lieu de l'éclairer le mystère de son origine. Sa précision chronologique, l'étroite limite de temps où elle se produit, la généralisation absolue de ce phénomène, puisque seules des anomalies la retardent ou la précipitent, tout cela la différencie franchement des phénomènes de vieillissement, infiniment plus variables dans le temps, les uns par rapport aux autres et surtout d'une personne à l'autre.

Par son côté inexorable, relativement peu variable, elle semble se rattacher, comme la longévité absolue, à un programme génétique préétabli et que nous pouvons seulement rêver de modifier un jour, plutôt qu'à des variations trophiques plus accessibles à nos moyens actuels.

D'ailleurs, l'efficacité, l'aisance même de la thérapeutique sur la partie trophique de la carence ovarienne, son impuissance sur la fonction elle-même, soulignent encore la différence entre ces deux notions.

Peut-être faudrait-il rechercher comme pour la puberté un mécanisme particulier, programmé ou conditionné, pour deux actions contraires : l'éveil et l'extinction de la fonction ovarienne ou pour une seule action à programme limité avec cessation spontanée.

Mais quel mécanisme et à quel niveau ?

4

ÉTIOLOGIQUE

L'ovaire fut longtemps le seul incriminé : comment expliquer son inertie grandissante ?

On invoqua d'abord une *sclérose progressive*, envahissant et étouffant le tissu fonctionnel.

Mais cette conception se heurte aux lois de l'involution : *les glandes endocrines n'involuent que très peu, très lentement. Ce sont les organes les plus tardivement touchés de l'organisme.* Il n'y a pas de raisons pour qu'une sénescence fibro-scléreuse précoce, brutale, n'atteigne que l'ovaire, à l'exclusion d'autres glandes, pourtant sous la même dépendance hypothalamo-hypophysaire. D'autant que, dans tout le règne animal, la fonction de reproduction est toujours *surprotégée.*

Une deuxième hypothèse tablait sur : *l'épuisement du capital folliculaire.* La ménopause surviendrait après éclosion du dernier follicule.

De toute façon c'est inexact. On a découvert des follicules persistant longtemps après la ménopause, capables d'évoluer isolément, ou fonctionnant par petits groupes polikystiques à sécrétion interstitielle.

Mais surtout ce serait incompréhensible. Dans tous les organes ou tissus nobles, dont le capital cellulaire est constitué définitivement à la naissance et ne se renouvellera plus [1], la provision est au départ *démesurée,* capable d'assurer des centaines d'années de

---

1. Comme le glomérule du rein, l'alvéole pulmonaire, etc. Cf. Loi d'involution, p. 75.

survie, de façon à conserver à l'organe une capacité fonctionnelle suffisante, même après des destructions infectieuses ou traumatiques étendues.

Parmi ces provisions cellulaires biologiques, le capital folliculaire tient une place à part [1] : plus de 5 millions de follicules chez l'embryon, 1 ou 2 millions à la naissance. Or, même sans tenir compte d'un nombre considérable de cycles ovulatoires à la puberté, pendant les grossesses et dans la pré-ménopause 300 à 400 ovulations sont une bonne mesure dans une vie gynécologique normale et bien remplie.

Le nombre de grossesses mais surtout la pratique de thérapeutiques contraceptives, bien qu'économisant pendant plusieurs années, les follicules n'ont en rien modifié l'âge de la ménopause.

Enfin, comment, étant donné les différences de cycles, de rapidité involutoire, en tenant compte de tous les incidents, des grossesses, des époques épanouies ou au contraire inhibées de leur activité hormonale, les femmes arriveraient-elles *toutes* au bout de leur capital folliculaire, à 5 ans près dans un mouchoir ?

Il existe une troisième hypothèse : *l'atrésie folliculaire* [2].

Un nombre considérable de follicules dégénèrent dès la vie embryonnaire. Ce phénomène augmente au cours de la vie, s'accélère et se généralise à l'approche de la ménopause puisqu'il ne reste que 4 à 500 000 follicules à la puberté et seulement (mais tout de même encore) environ une dizaine de mille dès 45 ans.

Mais personne ne sait pourquoi ni comment, et si l'accélération ménopausique de l'involution atrésique est cause ou conséquence d'une stimulation hormonale suffisante. Aucune observation n'est concordante ou logique. Tout se passe comme si l'atrésie était un phénomène indépendant, avec sa programmation et son rythme propre, en dépit de toute influence extérieure biologique, *comme un sablier chargé de compter le temps de vie ovarienne et d'en indiquer inexorablement la fin.*

Mais où est le programmateur ?

Dernier argument invoqué : *une insensibilité progressive de l'ovaire à la stimulation hypophysaire.*

Il est vrai qu'il y a diminution de sensibilité et que cette diminution apparaît très précocement, puisque pour déclencher une ovulation il faut, après 30 ans, des doses de gonadotrophines supérieures à celles qui suffisent auparavant. Mais est-ce la faute de

---

1. Cf. Constitution embryologique, p. 51.
2. Atrésie involutoire, p. 59.

l'ovaire ou d'une dégradation des gonadotrophines ? On a pu prouver récemment que, même très tardivement, un ovaire était capable de répondre à des doses violentes de ganodotrophines.

D'ailleurs il semble bien étrange que dans la catégorie des stimulines, les gonadotrophines ovariennes seules perdent leur efficacité et que dans la catégorie des tissus-cibles, l'ovaire seul perde sa sensibilité.

Et pourquoi l'implantation d'un vieil ovaire sur une femelle jeune se traduit-elle d'une façon totalement contradictoire par le réveil, la revivification de l'organe sénescent, bref, l'inversion du phénomène involutoire [1] *?*

S'il peut reprendre vie et jeunesse dans un organisme jeune, il n'est donc pas la cause mais la victime de la ménopause. Il faut donc rechercher à l'étage au-dessus...

L'hypophyse pourrait être en effet sérieusement suspectée. Elle est à la ménopause le siège de bouleversements considérables. Ses sécrétions se dérèglent, perdent leur rythmicité. Elle est donc capable de « rater » petit à petit la maturation folliculaire, ou de « manquer » (par décalage dans le temps de la décharge ovulante) le moment de réponse optimum des follicules, altérant ainsi l'intensité, l'équilibre et la rythmicité de la sécrétion ovarienne.

Tout est imaginable... et pourtant : *l'hypophyse est un organe qui vieillit extrêmement peu et dont la conservation chez le vieillard est même tout à fait exceptionnelle. Elle conserve jusqu'au plus grand âge toutes ses facultés de modification et d'adaptation cellulaires de jeunesse, et continue de répondre aux besoins de régulation de l'organisme.*

Enfin, l'expérience de chimère d'âge est aussi concluante que pour l'ovaire. *Une hypophyse âgée, greffée sur une femelle jeune, reprend son fonctionnement jeune. Une hypophyse jeune, greffée sur une femelle âgée, perd la normalité de ses sécrétions et la régularité de ses cycles.*

Il faut donc chercher un étage plus haut.

L'hypothalamus ? Mais ici, le mystère s'épaissit encore bien davantage.

---

1. Expérience de « chimère d'âge ». On enlève ses ovaires à un animal jeune et on greffe à la place un ovaire âgé qui reprend ses caractéristiques et son fonctionnement de jeunesse.

Peut-on incriminer une mauvaise transmission entre celui-ci et l'hypophyse ? Non ! Les vaisseaux spécialisés qui transportent les ordres chimiques de l'hypothalamus jusqu'à l'hypophyse sont doublés de fibres nerveuses capables de les transporter directement jusqu'à la zone-cible de l'hypophyse. Cela permet de suppléer à une défaillance circulatoire éventuelle.

L'hypothalamus lui-même grâce à une vascularisation très riche, évite l'accumulation des déchets caractéristiques du vieillissement cellulaire.

Le noyau neuro-sécrétoire peut continuer d'exercer une fonction normale même si des circonstances pathologiques le réduisent *au quart* de sa taille normale.

L'hypothalamus est capable jusqu'à l'extrême vieillissement de conserver un fonctionnement très supérieur aux cellules nerveuses en général, et à celles du cortex cérébral en particulier.

Ce n'est donc pas ici que nous trouverons une explication valable.

Mais alors, que se passe-t-il donc ? La commande ovarienne est-elle programmée génétiquement d'une façon précise, limitée, immuable, à moins de modifier la portion d'ADN porteuse du programme ?

On pourrait y songer.

En améliorant la trophicité, en supprimant des pathologies, nous avons augmenté de 20 ans *la longévité moyenne.* Mais nous n'avons pas touché au programme génétique, *la longévité absolue a peu changé.* Il en est peut-être de même pour la longévité ovarienne.

Nous aurions mis en évidence une carence hormonale, irréversible, relativement tolérée (alors qu'on meurt des autres insuffisances endocrines, surrénales, diabète, etc.) à cause du caractère juxtaposé, et non essentiel à la vie, de la fonction ovarienne, mais génératrice de troubles de privation caractéristiques.

Cela expliquerait que tous les problèmes de la ménopause (y compris l'aménorrhée) disparaissent si facilement et avec une telle docilité à la thérapeutique compensatrice (comme cela se passe pour toutes les carences hormonales, lorsqu'elles sont traitées), mais que nous soyons encore incapables de prolonger la fonction procréatrice, elle-même, comme nous sommes incapables de prolonger la longévité absolue.

Cette hypothèse, la plus vraisemblable, apporte peut-être la meilleure justification à une thérapeutique substitutive de la carence ovarienne. Mais ce n'est pas le seul problème. A tous les niveaux, un nombre considérable d'interrogations restent sans réponses.

Nous sommes très loin d'avoir épuisé l'étude de ce phénomène, de ses effets éloignés, de ses conséquences extrêmes mais aussi et surtout de son essence même.

Nous ne savons toujours pas pourquoi, comment et par quoi, est provoquée la ménopause !

5

FUTUROLOGIQUE

Rêvons un peu au hasard des problèmes !...

Les différentes crises hormonales féminines : puberté, grossesse, ménopause, la stérilité ou la contraception, ont suscité dans le domaine des hormones féminines des études infiniment plus nombreuses et plus poussées que tout ce qui existe à ce jour, dans le domaine des hormones mâles. En cristallisant sur les hormones femelles, un maximum de passions et de contradictions, la grande bataille hormonale a fait le reste.

Et voilà que dans le domaine théorique, et évidemment thérapeutique nous nous trouvons très démunis en hormonologie masculine. On ne sait pas grand-chose de l'involution hormonale mâle, ni ce que l'on pourrait faire... Et il n'est pas certain qu'on ait les produits nécessaires pour le faire. N'ayant souffert d'aucun préjugé, de peu de critiques, volontiers utilisées comme une panacée universelle, les hormones mâles ont perdu, dans cette utilisation sans controverses, le bénéfice des études extraordinaires, suscitées par l'opposition aux hormones féminines et seuls, quelques travaux, tout récents, commencent à relancer ce sujet extraordinairement négligé.

Les hommes n'ont pas d'andropause, puisqu'il n'y a jamais d'interruption brusque de la fonction testiculaire, aussi bien germinative que sécrétoire[1]. Mais leur involution hormonale, quoique

---

1. Le terme est d'ailleurs inexact : ménopause signifie fin de la menstruation, andropause : fin de l'homme !...

beaucoup plus tardive et très lentement progressive, montre pourtant de frappantes similitudes avec l'involution femelle.

Cela n'a rien d'étonnant, leurs fonctions hormonales sexuelles sont étrangement parallèles.

C'est à partir d'un tronc bio-chimique commun, que se différencient, suivant le sexe, une chaîne de dérivés mâles et une chaîne de dérivés femelles dont les stades successifs, de la forme la plus simple à la plus compliquée, restent parallèles, susceptibles de se transformer en l'équivalent chimique de sexe opposé, et, à la rigueur (avec des nuances dans les résultats) de le remplacer. Les protéines-réceptives, dans les cellules-cibles (tissus génitaux et autres) sont capables de les traiter et d'en utiliser le produit. Il n'y a donc pas de séparation hermétique entre les hormones mâles et les hormones femelles ; mais au contraire une fraternité étroite et d'immenses similitudes.

Chez l'homme comme chez la femme, chaque stade de développement chimique a une fonction différente : les premiers à dominante proliférative, les derniers à dominante sécrétoire. Les dérèglements, les « erreurs », frappent en premier les formes ultimes les plus compliquées, en dernier les formes primaires plus simples. Ils affectent ainsi l'effet sécrétoire, tandis que persiste, ou même augmente, l'effet prolifératif assuré par les formes frustes [1].

Chez l'homme comme chez la femme, bien que plus lentement, sans brusquerie ni orages, des perturbations métaboliques générales se produisent peu à peu, tendant vers l'appauvrissement.

Il n'y a donc aucune raison de séparer leur étude, bien au contraire, et il est certain que tout ce qui touche à l'involution et à la sénescence mâle ne peut que gagner à utiliser les résultats des études sur la ménopause qui sont, en grande partie, directement transposables et utilisables pour :

— prévenir l'adénome prostatique et... qui sait, comme pour l'endomètre, peut-être le cancer de la prostate lui-même ?

— prévenir toutes les formes d'atrophies, cyanoses, perturbations métaboliques ou vitaminiques qui jouent un rôle certain, quoique plus progressif que chez la femme, dans la conservation tégumentaire, l'affaiblissement musculaire, la décalcification, les altérations sensorielles, et bien sûr, directement et indirectement, sur la sexualité [2]...

---

1. Climat hormonal comparable qui favorise chez la femme le fibrome utérin, chez l'homme l'adénome prostatique.

2. *Les longs chemins de la vieillesse*, tome 1 : La Différence. Ménopause, Andropause, Sexualité.

... Le seul avantage, presque unanimement accordé à la ménopause, est, dans le même temps, le seul véritable inconvénient de la thérapeutique moderne : la disparition des règles dans l'une et leur prolongation dans l'autre.

Plutôt mieux tolérées à 60 ans qu'à 15 ans, il s'agit tout de même d'une bien inconfortable et incommode sujétion.

Une femme saigne en moyenne un total de deux mois par an. Additionnées, les règles normales d'une vie gynécologique normale, représentent environ sept années de saignement ininterrompu.

Ce n'est pas une incommodité négligeable. Elle mériterait peut-être mieux qu'un fatalisme ou une désinvolture, étonnants pour la science moderne, si soucieuse de toutes les formes de confort.

La cyclicité féminine, elle-même, avec son effet de labilité physique, psychologique et psychique, mériterait d'être étudiée et sa nécessité, peut-être, réévaluée. Apparue à la puberté avec un rythme particulier très différent de l'équilibre précédent, elle s'atténue peu à peu et s'efface à la ménopause, où reparaît un rythme de sécrétion basale, uniforme, semblable au fonctionnement mâle.

Or, pratiquement dans tous les cas, le rythme basal est toujours mieux supporté que le rythme cyclique.

Toutes les observations confirment qu'il y a confort, une stabilité, une efficience et force supérieure dans le fonctionnement hypothalamique non cyclique.

— Quoique génétiquement déterminée et hormonée, la femme, jusqu'à la puberté, s'accommode toujours fort bien, et mieux, d'une sécrétion uniforme. L'adaptation au cycle menstruel est toujours moins satisfaisante et représente sans doute le plus net handicap (dans le domaine du bien-être et de l'efficacité) de l'adolescente et de la jeune femme.

— Malgré les malaises neuro-végétatifs de carence brutale et les phénomènes d'involution tissulaire précoce, les femmes castrées, jeunes, récupèrent souvent une continuité fonctionnelle confortable.

— Les femmes, à partir de 30-35 ans, sont de moins en moins perturbées par les variations menstruelles, au fur et à mesure que les poussées extrêmes s'atténuent.

— Les femmes traitées en pré ou post-ménopause (donc à doses faibles régulières, insuffisantes pour une ovulation ou la nidation d'un œuf éventuellement fécondé, mais suffisantes pour freiner les grands mouvements hypophysaires), accusent moins de malaises ou d'inégalités que les femmes soumises aux cycles normaux.

— Une femme en post-ménopause, traitée sans cycles, en

continu, se plaint souvent, si l'on reprend les cycles, des mêmes troubles (alternance de forme et de fatigue, de volonté et d'aboulie, de combativité et de passivité...) qu'à la puberté et elle signale toujours cet état, comme beaucoup moins confortable que l'état continu...

Les hormones mâles donnent une tonicité neuro-musculaire, une combativité ou une agressivité supérieure mais, dans pratiquement tous les autres domaines, il ne semble pas que les hormones femelles jouissent d'avantages moindres, et elles en possèdent de supérieurs. La seule différence appréciable semble donc liée aux variations cycliques.

Or la cyclicité fonctionnelle ovarienne n'intervient que pendant la période de procréation et ne sert strictement qu'à cela.

Si la nécessité de ce système est exclusivement liée à la fécondation, sa durée pourrait, peut-être, lui être strictement limitée, lorsque le nombre de maternités désirées aura été assuré.

Dans cette optique il serait peut-être plus utile d'avancer le retour à un équilibre hormonal continu plutôt que de continuer d'assurer le plus longtemps possible, celui, bien souvent boiteux, de nos éternelles cyclothymiques.

Cette étude mériterait d'être faite. Elle ne pose peut-être pas de problèmes plus ardus que ceux de la stérilité ou de la contraception. Qui sait, si de ce côté ne se trouvent les solutions actuellement les plus extravagantes... et dans quelques années, peut-être les plus simples...

On commence déjà à admettre à partir d'un certain âge, qu'il soit simple et raisonnable d'enlever systématiquement des trompes devenues inutiles (pour éviter l'éventualité de pathologies futures, de surveillance et d'accès difficile), un utérus pathologique (pour assurer sans restriction l'équilibre hormonal) [1].

Sera-t-il sage ou imprudent de conserver 30 à 40 ans un utérus même sain, mais physiologiquement inutile, si la période des maternités raisonnables est achevée à 35 ans ? Les pathologies dont il est menacé, l'exigence pour son intégrité de desquamations régulières et par conséquent d'une rythmicité un peu perturbante, paraîtront peut-être alors disproportionnées et injustifiées...

Attention : il ne s'agit là que de suppositions tout à fait gratuites, prises au hasard. On pourrait en imaginer bien d'autres.

---

1. Cf. Traitement, p. 356.

FUTUROLOGIQUE

Elles n'ont pas la prétention d'apporter des solutions ou d'indiquer des voies, mais seulement de rappeler que tout est possible, tout peut être étudié — et peut-être bien des choses à l'heure actuelle inimaginables — à partir du moment où la science est libérée de l'étau de traditions ou de tabous.

6

ÉCOLOGIQUE

Il est impossible de détacher la ménopause de l'ensemble de
la physiologie sexuelle féminine. On ne peut, par exemple, l'aborder
sans connaître ausi bien l'embryologie que le développement pubertaire et la physiologie ovarienne adulte.

Par une simple démarche logique de l'esprit, des unes et des
autres auraient dû découler des travaux passionnants et multiples
sur la ménopause. Or, lorsqu'on arrive à ce niveau, on est étonné
de la pauvreté, non seulement des connaissances mais aussi des
recherches en cours.

La majeure partie des travaux débouche en fin de compte,
encore et toujours, sur la fécondité.

Il est vrai que nous avons gardé depuis le début de l'histoire
des hommes, un souci obsessif de la capacité reproductrice de la
femme, alors, condition absolue de survie, plus tard, de puissance
et de richesse.

Or, par rapport à la plupart des animaux, la femme n'est pas
une grande reproductrice. L'unicité, la fragilité, la longue durée de
portée, puis de maternage, nécessaire à chaque enfant, ont sûrement
beaucoup pesé sur ce souci constant de favoriser, de protéger à tout
prix, prioritairement sa fonction maternelle, et de l'y attacher presque exclusivement.

Aussi ne faut-il pas s'étonner que de tous temps, hommes, philosophes, sociologues, moralistes, législateurs, aient prétendu la contrôler, cristallisant depuis la préhistoire, au fil des générations, à travers
toutes les sociétés, et dans toutes les civilisations, un phénomène
de déification, mais aussi de captation et d'asservissement de la fécondité féminine.

Cette primauté, la fonction maternelle l'a longtemps méritée dans l'absolu. Elle s'explique encore par son extraordinaire et miraculeuse complexité. Mais si elle a été longtemps tellement essentielle, qu'elle devenait plus importante que celle même qui l'assumait, ce n'est plus vrai. Si le nombre de maternités fut longtemps le seul moyen de suppléer à la terrible mortalité enfantine (puisqu'il y a moins de 60 ans, pour être sûr de garder quatre enfants, il fallait bien en faire au moins une dizaine), ce n'est plus vrai.

Le problème ne s'est pas seulement considérablement modifié, mais complètement inversé.

Il y a longtemps déjà que le bien-être et la sécurité des hommes ne dépendent plus du nombre des naissances mais au contraire de leur limitation.

Et pourtant, définie à l'unanimité par le monde scientifique comme un danger pressant, la surpopulation est toujours niée, contre toute évidence scientifique, économique ou écologique, et négligée, malgré l'urgence galopante (puisque tous les taux d'alerte ont été dépassés depuis longtemps), dans l'inconscience et l'obstination générales.

Il est bien évident que tout ce qui touche à ce sujet est lourdement grevé par le contexte mythique, moral, religieux, social, politique et économique, qui a toujours accompagné la fonction de reproduction, et continue de lui conférer une espèce de priorité irraisonnée, aveugle, absolue, que la société semble incapable de remettre en cause.

Archaïque, viscérale, l'obsession procréatrice règne toujours sur le monde moderne, donnant obstinément, absurdement, priorité à la masse sur l'individu, à la multiplication sur le développement, à la quantité sur la qualité. Comme si la fonction de reproduction, la seule qui soit totalement commune à toutes les espèces animales, était la seule noblesse, la seule raison d'être de l'homme, qui s'est voulu si différent.

Comme toujours dans l'histoire des hommes, les connaissances, les opinions d'un moment ont fini par être érigées par certains en lois morales, sociales et même religieuses. Or, si peu de choses changent autant qu'un contexte écologique, peu de choses changent aussi difficilement qu'un contexte psychologique, car il est beaucoup plus difficile de modifier lois et morales, qu'on a voulu essentielles, que des connaissances scientifiques, sans cesse remises en question.

Pourtant il faudra bien y venir d'une façon ou d'une autre. L'exigence est absolue, l'évolution irréversible. Elle risque, devant les conséquences d'une prise de conscience trop tardive, d'être, plus tôt qu'on n'imagine, brutalement imposée.

Il faut souhaiter que cette évolution se fasse à temps, librement, sur un plan purement scientifique, sans attendre la pression de circonstances extérieures qui contraignent parfois à des orientations qui ne sont pas toujours, ni sur le plan technique, ni sur un plan humain, les meilleurs choix.

Alors, peut-être que la science se détachera un peu de ce souci prépondérant et obsessif, accordera plus de temps, d'intelligence et de moyens à cette deuxième moitié de la vie féminine, si négligée jusqu'à présent [1].

Pour les générations précédentes, *la ménopause représentait la fin de la vie*. Comme la puberté dont elle est le phénomène inverse ce n'est plus maintenant qu'une période de transition (chez les femmes traitées, purement symbolique), entre deux périodes équivalentes : la fécondité et la maturité fonctionnelle.

Il faut que le problème soit posé ; il faut sortir du domaine chimio-biologique pur, qui finit par aveugler, du domaine des principes sociaux ou moraux qui sont, comme toujours, décalés, dangereusement en retard sur l'évolution des réalités écologiques.

La femme moderne est dotée de 20 à 30 ans de longévité minima après la ménopause. Fonctionnelle, autonome, c'est un individu à part entière qui a droit aux mêmes égards en tant qu'être humain que les jeunes adultes.

Les femmes ménopausées sont une population énorme.

Il y a 315 millions de femmes en ménopause en même temps dans le monde : 3 276 600 en France ; 15 570 000 dans la Communauté Economique Européenne ; 12 020 000 aux U.S.A.

Les femmes de 50 à 70 ans sont : 3 866 000 en France ; 21 735 000 dans la Communauté Economique Européenne ; 12 666 000 [2] aux U.S.A.

Leur nombre, autant que leur durée d'existence, ne permettent pas un désintérêt ou une désinvolture déjà contraire à la dignité humaine.

---

1. Ce n'est d'ailleurs pas un problème strictement féminin. En doublant presque la durée de vie adulte, la société ne semble pas avoir prévu de tenir compte de cette deuxième moitié.
2. Chiffres fournis d'après les tables de l'I.N.E.D., l'I.N.S.E.E. et l'annuaire démographique des Nations unies.

« A cette époque, si son organisation
animale s'altère, son organisation intellectuelle se perfectionne... elle reprend avec une nouvelle existence un
nouvel empire sur ce qui l'envi-
ronne... »

Boyveau Laffecteur (1798)

7

SOCIOLOGIQUE

A l'occasion d'une étude comparative sur les capacités et
le rendement du travail de la femme que nous avons conduite de
1956 à 1965 dans plusieurs grandes entreprises européennes, plus
de 28 000 femmes ont été interrogées, plus de 12 000 examinées
et testées, plus de 3 000 testées, examinées, traitées et suivies pendant 15 ans.

Cette enquête a fait ressortir des faits qui n'étaient pas soup-
çonnés au départ et qui battent sérieusement en brèche la plupart
des opinions admises.

La plus impressionnante a été la découverte que *contrairement
à la conviction générale, à partir de 40 ans, même en dehors de
tout traitement, et malgré les troubles de la ménopause, la capacité
de résistance et de travail de la femme augmente par rapport à elle-
même, et plus encore par rapport à celle de l'homme, à la même
époque, décroissante.*

Cette amélioration qui se maintient jusqu'à 65-70 ans est ressentie même par les plus pessimistes, et objectivée par leur entourage.
Et les travaux faits à ce propos, les résultats obtenus par les entreprises qui ont participé à ces travaux ou qui les ont mis en pratique,
sont absolument démonstratifs.

Masquée, à leurs propres yeux, par la longue traversée des
misères des ménopauses non traitées, évidente chaque année, davantage dans le cas inverse, même chez les plus douillettes, les plus
gémissantes, les plus pessimistes, il se produit alors, une sorte de
consolidation physique et morale très particulière.

Progressivement débarrassées des multiples malaises de l'état
féminin (peurs, dépressions, émotivité, coups de pompe ou lassitude

inexplicables), gagnant chaque jour davantage en régularité, euphorie, objectivité et combativité organisée, dont leurs filles, ou bien leurs collègues de 20 à 25 ans sont tout à fait incapables, ce sont d'extraordinaires bûcheuses, capables d'une énergie et d'une résistance que seules des lésions accidentelles ou d'usure, acquises au cours de la vie, ou une laxité morale particulière, peuvent entraver.

Sur le plan subjectif, on relève dans l'ensemble un bien plus grand attachement à leur métier chez les femmes âgées que chez les jeunes, et un plus grand désir de stabilité :

— 63 % des femmes âgées considèrent leur rendement actuel comme très supérieur à celui qu'elles avaient à 35 ou 40 ans ;

— 15 % seulement le déclarent plus pénible, mais de meilleure qualité ;

— 20 % le considèrent inférieur, ce qui est relativement peu si l'on tient compte, en particulier pour les femmes économiquement défavorisées, *des conditions de vie très anormales, assumées pendant 10 ou 15 ans, au moment des maternités et de leurs conséquences pathologiques.*

Des tests répétés, et que l'on a cherché à recouper le plus possible entre eux montrent :

— Une diminution de la mémoire (79 %) et une augmentation de la fatigabilité (59 %), mais dans les épreuves de rééducation physique et intellectuelle, si l'apprentissage est plus lent, l'entretien et la réussite sont deux fois plus constants que chez les jeunes femmes.

— A l'opposé, la résistance est augmentée dans 39 % des cas, et ce chiffre s'élève après entraînement à 72 % des cas.

— L'étude des tests et des annotations professionnelles ainsi que des points de rendement, montre une augmentation de l'énergie dans 72 % des cas, une augmentation de la ténacité dans 67 % des cas. Ces deux points étant caractérisés par une extrême constance de ces qualités, alors qu'elles sont extrêmement fluctuantes chez les moins de 40 ans.

— Une augmentation de l'esprit d'entreprise, dans 40 % des cas, et une nette amélioration de la facilité dans les contacts humains, se remarque particulièrement au niveau des cadres et des dirigeants (95 % des cas).

— L'absentéisme diminue de moitié et passe en dessous du chiffre correspondant chez les hommes de même âge et le taux des accidents de travail diminue considérablement (à la seule exception des femmes âgées mises pour la première fois devant des mécanismes compliqués).

Lorsqu'on pratique des *tests comparatifs* entre les femmes du groupe jeune et les femmes du groupe âgé, le résultat est presque toujours supérieur dans la catégorie la plus jeune lorsqu'il s'agit d'une épreuve limitée dans le temps, à la minute, ou à l'heure, ou sur une seule épreuve type.

Mais si on prolonge l'épreuve, la supériorité du groupe plus âgé s'affirme d'autant plus que la mesure de temps est allongée ; déjà au jour, nettement plus à la semaine, et, de façon absolument indiscutable, au mois ou à l'année.

Lorsqu'on étudie les *courbes de capacités* suivant l'âge, on découvre après un timide début une augmentation avec une pointe d'activité et de capacité maxima à 25 ans. Mais ensuite la courbe dégringole et se traîne autour de 25 % à peine du maximum de capacité pendant les 10 à 15 ans qui correspondent au maternage (fig. 22, p. 432).

Elle s'élève ensuite en flèche et n'atteint son maximum qu'à 45 ans pour s'y maintenir sans défaillance (et malgré la ménopause) de 45 à 55 ans pour les moins favorisées, jusqu'à 65 ans au moins chez les autres (cadres, professions libérales).

Le retour au niveau de 25 ans ne se fait que vers 65 ans pour les premières et presque 10 ans plus tard pour les secondes [1]. Le facteur prépondérant de décroissance précoce semble encore et toujours de mauvaises conditions matérielles et un surmenage anormal au moment des maternités.

Or, dans le même temps, grimpée vertigineusement de 50 à 100 % entre 18 et 25 ans, après un plateau dérisoire de 10 ans tout au plus, la *courbe* féminine d'*offre d'emploi* absurde, illogique, chute brutalement dès la trentaine. Après 40 ans, on se heurte à un refus presque systématique d'embauche, même quand il y a de pressants besoins de main-d'œuvre (fig. 20, p. 432).

Ce contraste entre l'offre et la demande montre bien à quel point le contexte social est en discordance avec les réalités biologiques. Là, réside la source de tous les problèmes de travail féminin et de la difficulté à les résoudre.

En effet, la *courbe d'occupation* qui donne la réalité de l'emploi, reste, elle, logiquement parallèle à la courbe de capacité, ce qui

---

1. En dehors de tout traitement spécifique.

montre bien la pression irrésistible de l'indisponibilité d'abord, des capacités ensuite, malgré un contexte professionnel résolument hostile (fig. 21, p. 432).

Ces tests, ces courbes, toutes les évaluations de la capacité et des qualités de travail ayant été faits sur des femmes non traitées et dont la plus grande partie du groupe âgé était, justement, en période de ménopause, on pouvait imaginer à quel point elles seraient sans doute améliorées dans le cas de ménopauses traitées.

Et de fait, au cours d'une étude supplémentaire, pratiquée ces dernières années, 3590 femmes, de toutes catégories professionnelles, ont été suivies et systématiquement traitées. 942, pour des raisons diverses, n'ont pas continué jusqu'au bout de la période prévue. Mais, 1 809 femmes ont été examinées, traitées et testées pendant 10 ans.

— Chez celles qui ont commencé vers 45 ans, dès la première baisse hormonale et avant les premiers troubles, il n'y a pas eu plateau, mais augmentation de la courbe des capacités (fig. 22, p. 432).

— Dans la catégorie traitée à partir de 50/55 ans, après 1 à 3 ans d'aménorrhée (780 cas), le plateau maximum s'est maintenu, ou, après un fléchissement, a remonté au niveau maximum où il s'est prolongé jusqu'à 65 ans sans signe de défaillance.

La diminution successive a été plus lente que dans la courbe témoin des femmes non traitées.

— Chez les femmes traitées à partir de 55-60 ans (69 cas), la courbe descendante a été interrompue et s'est stabilisée, ou, dans certains cas est même remontée, après 6 mois de traitement. Les premiers signes de fléchissement n'apparaissent qu'après 70 ans.

Il est intéressant de noter que ces résultats ont été spectaculairement supérieurs (particulièrement dans les groupes âgés) lorsque les femmes ont accepté de suivre simultanément des cours de rééducation physique et intellectuelle.

Ainsi, naturellement et malgré les avatars des ménopauses naturelles, la capacité de travail des femmes est à son maximum jusqu'à 55 ans et ne décroît ensuite que très lentement.

Dans les cas de ménopauses traitées, l'amélioration est telle que l'on peut considérer que la femme est à son maximum de capacité de 45 à 65 ans au moins et que ce maximum est, pour toutes les catégories de travailleuses, au-dessus du maximum de 25 ans.

C'est la première fois qu'il est possible d'avoir un recul suffisant pour en juger, au moins jusqu'à 65 ans. Les années à venir nous diront ce qu'il en est pour les tranches d'âges suivantes. Mais d'ores et déjà, l'activité et la résistance des patientes traitées tardivement fait supposer que la courbe descendante sera considérablement ralentie chez celles qui auront été protégées dès avant le début des troubles.

Ceci repose avec acuité un problème déjà ancien, celui du travail professionnel des femmes.

En France, un salarié sur trois est une femme.

La moitié d'entre elles sont mariées, et plus de deux millions de mères de famille travaillent de 90 à 100 heures et plus par semaine, pendant des périodes de 2 à 10 ans.

L'intérêt général est dans une utilisation intelligente, et non destructrice, de cette masse d'énergie, dont l'économie ne peut se passer. Et la fonction maternelle étant primordiale pour la société, il faut absolument trouver un moyen pour que les maternités ne faussent pas complètement le problème, mais en régentent les solutions.

La travailleuse est exclusivement jugée et définie sur la période de plus mauvais rendement professionnel, d'indisponibilité presque permanente et de surmenage constant et souvent inhumain. Elle est rejetée à partir de 35 ou 40 ans à l'époque où, pour la première fois de sa vie, elle devient physiquement et psychologiquement, matériellement disponible pour 25 ou 30 ans minimum, et, dans le cas de ménopause traitée, bien davantage.

Pourtant cette travailleuse-là mérite :

— *Qu'on la prépare :* sur des bases solides et réalistes — une préparation technique qui permette un vrai métier, une vraie profession, même s'il ne doit pas y avoir exercice immédiat.

— *Qu'on la respecte,* autrement qu'en paroles. La fonction maternelle : mise au monde et maternage (les 2 ou 3 premières années de l'enfant) est une fonction sociale primordiale, la plus importante de toutes. C'est aussi une fonction à temps plein, surtout lorsqu'il y a 2 ou 3 enfants étagés, comme c'est presque toujours le cas. Comment peut-on exiger des femmes qu'elles l'assurent, à leurs

409

seuls dépens, et que ce soit dans le même temps la seule période où on les accepte et on *les juge* comme travailleuses professionnelles ?

Comment les femmes acceptent-elles cet état de choses, et d'essayer de faire oublier, ou pardonner leur maternité, au lieu d'être, à cause d'elles, exigeantes ?

— *Qu'on l'attende,* même s'il doit y avoir une période d'interruption ou de demi-interruption du travail pendant la période maternelle. On attend bien les hommes au service militaire. La fonction militaire est-elle plus nécessaire que la fonction maternelle dans une société ?

— Qu'un certain nombre d'années par enfants compte comme années de travail, en allocations, avantages sociaux et points retraite (comment peut-il en être autrement ?)

— Que l'on mette tout à fait au point et qu'on généralise tous les systèmes de formation permanente ou de recyclage rendus possibles, par la disponibilité progressive des jeunes mères dont les enfants atteignent l'âge scolaire utile, nécessaire même par la *durée* de vie active au delà.

L'âge des dernières maternités, autrefois étalé jusqu'à 40 ans, est très nettement redescendu avec la contraception, et dépasse maintenant rarement 30 ans.

Il est autrement valable, intelligent et constructif d'employer du temps et de l'argent pour former une travailleuse libérée, stabilisée, le plus souvent installée dans un cadre de vie défini, et qui va être au meilleur de sa forme et de ses qualités pendant 20 à 30 ans au moins (et sûrement plus avec la généralisation des traitements de ménopause) que d'en perdre comme on le fait pour des pseudo-préparations professionnelles inadéquates, mal motivées, remises en cause par le mariage et les maternités, ou servitude familiale.

Si un véritable sentiment social, une équitable distribution des chances, des possibilités et des conditions de vie ne sont pas suffisamment vrais pour faire face à ces problèmes, qu'au moins la simple intelligence, le sens de la gestion et le plus ordinaire bon sens président à des aménagements dont tout le monde tirerait avantage.

Si les femmes sont capables de mûrir suffisamment pour mesurer le poids énorme qu'elles représentent dans le monde du travail [1],

---

1. 12 millions de travailleuses en France, un tiers du nombre total.

si elles sont capables de prendre conscience que les maternités doivent les rendre exigeantes et non humbles, qu'il faut protéger leur équilibre, refuser une adaptation contre nature ou un antagonisme absurde entre leurs fonctions maternelles et leurs fonctions professionnelles qui pourraient être harmonieusement juxtaposées, si elles mesurent vraiment enfin le temps à vivre après leurs enfants et l'étendue des possibilités que leur offrent la prévention et le traitement de la ménopause [1], elles deviendront peut-être capables d'obtenir, d'organiser et de présider elles-mêmes à cet aménagement qui est leur meilleure chance d'équilibre et d'épanouissement.

---

1. Et que même l'ineffaçable atavisme de rejet physique sera d'autant repoussé.

CE TRÈS GRAND TIERS !...

La ménopause à travers les siècles, celle de nos mères, celle de nos amies, et celle, dans ses pires aspects que nous venons de parcourir ensemble, la ménopause peut donc être effacée !

Effacés, les déséquilibres et les désordres, effacé, le déclenchement précoce des dégradations, effacée, la frontière symbolique séparant deux époques de la vie, désastreusement incomparables.

La ménopause ne peut pas être considérée comme un simple événement chronologique. Se cantonner à cette définition simpliste, ne serait pas une attitude objective, et conduirait à une dangereuse désinvolture : l'ignorance des phénomènes qui l'accompagnent, des complications et des dégénérescences qui la suivent.

Le niveau actuel de la recherche, s'il ne parvient pas à appréhender la cause exacte de ce « curieux accident » de la nature, semble le révéler chaque jour davantage comme une « erreur biologique », une défaillance, une pathologie d'insuffisance, au même titre que le diabète, l'insuffisance thyroïdienne ou surrénale.

D'ailleurs on ne lui connaît pas d'avantages :

— La disparition des règles est une commodité, mais elles manquent à l'équilibre et à l'intégrité de la muqueuse utérine.

— La stérilité, à cet âge, physiologiquement raisonnable, dans l'intérêt de la femme et pour la conservation de l'espèce, est dans la réalité, presque toujours souhaitable... et souhaitée, beaucoup plus tôt. Et les moyens modernes de l'assurer sont bien moins lourds d'inconvénients.

— L'extinction de pathologies infectieuses ou prolifératives, trouve dans la pharmacopée moderne pour les premières, ou dans le traitement hormonal lui-même pour les secondes, une protection beaucoup plus sûre que l'atrophie dégénérative et ses complications.

— Le retour à un état basal, tonique, régulier, beaucoup plus confortable que les rythmes cycliques, survient souvent trop tard pour être vraiment favorable, et pour qu'on puisse en profiter. Et puis 5 à

415

10 ans de perturbations aiguës avec des conséquences fonctionnelles, organiques et pathologiques importantes, qui grèvent d'avance lourdement la période d'améliorations tardives, sont un prix démesuré pour une gêne somme toute relative.

Mais à l'opposé, la réalité et l'universalité des troubles occasionnés, leurs conséquences physiques, fonctionnelles, psychologiques et sociales, la décompensation de pathologies préexistantes, jusque-là bien contenues, les conséquences dangereuses à long terme des perturbations trophiques ou métaboliques et les pathologies invalidantes qu'elles entraînent, sont autant de faits objectifs qui n'autorisent ni la légèreté, ni la négligence, ni l'ignorance.

A partir du moment où, comme la douleur d'enfanter, elle cesse d'être passivement acceptée en tant que fatalité, ou nécessité obscure, le mythe de la ménopause s'évanouit : c'est avec des yeux neufs qu'elle peut être abordée.

Et voilà qu'on a, peu à peu, l'impression d'assister à un phénomène qui dépasse de beaucoup les perspectives les plus optimistes. Une de ces surprises heureuses que donne, de temps en temps, la médecine, au détour de recherches parfois modestes, et sur des points, à première vue peu importants.

Ce n'est pas la première fois en médecine, qu'un traitement efficace précède la connaissance parfaite du phénomène qu'il est appelé à contrôler. Ce fut vrai pour presque toutes les hormones, l'insuline et le diabète, les extraits thyroïdiens et la glande thyroïde, et bien d'autres encore...

Cela n'en diminue pas la valeur, l'utilité ou l'efficacité.

Il arrive, bien au contraire, que le traitement par son mode d'action et ses résultats, fasse avancer les connaissances sur le trouble qu'il permet de traiter.

La thérapeutique substitutive de la ménopause a ainsi permis :

— de mettre en évidence, avec leur docilité thérapeutique, la dépendance hormonale de certaines pathologies ;

— de détacher plus nettement les troubles et pathologies de privation hormonale de ceux de la sénescence pure ;

— d'ébaucher enfin une approche sérieuse de l'effet des hormones sur l'involution générale de l'organisme âgé...

... Toutes choses que la lenteur et le caractère tardif de l'involution masculine ne permettaient pas de différencier clairement.

Mais l'étude de la ménopause ouvre des horizons beaucoup plus larges.

— Bouleversement neuro-hormonal exceptionnel, elle peut donner par ses excès mêmes, la clef de bien des perturbations pubertaires, encore mal expliquées et mal traitées.

— Involution hormonale exemplaire dans sa précocité et sa brutalité, elle permettra peut-être de repenser l'involution de la fonction génitale mâle, dont la décroissance lente est bien moins significative, et que son privilège de prolongation tardive a fait trop longtemps négliger.

— Atrophie dégénérative, docile à l'hormonothérapie substitutive, c'est une porte entrebâillée sur le rôle de facteurs hormonaux vis-à-vis de la sénescence, et de tous les phénomènes neuro-hormonaux et métaboliques qui en procèdent ou la construisent.

Nous sommes à une époque de progrès techniques extraordinaires, qui donnent à la recherche, à partir de disciplines variées, des possibilités démesurément élargies.

Cependant, elles sont loin d'être assez exploitées par la faute de leur richesse même. Un chercheur, enfermé dans son domaine propre, est très mal informé de toutes les possibilités techniques contemporaines que pourraient lui fournir des disciplines différentes. Il est évident que seule la multiplicité des échanges d'une part, et la concentration de techniciens de disciplines différentes d'autre part, permettrait des progrès importants et rapides.

Ce n'est pas une réalisation facile.

Mais les recherches techniques, technologiques y parviennent, certaines nécessités écologiques y contraignent.

La préservation de 30 ans de la vie, pour la moitié de l'humanité, ses répercussions possibles pour l'autre moitié et sur la société en général, ne parviendront-elles pas à obtenir cette réunion de disciplines, de connaissances et de moyens qui aplaniraient tant de problèmes et ouvriraient tant de chemins ?

Car l'effacement de la ménopause est aussi un problème social.

Depuis la dernière guerre, l'allongement considérable de la durée moyenne de la vie qui la sépare, de plus en plus nettement, des phénomènes de vieillissement auxquels, autrefois elle se confondait, les immenses progrès de la recherche et, ces dernières années, l'élargissement remarquable d'une thérapeutique efficace auraient dû la délivrer de tout mystère.

Or, il n'en est rien sur le plan scientifique, où l'on est encore incapable d'en expliquer tout à fait les causes mystérieuses et les

417

mécanismes profonds, ni dans le domaine psychologique et social, où les choses n'ont changé qu'en apparence.

La ménopause est restée une limite physique et sociale qui tranche comme un couperet entre les « *toutes femmes* » [1] et les « *has been* » [2] et, comme le disait crûment Boyveau Laffecteur [3], « *le passage à cette divinité secondaire qui n'a plus d'adorateurs !* »

Aussi mérite-t-elle encore, bien que pour d'autres raisons, le titre « *d'âge critique* » qui lui était attribué depuis des siècles, parce qu'elle précédait ou entraînait la mort.

Et pourtant quelque chose d'essentiel a changé : la moyenne de longévité féminine a augmenté de 25 ans et plus, depuis le début de ce siècle.

Ce n'est plus une sélection de sujets exceptionnels qui franchissent les écueils de la ménopause, ce sont *toutes* les femmes, et assez franchement pour qu'on ne puisse plus, à ce sujet, évoquer le vieillissement.

De nos jours, une femme qui consacre de 15 à 18 ans à la croissance, n'exerce que 20 à 25 ans sa fécondité, mais conserve 25 à 30 ans de maturité fonctionnelle et autonome avant la sénilité vraie qui, chez la plupart des femmes, n'apparaît que très tardivement, peu avant de mourir.

La femme moderne est donc ménopausée 25 à 30 ans de sa vie.

En jouant un peu sur les mots, on pourrait résumer cette vie en trois époques :

— un petit tiers, croissant ;
— un tiers moyen, fécond ;
— ... et, un très grand tiers, ménopausé !

Alors nous, qui sommes tous concernés, chercheurs, politiciens, sociologues, employeurs, médecins et femmes, comment pourrions-nous continuer d'ignorer longtemps encore **ce très grand tiers ?**

---

1. Expression de Colette pour la féminité épanouie.
2. « Celles qui ont été ».
3. Spécialiste des maladies vénériennes, 1798.

CROQUIS
ET GRAPHIQUES
PAR MARIE-THÉRÈSE DUBOIS

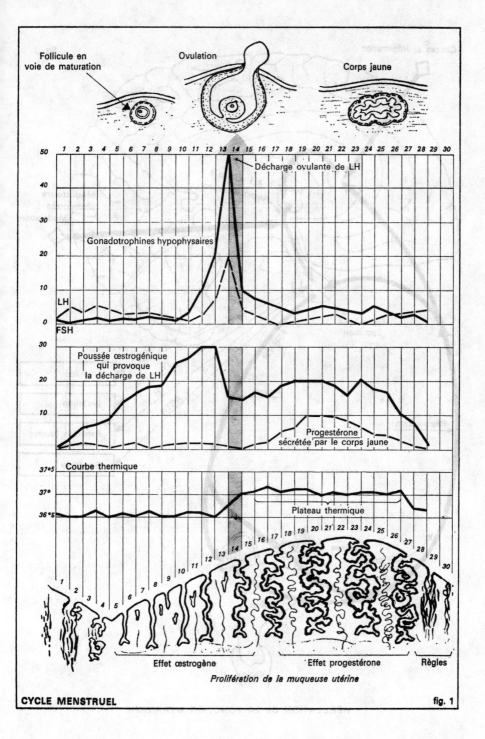

Follicule en voie de maturation

Ovulation

Corps jaune

Décharge ovulante de LH

Gonadotrophines hypophysaires

LH

FSH

Poussée œstrogénique qui provoque la décharge de LH

Progestérone sécrétée par le corps jaune

Courbe thermique

Plateau thermique

Effet œstrogène

Effet progestérone

Règles

Prolifération de la muqueuse utérine

CYCLE MENSTRUEL

fig. 1

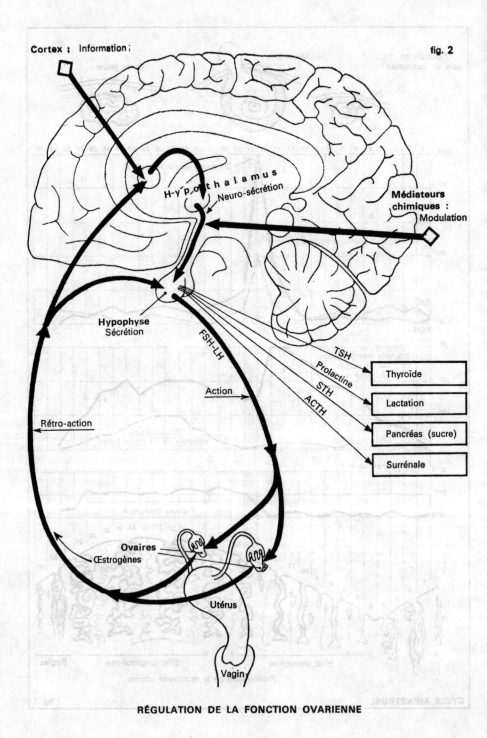

RÉGULATION DE LA FONCTION OVARIENNE

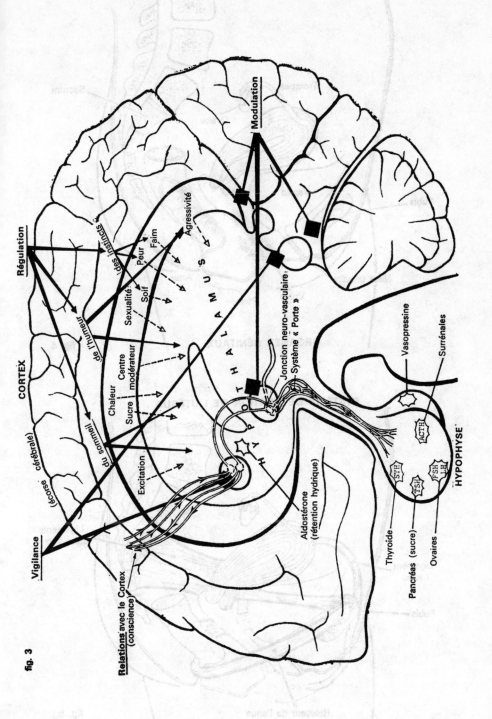

fig. 3

Régulation

CORTEX

(écorce cérébrale)

Vigilance

Relations avec le Cortex (conscience)

Modulation

Jonction neuro-vasculaire Système « Porte »

THALAMUS

Des instincts

Agressivité

Faim

Peur

Sexualité

Soif

Chaleur

Centre modérateur

Sucre

de l'humeur

du sommeil

Excitation

HYPOTHALAMUS

Aldostérone (rétention hydrique)

Vasopressine

Surrénales

ACTH

STH

TSH

FSH LH

HYPOPHYSE

Thyroïde

Pancréas (sucre)

Ovaires

423

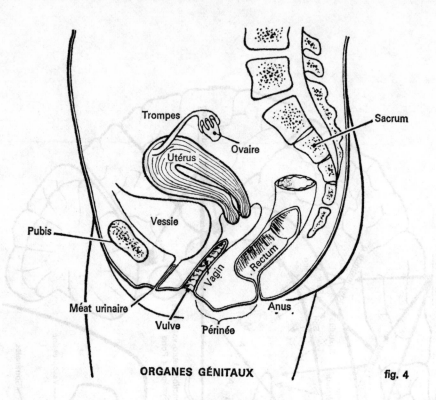

ORGANES GÉNITAUX fig. 4

SYSTÈME DE FIXATION DE L'UTÉRUS

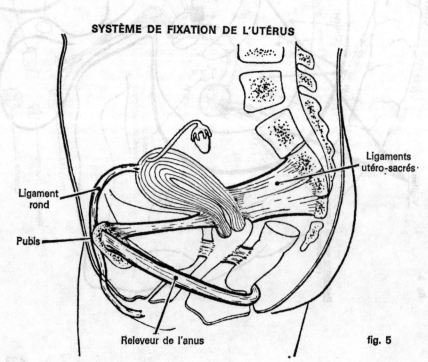

fig. 5

424

fig. 6

fig. 7

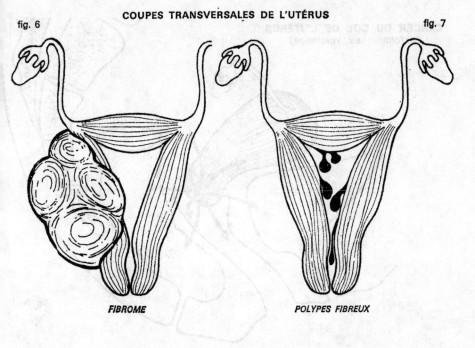

FIBROME

POLYPES FIBREUX

VARIÉTÉS DE PROLAPSUS

fig. 8

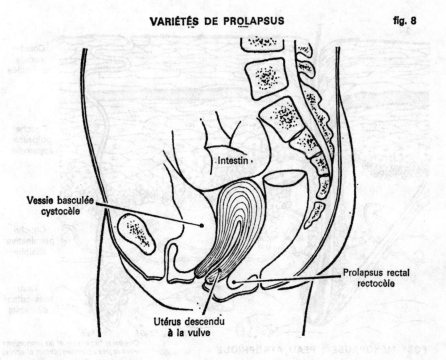

Intestin

Vessie basculée
cystocèle

Prolapsus rectal
rectocèle

Utérus descendu
à la vulve

425

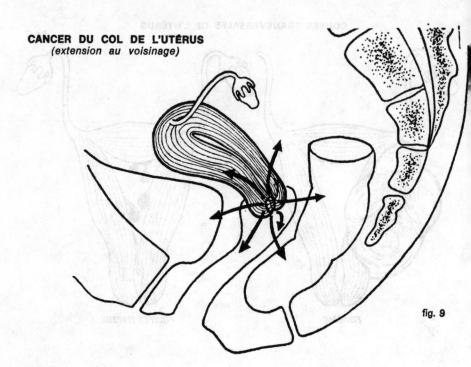

CANCER DU COL DE L'UTÉRUS
(extension au voisinage)

fig. 9

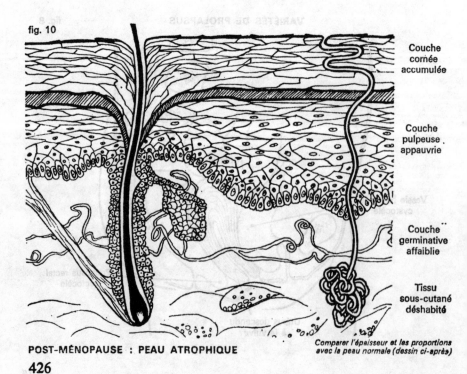

fig. 10

Couche
cornée
accumulée

Couche
pulpeuse
appauvrie

Couche
germinative
affaiblie

Tissu
sous-cutané
déshabité

POST-MÉNOPAUSE : PEAU ATROPHIQUE

*Comparer l'épaisseur et les proportions
avec la peau normale (dessin ci-après)*

fig. 11 PEAU NORMALE

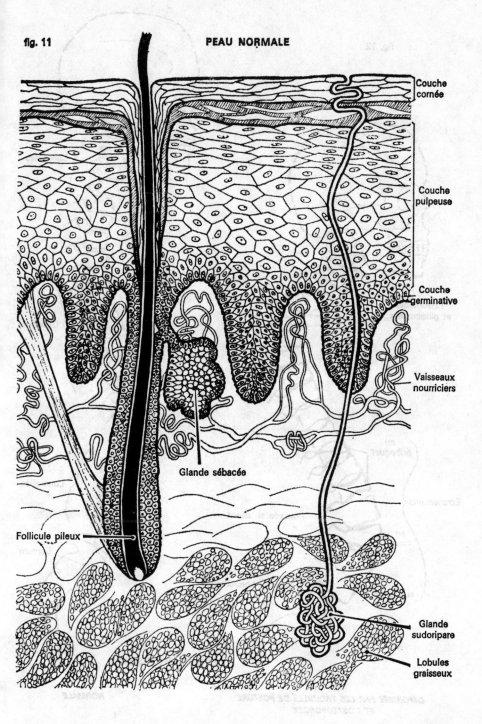

Couche cornée

Couche pulpeuse

Couche germinative

Vaisseaux nourriciers

Glande sébacée

Follicule pileux

Glande sudoripare

Lobules graisseux

427

fig. 12

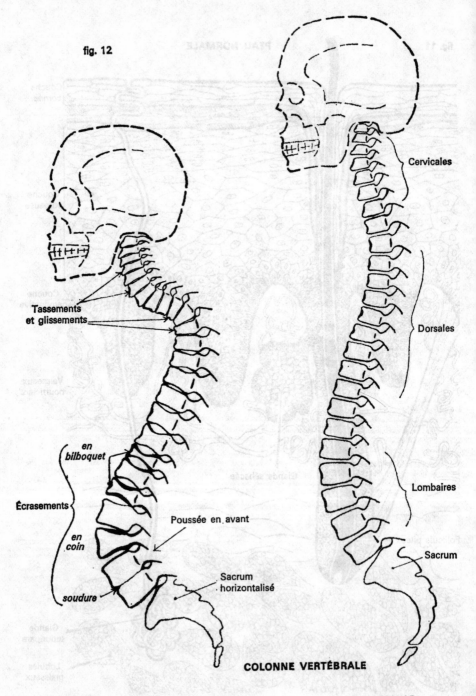

Cervicales

Tassements
et glissements

Dorsales

en
bilboquet

Écrasements

en
coin

Lombaires

Poussée en avant

soudure

Sacrum

Sacrum
horizontalisé

COLONNE VERTÉBRALE

*DÉFORMÉE PAR LES TROUBLES DE POSTURE
ET L'OSTÉOPOROSE*

NORMALE

428

TÊTE ET COL DE FÉMUR

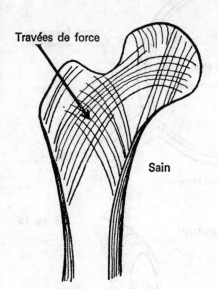

Travées de force

Sain

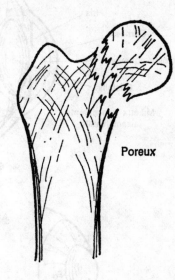

Poreux

ASPECT MICROSCOPIQUE

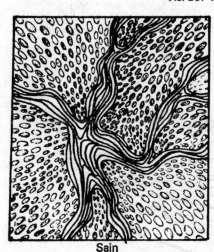

Sain

Poreux

*On voit nettement les travées protéiques altérées
et la raréfaction minérale*

OSTEOPOROSE

fig. 13

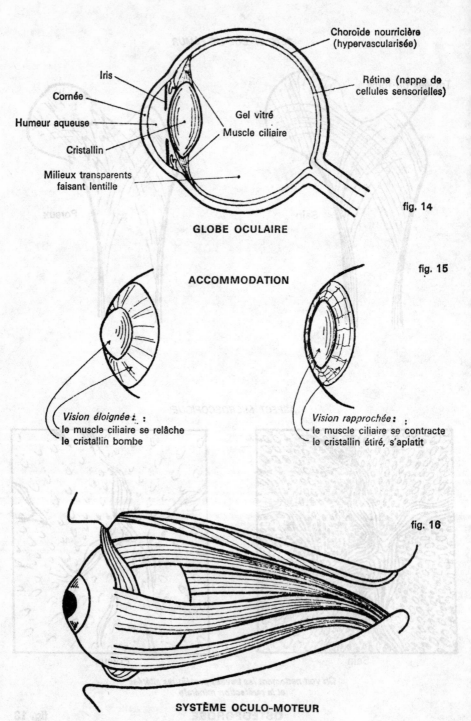

Iris

Cornée

Humeur aqueuse

Cristallin

Milieux transparents
faisant lentille

Choroïde nourricière
(hypervascularisée)

Rétine (nappe de
cellules sensorielles)

Gel vitré

Muscle ciliaire

fig. 14

GLOBE OCULAIRE

fig. 15

ACCOMMODATION

Vision éloignée :
le muscle ciliaire se relâche
le cristallin bombe

Vision rapprochée :
le muscle ciliaire se contracte
le cristallin étiré, s'aplatit

fig. 16

SYSTÈME OCULO-MOTEUR

assurant mouvements-convergence

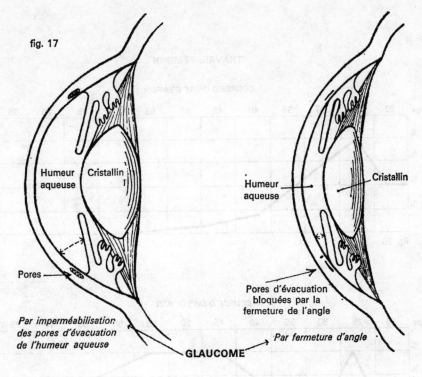

fig. 17

Humeur aqueuse

Cristallin

Pores

Par imperméabilisation des pores d'évacuation de l'humeur aqueuse

Humeur aqueuse

Cristallin

Pores d'évacuation bloquées par la fermeture de l'angle

Par fermeture d'angle

GLAUCOME

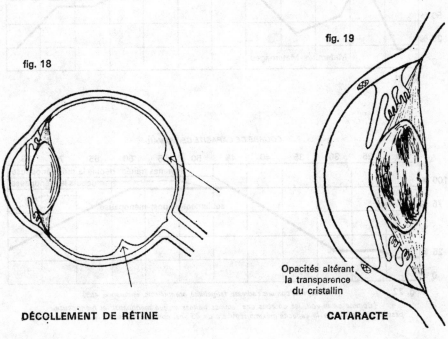

fig. 19

fig. 18

Opacités altérant la transparence du cristallin

DÉCOLLEMENT DE RÉTINE

CATARACTE

431

TRAVAIL FÉMININ

COURBE D'OFFRE D'EMPLOI

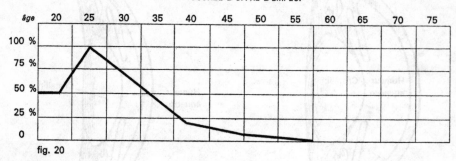

fig. 20

COURBE D'EMPLOI RÉEL

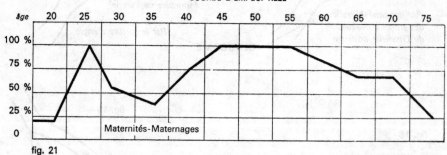

Maternités-Maternages

fig. 21

COURBE DE CAPACITÉ DE TRAVAIL

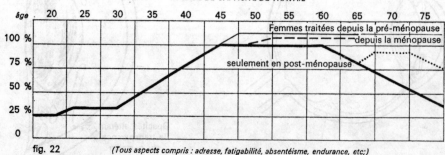

Femmes traitées depuis la pré-ménopause
depuis la ménopause
seulement en post-ménopause

fig. 22

(Tous aspects compris : adresse, fatigabilité, absentéisme, endurance, etc;)

(Comme on le voit, les courbes des femmes traitées en pré-ménopause et ménopause, passent au-dessus de la capacité maxima-régulière de 45 ans, considérée jusque-là, la plus parfaite.)

432

INDEX

INDEX

Toutes les références concernant ce livre étant trop importantes et trop techniques, il sera bon de se reporter à La Ménopause en gérontologie, *ouvrage à paraître.*

L'impression de ce livre
a été réalisée sur les presses
des Imprimeries Aubin
à Poitiers/Ligugé

pour les Éditions Laffont

Achevé d'imprimer le 5 avril 1982
N° d'édition, K 858 — N° d'impression, L 16762
Dépôt légal, avril 1982

Imprimé en France